인터뷰
글쓰기의
정석

이 도서의 국립중앙도서관 출판예정도서목록(CIP)은 서지정보유통지원시스템 홈페이지(http://seoji.nl.go.kr)와
국가자료공동목록시스템(http://www.nl.go.kr/kolisnet)에서 이용하실 수 있습니다.
(CIP제어번호: CIP2014017600)

실전 사례로 배우는 인터뷰 기사 작성법

인터뷰 글쓰기의 정석

| 심훈 지음 |

한울
아카데미

머리말

지금으로부터 20여 년 전인 1992년도의 일이다. 서울의 한 일간지에 들어간 뒤 사회부 수습기자를 거쳐, 국제부에 잠시 머물렀다가 경제부로 발령받게 되었다. 대학에서 신문방송학과를 나왔기에 경제는 그야말로 상식선에서 공부했던 것이 전부였던 필자에게 경제부라는 타이틀이 주는 부담감은 상당했다. 하지만 그런 부담은 매일 경제 공부를 해가며 상식 사전을 뒤지는 노력으로 조금씩 줄어들었다. 당시에는 아직 인터넷이 없었기에 궁금한 것이 생기면 책을 뒤적거리거나 선배의 조언으로 해결하는 수밖에 없었다. 그래도 모자란 경제 지식을 채우는 것은 경제부에 발령받은 지 얼마 되지 않아 떨어진 임무에 비하면 결코 어렵지 않았다.

"국내 최초로 독일식 소시지 공장 A사를 차린 이○○ 사장을 만나서 인터뷰 박스 기사를 써봐라"라는 경제 부장의 지시는, 스트레이트 뉴스(straight news)라 불리는 사건 기사를 겨우 쓰기 시작한 필자에게 그야말로 마른하늘에 날벼락이었다. 말이 좋아 신문방송학과 졸업생이지, 대학에서 이론 중심의 교과 과정만 이수했기에 인터뷰 박스 기사를 쓰라는 것은 훈련소에 갓 입소한 신병에게 적진에 침투해 정황을 보고하라는 것이나 다름없었다.

결국 무엇을 준비해서 가야 하는지도 모른 채 당사자를 만나 시간이 어떻게 흘렀는지도 기억나지 않는 생애 첫 번째 인터뷰를 마쳤다. 그렇지만 더욱 삭막했던 현실은 나름대로 꼼꼼히 적어온 인터뷰 내용을 기사로 만들어야 하는 다음 수순이었다. 도대체 어떻게 말머리를 전개하고 이야기를 풀어야 할지 몰라서 다른 신문사의 유사한 인터뷰 기사를 참조해가며 몇 시간을 끙끙거리고 붙들어 매던 기억은 20여 년이 지난 지금도 생생하다. 마침내 마감 시간이 다가오고 "왜 아직도 원고를 넘기지 않느냐?"라는 경제 부장의 호통에 어렵사리 선배에게 건넨 원고는 결국 빨간 줄이 북북 그어지며 난도질을 당하는 참상을 겪고 말았다.

필자의 작품이라고 말하기에도 부끄러웠던 기사가 낯 뜨겁게 교정되는 작업은 이후로도 한동안 반복됐다. 그래도 서당 개 삼 년이면 풍월을 읊는다고, 한 달이 지나고 두 달이 흐르면서 선배의 빨간 줄도 줄어들며 인터뷰 기사의 꼴이 서서히 갖춰지기 시작했다. 그로부터 딱 10년 뒤, 한림대 언론정보학부에 부임하면서 첫 학기 담당 과목으로 예전부터 개설돼 있던 '인터뷰 방법'이라는 교과목을 가르치게 됐다. 그리고 불현듯 떠올랐던 인터뷰와 관련된 과거의 당혹스러운 기억들은 이후 10여 년에 걸쳐 인터뷰 및 기사 작성과 관련된 교육을 가다듬고 정제시키는 데 일조했다.

이 책은 크게 세 부분으로 구성돼 있다. 먼저 인터뷰와 관련된 사전 준비 작업이 그 첫 번째이다. 인터뷰 대상자 선정에서부터 인터뷰 대상자 사전 조사에 이르기까지 제대로 된 인터뷰를 성사시키기 위해 미리 고려해야 할 사항들이다. 두 번째는 인터뷰 자체를 둘러싼 여러 노하우에 관한 것으로, 구체적인 질문 및 대화 전개 요령과 취재 노트 정리 등 실제로 도움이 되는 내용이 주를 이룬다. 마지막으로 인터뷰 대상자의 사진 촬영을 비롯해, 편집을 통해 인터뷰 기사를 하나의 완제품으로 만들어내는 과정이 기술되어 있다. 또 완성된 인터뷰 기사를 언론사에 투고하는 요령도 소개되어 있다.

필자가 한림대에서 매 학기 개설하는 '인터뷰 방법'은 사실 언론정보학부 언론 전공 내의 글쓰기 수업 중 2단계에 속하는 난이도 중급 이상의 수업이다. 1단계에 해당하는 수업들이 기본적인 글쓰기와 짤막한 사건 기사 작성법에 주력한다면, 2단계에서는 인터뷰 기사같이 글의 분량이 만만치 않은 장르에서 어떻게 이야기를 전개할 것인지의 서사 전략에 매진한다.

몇 해 전부터 매 학기 첫 시간에 열다섯 명 안팎의 수강생들에게 간단한 자기소개와 함께 인터뷰를 통해 서로 궁금한 것을 묻게 하는 가상 인터뷰를 실시하고 있다. 수업 첫 시간은 오리엔테이션 성격이 강해 수업에 대한 소개를 하고, 수업을 들을지 말지 결정하지 못한 학생들에게 한 학기 동안 진행되는 수업의 개요를 안내하는 시간이기 때문이다. 학생들의 인터뷰를 듣다 보면 20여 년 전 아무것도 모른 채 소시지 공장 사장을 만나러 갔던 필자의 모습이 문득문득 떠오른다. 한 번에 두 가지 질문을 던지거나 정작 독자와 시청자가 가장 궁금해할 질문은 생략한 채 그야말로 질문을 위한 질문을 던지는 상황들을 접하면서 쉬울 것 같은 인터뷰에도 생각보다 많은 요령과 노하우가 필요하다는 사실을 확신하게 됐다. 그러한 확신은 인터뷰 및 기사 작성에 관한 방법을 언젠가 책으로 정리해보겠다는 발칙한 바람으로 굳어졌다. 무식하면 용감하다고 했던가? 언론 현장에서 겪은 어려움을 학생들에게 전달하는 과정에서 10여 년간 축적한 강의실 안팎의 노하우를 모으다 보니 나름대로 책 한 권의 분량은 만들어낼 수 있지 않을까 생각한 무모한 도전은 그렇게 시작됐다.

방학을 틈타 손쉽게 생각하고 달려들었건만 수업에서 요령을 전달하는 것과 책에 노하우를 담는 것은 상당한 차이가 있다는 사실을 금세 깨닫게 됐다. 유난히 무더웠던 2013년 여름방학 이후부터 나름대로 고군분투하며 완성한 졸작을 조심스레 내밀어본다.

2014년 봄, 두 매화나무가 마을 어귀에 서 있었을 것이라고 여겨지는
분당 이매(二梅)동에서

차례

01

인터뷰의 정의 및 종류

1. 인터뷰의 정의

오리아나 팔라치(Oriana Fallaci, 1929~2006)라는 전설적인 기자가 있다. 세기의 인물들을 인터뷰하며 날카로운 질문을 거침없이 던지기로 유명했던 이탈리아 언론인이다. 그녀가 만난 인물에는 미국 전 국무부 장관 헨리 키신저(Henry Kissinger), 이란의 아야톨라 루홀라 호메이니(Ayatollah Ruhollah Khomeini), 중국의 덩샤오핑(鄧小平) 등 20세기 거물들이 총망라되어 있다. 팔라치는 최고 권력자와 마주한 인터뷰 현장에서 당사자에 대한 예우를 앞세우지 않았다. 오히려 인터뷰 당사자가 땀을 뻘뻘 흘리며 곤혹스러워할 질문들을 기탄없이 쏟아냄으로써 자칫 진부하게 흐르기 쉬운 인터뷰 분야에 새로운 장을 열었다. 그런 팔라치가 자신의 인터뷰 노하우를 담아 뱉은 일성(一聲)이 바로 "인터뷰는 운전"이라는 명언이다.

지난 10여 년 동안 '인터뷰 방법'이라는 수업을 진행하면서 첫 시간에

1979년 이란 혁명 당시 집권에 성공한 종교 지도자 호메이니를 인터뷰하기 위해 차도르를 쓴 오리아나 팔라치의 모습.
자료: 위키피디아 커먼스.

학생들에게 한결같이 던진 질문은, 오리아나 팔라치의 명언을 "퍼센트로는 얼마나 공감할 수 있느냐?"라는 것이다. 그러면 학기 초에는 "30~40% 정도"라고 대답했던 수강생들이 한 달, 두 달이 흐르면서 점점 더 공감도를 높이며 종국에는 "100% 와닿는다"라고 말하기에 이른다. 그렇다면 "인터뷰는 운전"이라는 팔라치의 말은 과연 어떤 의미를 담고 있을까?

몇 해 전, 필자의 '인터뷰 방법'을 수강하던 학생 한 명이 수업 과제로 서울 강남에 있는 유명 어학원의 인기 영어 강사를 인터뷰한 적이 있다. 인터뷰 이후 그가 기사로 작성해 제출한 과제물의 주된 내용은 "영어를 공부하는 것은 무척 중요하다. 하지만 자신의 수준에 맞춰 꾸준히 공부하는 것이 더욱 중요하다"라는 강사의 말이었다. 당시 수업에 참가한 다른 학생들에게 "서울 강남의 유명 영어 강사를 만나 여러분이 가장 궁금해하는 것 딱 한 가지만 질문하라면 무엇을 하겠는가?"라고 물어봤다. 그러자 수강생들은 "토익 500점대를 맞는 실력에서 800점대를 맞으려면 얼마나 오랫동안 공부해야 하는지?"에서부터 "고득점 토익을 위한 교재는 무엇이 좋은지?", "영어 공부는 하루에 몇 시간을 해야 하는지?" 등의 질문을 쏟아냈다. 같은 눈높이의 동료 대학생들이 가장 궁금해하는 질문들을 인터뷰 진행자는 던지지 못하거나 아예 빼놓은 채 "자신의 수준에 맞춰 영어를 공부하는 것이 중요하다"라는 내용을 글머리에 배치한 것이다. 가속 페달을 밟으면 시속 200km는 수월하게 나온다는 포르셰를 몰게 된 판에 정작 운전자는 동네 슈퍼마켓에 들렀다가 집에 돌아온 형국이라고나 할까? 마찬가지로 대학교 앞에서 행상으로 김밥을 판 할머니가 평생 모은 돈 1억 원을 대학교에 기부해도 인터뷰 당사자가 질문을 제대로 던지지 못하면 '김밥 할머니'라는 페라리는 시속 5~10km로 저속 주행만 하다 주차장으로 되돌아올 수밖에 없다.

그렇다면 인터뷰 대상자라는 자동차를 몰아야 하는 인터뷰는 과연 무엇을 의미할까? 사실 영어로 말해서 거창하게 들릴 뿐이지, 우리말로 풀어 말하면 만나서 이야기를 나누는 면담이 인터뷰다. 이재경 이화여대 교수는 이런 인터뷰를 "기자와 취재원이 접촉하는 여러 가지 대화 방식"이라고 간략하게 정의한다(이재경, 2005).

엄밀히 말해 인터뷰는 대중매체가 콘텐츠를 생산하는 가장 중요한 방편이다. 언론사에는 하루에도 수백, 수천 통의 이메일 보도자료들이 쇄도하는데 — 필자가 언론사에 재직하던 시절에는 보도자료가 마닐라 봉투•라고

• 필리핀에서 주로 생산되는 삼의 일종인 마닐라삼으로 만들기 때문에 '마닐라 봉투'라고 부른다. 여러 종류의 크기가 있지만 언론사에는 A4 용지 크기의 서류를 넣을 수 있는 8절지 사이즈의 마닐라 서류 봉투가 많이 배달돼 왔다.

불리는 노란 서류 봉투에 담겨서 언론사에 배송됐다 – 이러한 이메일 보도자료를 단신 기사로 내보내려 해도 때에 따라서는 인터뷰가 필요하다. 보도자료에서 유사 정보를 모아 독자에게 하나의 주제로 소개하려고 할 때 – 한 가지만 소개하면 광고나 다름없기에 기자들은 여러 자료를 한데 묶어 소개하는 것을 선호한다 – 보도자료에는 언급되지 않은 추가 정보가 필요하기 때문이다. 예를 들어, 계절상품을 소개할 때 보도자료에서 빠지기 쉬운 판매 규모, 애프터서비스, 경쟁 상품과의 가격 차이 등은 담당자와 인터뷰를 해야만 독자들에게 자세하고 입체적인 정보를 제공할 수 있다.

그런 의미에서 볼 때 취재를 위해 취재원과 나누는 대화는 모두 인터뷰에 속한다고 할 수 있다. NBC의 뉴스 해설가로 재직했던 언론인 존 챈슬러(John Chancellor)는 인터뷰의 목적은 어떤 상황과 관련된 '5W(When, Where, Who, What, Why)'의 의문을 해소하는 데 있다고 말한다. 언제, 어디서, 누가, 무엇을, 왜 했는지에 대한 정보를 얻기 위해 인터뷰를 한다는 것이다.

재미있는 사실은 이러한 언론사 인터뷰가 정치적·사회적으로도 큰 의미가 있다는 것이다. 미국 언론학자 마이클 슈드슨(Michael Schudson)에 따르면 언론 인터뷰에 참여하는 당사자는 기자와 취재원 둘뿐만이 아니라 독자나 시청자까지 포함되며, 인터뷰는 결국 정치적·경제적·문화적으로 권력을 지닌 사람들을 공개적인 토론의 영역으로 끌어내는 기능을 한다. 앞서 소개한 바와 같이 한 시대를 풍미한 최고 권력자들에 대한 오리아나 팔라치의 공격적인 인터뷰는 마이클 슈드슨이 말한 대로 공인들을 공개적인 토론의 장으로 끌어내 그들의 감춰진 이야기를 대중 앞에 펼쳐놓은 본보기에 해당한다.

필자가 언론사 초년병일 당시, 담당 데스크 부장은 취재원과의 대면 인터뷰에 나서는 필자에게 "당신 혼자서 그를 만나는 것이 아니라 ○○일보의 모든 독자를 대표해서 만나는 것이니만큼 막중한 책임감을 지니라"라고 당부하곤 했다. 그런 충고는 다소 가볍게 인터뷰 대상자를 만나려고 했던 필자의 마음을 다잡는 데 중요한 역할을 했다. 최고 수준의 신문사나 방송사 기자와 비교하면, 다소 하찮게 비칠 수 있는 필자의 독자들에게 다시 한 번 최선을 다짐하는 계기가 된 것이다. 그렇다면 이제부터 인터뷰의 종류를 살펴보면서 인터뷰에 대해 좀 더 자세히 알아보자.

2. 인터뷰의 종류

1) 매체에 따른 인터뷰의 종류

인터뷰는 크게 '매체'와 '내용'에 따라 나눌 수 있다. 먼저 매체에 따른 인터뷰는 취재원과 접촉하는 방식을 뜻한다. 이러한 방식에 따른 인터뷰에는 대면 인터뷰, 전화 인터뷰, 이메일 인터뷰, 세 가지가 있다.

(1) 대면 인터뷰

대면 인터뷰는 말 그대로 면대면(face-to-face) 인터뷰로 얼굴을 맞대고 진행하는 취재 방식이다. 대면 인터뷰는 환경 요소가 가장 큰 변수로 작용하는데, 장소에 따라 취재원이 전달하는 이야기의 내용이 극단적으로 갈릴 수 있다. 대면 인터뷰에서는 취재원의 표정과 몸짓, 옷차림 등도 살펴볼 수 있기에 인터뷰 대화 이외의 내용도 기사화할 수 있다. 물론 인터뷰 대상자를 만나는 장소 또한 훌륭한 기삿거리가 될 수 있다.

대면 인터뷰에서는 오리아나 팔라치의 조언대로 운전만 잘한다면 취재원과 진솔한 대화를 주고받으며 공식적인 질문과 대답 이외에 가외의 특종까지 챙길 수 있다. 예를 들어, 취재원이 선호하는 장소에서 편안한 인터뷰를 진행하면 사무실이나 공적인 장소에서 실시되는 인터뷰보다 사적인 이야기를 포함해 좀 더 많은 기삿거리가 흘러나올 수 있다. 따라서 대면 인터뷰를 준비할 때는 사전에 인터뷰 질문을 작성하고 면담 장소를 선정하는 데 신중을 기해야 한다.

(2) 전화 인터뷰

언론 매체 종사자들의 가장 보편적인 취재 방법은 바로 전화 인터뷰이다. 언론사 기자가 아니라 언론 매체 종사자라고 표현한 것은 비단 기자뿐만 아니라 PD, 방송 작가 등도 전화로 프로그램 제작과 관련된 인터뷰를 자주 하기 때문이다. 방송 작가의 경우에는 장소 섭외와 자료 수집, PD는 프로그램 출연 섭외 등을 위해 먼저 전화로 취재 대상자와 인터뷰를 진행하는 게 보통이다.

필자가 언론사에 재직하던 시절을 돌이켜봐도 기사 작성을 위해 가장 보편적으로 의지한 정보 획득 수단이 바로 전화 인터뷰였다. 시간의 제약 때문에 하루에 한두 군데 현장밖에 방문할 수 없는 현실에서 여타 사실을 확인하거나 다른 취재원의 직접 인용을 얻기 위해서는 전화 인터뷰가 가장 효율적이었다. 그런 의미에서 볼 때 전화 인터뷰는 시간과 장소의 제약이 거의 없어 지금도 취재원과 취재기자 모두가 선호하는 접촉

방식이다.

신문 지면의 일부분을 차지하는 손바닥만 한 크기의 인터뷰 박스 기사 정도는 전화 인터뷰만으로도 얼마든지 작성이 가능하다. 참고로 말하자면, 언론사 기사 가운데 인터뷰 대상자의 사진이 아예 없거나 사진이 있어도 사진기자의 이름이 함께 실려 있지 않다면 그 기사는 전화 인터뷰만 한 뒤 작성된 것으로 짐작해도 좋다. 사진기자의 이름이 나와 있지 않은 사진은 언론사가 인터뷰 대상자에게 이메일 등으로 전달받은 자료일 가능성이 높다. 이와 관련해 지난 2012년 6월 4일 ≪중앙일보≫(17면)에 실린 필자의 인터뷰 박스 기사는 전화 인터뷰만으로도 취재가 무난하게 진행될 수 있는 예를 잘 보여준다. 당시 필자를 인터뷰했던 중앙일보의 담당 기자는 약 30분간의 전화 인터뷰로 필자가 실시하고 있는 '수업 중 신문 읽기'와 관련된 궁금한 사항들을 챙겼고, 인터뷰 말미에 필자 사진을 이메일로 보내달라고 요청했다. 이에 필자는 몇몇 사진을 챙겨 보냈고, ≪중앙일보≫에서는 그 가운데 하나를 골라 필자와 관련된 인터뷰 박스에 자료 사진으로 실었다.

하지만 이런 전화 인터뷰의 단점은 기자가 인터뷰 대상자의 진실성을 파악하기 힘들다는 것이다. 아무래도 직접 만나서 인터뷰 대상자의 눈을 쳐다보며 이야기를 나누는 것과 수화기 너머의 상대방과 대화를 나누는 것은 차이가 날 수밖에 없다. 따라서 깊이 있는 대화를 나누기에는 여러 가지 면에서 제약이 따르기 때문에 전화 인터뷰는 주로 사실 확인과 직접 인용을 얻기 위해 의존하는 경우가 많다.

이외에도 전화 인터뷰는 취재원의 외양과 관련된 정보를 챙기기 힘들다. 앞서 언급했듯이 대면 인터뷰 기사에서는 주인공의 외양에 대한 묘

"구독료 영수증 가져오세요" 신문 읽기 권하는 교수님

심훈 한림대 교수의 특별한 강의

"액정화면에 가까울수록 바보 돼
읽고 넘기고 듣고 보고 –
신문은 오감 통한 생생한 체험"

"적어도 언론전공 학생이면 시사를 챙겨야 한다고 생각합니다. 취업과 면접 때도 마찬가지입니다. 유로본드가 뭔지, 국회의원이 몇인지, 세상 돌아가는 걸 모르면 눈을 감고 길을 나서는 격이죠."

학생들에게 신문 읽기를 적극 권하는 한림대 심훈(44·언론정보학부·사진) 교수의 말이다. 그의 '언론과 사회' 강의는 학생들이 각자 가져온 신문을 20분쯤 읽는 것으로 시작한다. 신문을 계속 읽는다는 것을 증명하는 구독료 영수증 등을 개강 한 달 뒤 제출하게 한다. 매주 신문에서 시사상식 퀴즈를 내 점수에 반영한다. 기사 작성 같은 실습강의도 예외가 아니다. 신문 읽는 시간은 따로 없지만 구독료 영수증을 제출해야 한다.

심 교수는 "학생들이 신문을 잘 읽지 않고 세상 돌아가는 걸 잘 모르더라"며 취지를 설명하기 시작했다. "예컨대 중앙일보라면 기자가 300명쯤 될 겁니다. 연봉을 평균 5000만원으로 치면 150억원이에요. 그런 기자들이 최고의 글솜씨로 구석구석 기사 가치 있는 뉴스를 매일 매일 집으로 배달해주는 겁니다. 학생들에게 그런 글을, 기사 가치를 보라는 거죠."

그는 특히 '오감을 통한 체험'이라는 점에서 신문 읽기를 강조했다. "인터넷 브라우징·스크롤로 보면 시각적 체험에 그칩니다. 눈을 통과해 나가버려요. 반면 신문을 손으로 넘겨 읽는 행위는 촉각과 청각까지 동원됩니다. (기사를)

'머리와 마음으로 씹는' 미각도 있지요. 오감이 동원되는 복합적 체험일수록 기억이 오래 남습니다. 음식도 TV 화면에서 본 게 아니라 만져보고 먹어 본 게 생생하지 않습니까."

학생들이 강의시간에 가장 많이 가져오는 신문을 묻자 심 교수는 "중앙일보"라고 답했다. 이유를 묻자 그는 "내 생각엔 일단 정치색에서 학생들이 부담을 덜 느끼는 것 같다"고 말했다. 그는 기자 출신이다. 세계일보에서 2년 반쯤 일하다 미국 유학을 떠났다. 아이오와주립대·텍사스주립대에서 석사·박사학위를 받았다. 2002년부터 한림대에 재직 중이다. 강의 중 신문 읽기는 5년 전 시작했다. "부끄러운 말이지만 저도 대학 3학년 때 언론고시반에서 본격적으로 신문 읽기를 시작했어요. 주변에 초등학생 때부터 반강제로 신문을 읽어온 친구가 있었는데, 별별 상식이 참 풍부한 게 정말 부러웠습니다."

심 교수는 인터넷·휴대전화 등을 가리켜 "액정화면에 가까울수록 바보가 된다"고 주장했다. "딱딱할수록 오래갑니다. 돌에 새긴 글은 2000년 전의 비석도 전해집니다. 그 다음은 대나무, 거북 등판 등이죠. 현대에는 종이입니다. 액정은 쉽게 삭제되는 데다 너무 많은 정보에 밀려서 어디서 본 듯한 정보도 시간이 지나면 다시 찾기 힘들어요."

그는 신문·책 같은 종이출판물을 '오래된 미래'라고 불렀다. "인터넷에 엇비슷한 정보가 넘치는 시대에는 오히려 신문과 책을 통해 자신을 차별화시킬 수 있고, 남들과 다른 시각을 가질 수 있다"고 말했다.

이후남 기자 hoonam@joongang.co.kr

중앙일보를 방문한 한림대 학보사의 기자로부터 수업 시간에 학생들에게 신문을 읽힌다는 필자의 사연을 전해들은 중앙일보 기자가 필자와의 전화 인터뷰 이후에 작성해서 내보낸 기사이다. 사진이 있는 인터뷰 기사인데도 사진기자의 이름이 기사 안에 없다는 것은 해당 사진을 인터뷰 대상자에게 제공받았다는 의미이다.

사나 인터뷰 장소에 대한 보충 설명이 기사의 감칠맛을 더하는 요소로 첨가될 수 있다. 하지만 전화 인터뷰에서는 그러한 상황이 취재될 수 없기에 글의 흐름은 전반적으로 건조하기 쉽다.

(3) 이메일 인터뷰

시간적·공간적·기술적 제약 때문에 인터뷰 당사자를 직접 만나거나 전화를 걸기가 힘든 경우에는 이메일이 대단히 유용하다. 일정이 빡빡하거나 오지에 거주하는 취재원과 인터뷰를 진행할 때에는 컴퓨터를 이용한 이메일 인터뷰가 기자의 취재 영역과 대상을 더욱 넓혀줄 수 있다. 실제로 인터넷 사용이 폭발적으로 증가하기 시작한 2000년대 초, 국내의 여러 언론사들은 해외의 석학들과 이메일로 인터뷰한 내용을 신년 기획이나 특집 기사로 종종 내보내곤 했다. 당시 언론사들은 면대면 또는 전화로는 인터뷰를 성사시키기 힘든 세계의 석학들과 새해의 세계 경제나 국제 정세, 한반도 상황 등에 대한 전망을 이메일 인터뷰로 진행하고 인터뷰 기사를 내보냈다. 하지만 이러한 이메일 인터뷰에도 커다란 약점이 있으니, 그것은 바로 신뢰도 문제이다. 이메일로 받는 상대방의 인터뷰 내용이 당사자의 답변인지 아닌지 전혀 가늠할 수 없기 때문이다. 따라서 신문이나 잡지에서 어느 국가의 정상 또는 세계 유수의 글로벌 기업 CEO와 이메일 인터뷰를 했더라도, 이메일을 통해 돌아온 답변이 당사자가 100% 직접 작성한 것인지는 알 수 없다. 그래서인지 요즘은 인쇄 매체에서 이메일 인터뷰는 눈에 잘 띄지 않는다.

2) 내용에 따른 인터뷰의 종류

앞에서 매체의 종류에 따른 인터뷰를 알아봤다면, 이번에는 내용에 따른 인터뷰를 살펴보자. 내용에 따라 구분되는 인터뷰에는 사건 인터뷰, 미담 인터뷰, 시사 인터뷰, 인물 인터뷰, 특종 인터뷰, 집단 인터뷰, 이임·취임 인터뷰 등이 있다.

(1) 사건 인터뷰

특정 사건 또는 사고의 발생을 다루는 사건 인터뷰는 관련 정보를 독자들에게 신속하고 정확하게 전달해준다는 측면에서 기자의 순발력이 돋보이는 인터뷰이다. 여기에서 사건이란 돌발적으로 벌어지는 일로, 주로 언론사 편집국의 사회부에서 다루는 강도, 살인, 자살, 교통사고 등의 인재와 산불, 홍수, 산사태 같은 자연재해를 의미한다. 희대의 살인범 또는 연쇄 살인범이 체포됐을 경우 살인범을 직접 인터뷰하는 것은 법적·윤리적으로 불가능하다. 이러한 상황에서 살인범 검거의 1등 공신을 인터뷰하거나 결정적인 제보를 한 시민을 찾아 여러 가지 관련 정보를 얻어내는 것이 사건 인터뷰의 전형에 속한다. 사건 인터뷰는 기자의 취재 역량을 고스란히 보여주기 때문에 대형 사건이 발생할 경우, 사건과 직간접적으로 연관된 사람을 찾는 것이 매우 중요하다.

사건 인터뷰는 독자들의 관심이 집중돼 있는 초미의 사안을 다루므로, 간단한 배경 설명과 함께 현재의 상황을 둘러싼 정보 제공이 인터뷰의 핵심이다. 또 인터뷰 당사자를 통해 사건 당시의 긴박했던 상황을 독자에게 생생하게 전달하는 것도 중요하다.

(2) 미담 인터뷰

"언론은 부정적이고 비극적인 이야기에만 관심을 기울이지 않나요?" 많은 독자와 시청자는 미디어, 특히 신문과 방송의 뉴스가 항상 부정적이고 암담한 이야기로만 가득 차 있다며 달가워하지 않는다. 그런 독자들의 부정적인 시각을 조금이라도 긍정적으로 바꿔줄 수 있는 '가뭄의 단비' 같은 존재가 바로 미담 인터뷰이다. 미담 인터뷰는 읽는 이들의 마음을 훈훈하게 하는 이야기로 독자들의 감성을 자극하며 인터뷰 대상자에 대한 존경과 사랑을 불러일으킨다. 이런 미담 인터뷰는 봉사에 관한 것과 역경 극복에 관한 것 두 가지로 나눌 수 있다.

먼저 봉사에 관한 미담 인터뷰는 독자와 시청자에게 '그래도 나쁜 사람보다는 착한 사람이 더 많구나', '우리 사회에 아직 정은 남아 있구나'라는 생각을 하게 해준다. 대학교 앞에서 행상으로 김밥을 판 할머니가 평생 모은 돈을 대학교에 기부했다든지, 오랜 세월 독거노인들에게 무료로 점심 식사를 제공하거나 공부방 선생님으로 저소득층 아이들에게 무료로 배움의 기회를 나눠주는 대학생들의 이야기가 좋은 예이다.

두 번째 미담 기사에 속하는 것은 역경을 딛고 자신의 정신적·육체적·물질적 한계를 뛰어넘은 이들의 감동 실화이다. 금남(禁男) 또는 금녀(禁女)의 구역에 처음으로 진출한 여성 또는 남성의 이야기부터 신체장애를 극복하며 일반인과 동등하게 직장에서 일을 하거나 불우한 가정환경에도 타인의 모범이 될 만한 일을 하는 이들이 언론에 자주 등장하는 미담 기사의 주인공이다.

(3) 시사 인터뷰

앞서 설명한 미담 인터뷰가 주인공의 감동적인 사연을 독자들에게 훈훈하게 전달하는 것이 핵심이라면, 시사 인터뷰는 시사적인 정보를 제때에 전달하는 것이 요점이다. 이러한 시사 인터뷰는 해당 시기에 가장 적절한 인물을 인터뷰해서 시사적인 정보를 독자들에게 알려주는 청량제 역할을 한다. 자칫 입맛을 잃기 쉬운 봄에는 요리 전문가를 통해 식욕을 돋우는 식사와 요리 방법을 살펴보고, 여름에는 유명 트레이너의 조언으로 손쉽게 몸매 가꾸는 요령을 익힌다. 가을에는 여행 전문가의 노하우를 빌려 아직 알려지지 않은 여행지를 두루 살펴보고, 겨울에는 레포츠 강사와 인터뷰하여 실내에서 건강을 챙길 수 있는 스포츠를 알아보는 것이다. 시사 인터뷰는 계절적인 기사뿐만 아니라 각종 국경일이나 기념일(3·1절, 밸런타인데이, 세계 금연의 날 등)에 사람들이 궁금해할 만한 이야기들을 인터뷰로 들려줌으로써 관련 정보를 시기적절하게 얻을 수 있도록 도와주기도 한다.

이와 함께 국민적 관심사나 경사 등과 직간접적으로 관련된 정치, 경제, 문화, 스포츠 등의 취재원을 인터뷰하여 사건 뒤의 사람, 사람 뒤의 사건을 소개하기도 한다. 올림픽이나 월드컵, 세계 체조 선수권 대회 등과 관련해 잘 알려지지 않은 인물을 찾아 영광스러운 결과의 뒷모습을 소개하는 것이 좋은 예이다. 국가 대표팀 의사, 올림픽 선수촌 마사지 전문가, 남북 단일팀 담당 요리사 등을 찾아내 자칫 천편일률적으로 흐르기 쉬운 경축 기사들 사이에서 색다른 맛을 지닌 기사를 발굴하는 것도 시사 인터뷰의 몫이다.

(4) 인물 인터뷰

인물 인터뷰는 한 인물의 인생행로를 살펴보면서 주인공의 내면을 깊이 들여다보는 인터뷰이다. 이미지로 따지자면 주인공의 잔주름까지 들여다볼 수 있는 고화질의 흑백 초상 사진에 해당한다고 할까? 그런 인물 인터뷰는 유명인을 대상으로 진행되는 경우가 많으며, 그들의 잘 알려진 면모보다는 익숙하지 않은 모습을 중심으로 인터뷰가 전개되곤 한다. 특히 자신의 성공 또는 실패와 관련해 마음속 깊숙이 감춰왔던 아픔이나 고민을 가감 없이 소개하여 독자들의 공감을 얻고 인터뷰 대상자에 대한 이해를 불러일으키는 기능을 한다. 이와 함께 깊은 연륜에서 우러나오는 인생의 지혜나 교훈을 소개하여 독자들이 해당 인물과 깊은 교감을 나누는 계기를 마련하기도 한다.

인물 인터뷰에서는 해당 인물의 과거사는 물론, 가족과 인생관 등 민감하고 깊이 있는 주제가 망라되기에 취재기자가 주인공의 배경과 관련해 사전 조사를 많이 해야 한다. 또 충분한 시간을 갖고 차분히 이야기할 수 있도록 인터뷰에 적합한 장소를 선정하는 것도 매우 중요하다. 인터뷰가 끝난 뒤에는 폭넓은 주제에 방대한 분량의 인터뷰 내용을 요약해서 가장 핵심적인 이야기를 주제로 잡아내는 것도 만만치 않은 작업이다. 이런 이유로 인물 인터뷰는 베테랑 기자들이 주로 담당하는 고난도 인터뷰이다.

(5) 특종 인터뷰

일반인에게 초미의 관심사로, 특히 언론에 잘 노출되지 않은 유명 인물에게 접촉해 성공적으로 기사화하는 것이 바로 특종 인터뷰이다. 유력한 대선 주자를 단독으로 만났거나 언론을 기피하는 거물급 연예인을 우연찮게 인터뷰하는 것이 그 예이다. 사실 특종 인터뷰는 비단 기자뿐만 아니라 기자를 꿈꾸는 일반 독자들도 얼마든지 가능하다. 병원에서 치료 순서를 기다리고 있거나 공항에서 비행기에 타기 위해 줄을 서다가 우연히 만난 까닭에 몇 마디 묻고 답을 듣는 과정에서 예기치 못한 정보를 얻을 수도 있기 때문이다. 블로그, 페이스북, 트위터에 올린 그러한 정보들은 즉각 언론사 기자들의 정보망에 걸려들기에 파장 또한 매우 크며, 순발력 있는 기자는 이를 토대로 특종 인터뷰를 성사시킬 수도 있다.

몇 해 전 필자의 아내는 침술원에 다니다가 탤런트 선우용여 씨를 만났다고 한다. 당시 몸이 좋지 않아 유명한 침술원에 꾸준히 다니던 아내는 대기실에서 만난 선우용여 씨와 이런저런 이야기를 주고받다가 "드라마상에서는 목에 핏대를 세우고 역정을 내는 장면을 찍을 때가 많아 몸을 생각해 평소에도 침을 꾸준히 맞고 있다"라는 재미있는 사실을 필자에게 알려주었다. 따라서 안테나를 세우고 주변의 여러 정보를 허투루 흘려보내지 않는다면 지인을 통해 희귀한 소재의 특종 인터뷰도 성사시킬 수 있다. 혹시 누가 아는가? 선우용여의 사연을 건네 들은 어느 언론사의 기자가 해당 침술원 간호사에게 물어서 선우용여뿐만 아니라 평소 좀처럼 접촉하기 힘든 저명인사나 유명 탤런트는 누가 있는지 파악한 다음, 진료 시간에 맞춰 대기하고 있다가 자연스럽게 인터뷰를 성사시킬 수 있을지? 그런 의미에서 최근 여러 방송사에서 다양한 이름으로 제작하는 인터뷰 프로그램들은, 좀처럼 미디어에 모습을 드러내지 않는 유명인들을 성공적으로 끌어낸 특종 인터뷰의 전형을 잘 보여준다.

(6) 집단 인터뷰

한 사람에게 여럿이 질문하는 방식의 집단 인터뷰는 양날의 검과 같다. 집단 인터뷰는 많은 기자들이 참가한 가운데 취재원의 공개적인 대답을 듣기 때문에 낙종(落種)을 할 우려가 없다. 언론사 용어로는 소위 물먹을 염려가 없는 인터뷰라고나 할까? 여기에서 물을 먹는다는 뜻은 남들이 입수한 정보를 놓쳐서 관련 기사를 쓰지 못한 경우를 말한다.

하지만 집단 인터뷰는 수많은 기자들의 질문과 이에 대한 취재원의 대답이 오가기에 취재 분량이 만만치 않다는 무시무시한(?) 단점이 있다. 또 기자들은 자신이 몸담고 있는 매체의 관심사에 대한 질문을 던지기에 전체적으로 볼 때 질문의 주제가 대단히 광범위해진다는 어려움도 있다.

이처럼 분량과 주제가 방대한 인터뷰 내용에서 가장 중요한 것을 뽑아내 첫 줄부터 순서대로 배치해야 하는 집단 인터뷰 기사는, 뉴스 작성 능력에서 타사의 기자와 극명하게 비교당할 우려가 높다. 예를 들어, 중요 정치인의 대선 출마 여부에 관한 여러 질문 가운데 어떤 답변을 기사의 맨 앞으로 끄집어내느냐에 따라 포털 사이트에 걸린 자신의 기사 클릭 수가 바뀔 수도 있다. 아니면 자신의 기사가 아예 포털 사이트에 걸리지 않을 수도 있다. 마찬가지로 유명 연예인과 한 시간 동안 진행된 집단 인터뷰에서도 결혼 계획부터 작품 활동, 스캔들 및 희망 사항 등과 관련된 수많은 뉴스 가운데 기사 가치가 가장 높은 것을 찾아내 글을 써야 한다. 이처럼 집단 인터뷰는 기자들의 역량을 비교하는 바로미터나 다름없기에 기자들에게 스트레스를 가장 많이 유발한다.

(7) 이임·취임 인터뷰

이임·취임 인터뷰는 임기를 마치거나 새로 부임하는 인물과 행하는 인터뷰이다. 일반적으로 취임 인터뷰는 집단 인터뷰로 실시되는 경우가 많으며, 이임 인터뷰는 웬만한 경우가 아니고서는 잘 하지 않는다. 이런 까닭에 다른 이들이 취임 인터뷰에 매달릴 때 자신은 이임 인터뷰를 챙겨서 내용의 차별화를 꾀하는 것도 좋은 전략이다. 사실 지금보다 더 좋은 자리나 직위로 가는 이임이 아니라면 취재원이 인터뷰에 부담을 느끼는 경우가 많기 때문에 그러한 사정을 감안해 일정 시간이 지난 후 – 보통 한 달, 백 일, 일 년 등 기념적인 날을 이용해 – '이제는 말할 수 있다'라는 슬로건으로 인터뷰를 진행하는 것도 하나의 요령이다.

취임 인터뷰의 경우는 앞으로의 활동 및 포부와 자신의 장단점에 대한 소개가 주를 이루며, 이임 인터뷰는 재임 시 아쉬웠던 점과 알려지지 않은 에피소드들, 앞으로의 계획에 대한 이야기가 기사의 커다란 흐름을 형성한다.

3) 질문 전개 방식에 따른 인터뷰의 종류

『인터뷰의 기술(The craft of interviewing)』이라는 책을 쓴 존 브래디(John Brady)는 질문의 전개 방식에 따라 인터뷰를 세분화한다. 그에 따르면 질문의 전개 방식에 따른 인터뷰는 '깔때기형 인터뷰', '역깔때기형 인터뷰', '터널 인터뷰', '자유 인터뷰' 등으로 나눌 수 있다.

(1) 깔때기형 인터뷰

깔때기형 인터뷰는 광범위한 주제에서 구체적인 내용으로 질문을 옮겨가는 인터뷰이다. 처음엔 추상적이거나 일반적인 질문을 던지면서 인생관이나 직업관, 세계관 등을 물어보다가 점점 협소하고 국지적인 질문으로 옮기며 일에 대한 만족도, 가정사, 이성 관계 등을 묻는 것이다. 이러한 깔때기형 질문의 전형으로 법정에서 변호사와 검사가 원고와 피고를 상대로 하는 질문을 들 수 있다. 궁극적으로는 "사건 당일 밤, 폭행 장면을 직접 목격했는가?"라는 사실을 밝히기 위해 처음엔 시력과 청력, 기억력 등을 물어본 후, 마지막으로 사건 당일 밤에 대해 자세히 물어보는 방식이다.

정치부, 사회부 기자들은 대체로 깔때기형 인터뷰를 선호한다. 깔때기형 인터뷰는 주변부에서 핵심부로 질문을 서서히 옮겨가기에 상대방을 안심시키며 취재원의 경계를 자연스럽게 해제해 구체적인 이야기를 들을 수 있기 때문이다. 하지만 깔때기 입구부터 깔때기 밑동에 이르기까지 질문의 주제를 부드럽게 옮기기 위해서는 노련하고 경험이 많아야 하며, 사전에 충분히 준비하고, 치밀한 질문 목록을 갖고 있어야 한다. 이러한 깔때기형 인터뷰는 유명 인사를 초청해 인터뷰를 시행하는 여러 프로그램에서 손쉽게 접할 수 있다. 프로그램 진행자는 초청 인사를 둘러싼 여러 소문과 스캔들을 확인하기 위해 처음엔 일반적이고 널리 알려진 질문들로 인터뷰를 시작하곤 한다.

다음은 필자가 수강생들 가운데 어느 여학생을 상대로 현재 남자 친구를 사귀고 있는지를 묻기 위해 깔때기형 인터뷰를 적용한 예이다.

질문 지금 몇 학년입니까?

대답 대학교 4학년입니다.

질문 대학 생활엔 전반적으로 만족합니까?

대답 네, 만족합니다.

질문 그래요? 보통 비싼 등록금에 취업 스트레스로 대학 생활이 만족스럽지 않은 경우도 많은데, 어째서 본인의 대학 생활이 만족스럽다고 생각합니까?

대답 동아리 활동을 활발하게 했는데 거기서 느낀 만족감이 큰 것 같습니다.

질문 조금 자세히 이야기를 해주겠습니까? 이를테면 어떤 동아리 활동을 해왔거나 지금도 하고 있는지 말이죠.

대답 네, '기타 동아리'에 든 적이 있고 지금은 '음악 감상 동아리'에 가입해서 음악 감상실의 DJ를 맡고 있습니다.

질문 아, 그래요? 그렇다면 음악 감상 동아리의 부원들은 몇 명 정도 되나요?

대답 학기마다 편차가 크지만 대략 20명 정도 됩니다.

질문 그렇군요. 혹시 여자가 많은 편인가요? 아니면 남자가 많은 편인가요?

대답 여자가 조금 더 많은 편입니다. 20명을 기준으로 보면 한 12명 정도 되는 것 같습니다.

질문 어떠세요? 여자가 조금 많기는 해도 동아리 부원 20여 명이라는 남녀 사이에 교제도 있을 것 같고, 그래서 커플이 생기거나 깨지기도 할 텐데요.

대답 그렇습니다.

질문 보통 1년에 몇 커플 정도가 연인이 되나요?

대답 두 커플 정도입니다.

질문 실례지만 본인도 혹시 동아리 부원과 사귄 적이 있습니까?

대답 네, 있습니다.

질문 혹시 지금도 사귀고 있는지요?

대답 아닙니다. 1년 전에 헤어졌습니다.

질문 그렇다면 혹시, 지금 사귀고 있는 다른 남자 친구가 있는지요?

대답 네, 있습니다.

(2) 역깔때기형 인터뷰

역깔때기형 인터뷰는 깔때기형과는 정반대로 세세한 주제에서 넓은 주제로 질문의 초점을 옮기는 인터뷰 방식이다. 일반적으로 인터뷰 대상자의 의견이나 사고·가치관을 묻기 위해서 먼저 구체적인 이야기들을 던진 후, 점차 중요하면서도 백미에 해당하는 질문을 던져 상대방의 의중을 파악한다. 이 경우 인터뷰 대상자에게 들으려는 이야기는 각론•보다 총론••에 해당하며 인터뷰 대상자의 인생철학이나 정치관과 같이 다소 폭넓은 주제가 대화의 주된 내용이다.

역깔때기형 인터뷰에 등장하는 주인공은 이미 우리에게 익숙한 유명인이 많다. 평소 그들의 세세한 이야기에 익숙한 독자와 시청자에게 그들의 범상치 않은 인생관과 가치관, 철학 등을 차분하게 소개하기 위해 사용된다. 역깔때기형 인터뷰는 방송 분량이 길거나 지면이 넉넉한 경우에 주로 사용되며 사건 중심의 에피소드보다는 깊이 있는 주제를 중심으로 대화가 진행되는 경향이 강하다. 다음은 필자가 가상으로 꾸며본 역깔때기형 인터뷰의 예이다.

질문 이번에 개봉된 출연작 잘 보았습니다.

대답 감사합니다.

질문 어떻습니까? 평소 애처가로 유명하신데 이번 출연작도 예전처럼 부인과 상의해서 출연을 결정하셨는지요?

대답 그렇습니다. 아무래도 아내가 제 스타일을 가장 잘 알고 있다 보니 영화 대본이 들어오면 먼저 아내에게 읽히고 의견을 물어본 다음, 제가 읽어보는 편입니다. 이번 출연작 역시 그렇게 아내가 영화 대본을 먼저 읽고 제게 어울리는 영화라며 출연을 적극 추천했습니다.

질문 그렇다면 이번엔 입양을 주제로 넘어가 볼까요? 자녀가 두 명이나 있는

• 논문이나 저술에서 하나의 주제 가운데 구체적인 낱낱의 문제를 떼어 자세히 논함.

•• 어떤 부분의 일반적 이론을 총괄하여 서술한 해설이나 저자 또는 그 논문이나 저서의 큰 줄거리.

데도 입양으로 두 명의 새 식구를 받아들인 것으로 유명하신데 말이죠.

대답 쑥스럽습니다.

질문 입양의 경우도 아내가 먼저 제안했습니까? 아니면 본인이 먼저 거론하셨습니까?

대답 역시 아내가 먼저 이야기를 했습니다. 하지만 저도 평소에 입양에 대한 관심이 많았습니다.

질문 그렇군요. 그럼, 입양에 대한 선생님의 철학을 한번 들을 수 있을까요?

(3) 터널 인터뷰

단일한 주제의 항목들을 순차적으로 질문하는 터널 인터뷰는 깔때기형이나 역깔때기형 인터뷰에 식상한 독자와 시청자를 위해 10문 10답과 같은 형식으로 설문 조사를 실시하듯 진행되는 방식의 인터뷰이다. 마치 터널을 지나는 것처럼 시간이 흐름에 따라 하나씩 문답이 진행되는 방식으로, 방송 프로그램과 신문 지상에서 심심찮게 등장하는 인터뷰이기도 하다. 이러한 인터뷰 방식은 방송의 경우 첫 번째, 두 번째, 세 번째 질문과 같은 진행자의 멘트로 이어지며 인쇄 매체에서는 질문, 대답, 질문, 대답의 형식으로 전개된다. 이야기 전개 방식인 내러티브를 통해 인터뷰를 하나의 서사로 만들어야 하는 기사 또는 프로그램에 비해 손이 많이 가지 않는다. 따라서 기사 작성이나 프로그램 제작도 상대적으로 쉬운 편이다.

가끔 신문 지상에서 여러 명의 인터뷰 대상자에게 ① 취미, ② 이상형, ③ 꿈, ④ 존경하는 인물, ⑤ 다시 태어난다면 갖고 싶은 직업 등과 같은 일련의 질문을 공통적으로 던지고 그 답변을 순서대로 나열하는 경우가 있는데, 이러한 유형의 질문과 답변이 터널 인터뷰의 전형이다.

(4) 자유 인터뷰

자유 인터뷰는 시간이 넉넉하고 지면도 여유가 있을 때 진행하는데 정해진 양식을 따르기보다 충분한 대화를 나누며 대화 내용을 있는 그대로 내보낸다. 주로 인물을 깊이 있게 소개할 때 사용되며 충분한 시간을 갖고 편안한 장소에서 인터뷰 대상자와 자유롭게 대화를 하듯 진행하는 인터뷰 방식이다. 자유 인터뷰에서는 반드시 질문 목록의 순서대로 질문을 던지기보다 그때그때 필요에 따라 인터뷰 대상자가 대답하는 이야기에 추가로 질문을 하는 형태로 유연하게 운용할 수 있다. 일반적으로는 시간과 지면의 제약이 적은 월간지에서 자주 사용한다.

:: 여기서 잠깐! ::

오리아나 팔라치는 누구?

지난 2006년 9월 21일 인터넷 언론 매체인 ≪프레시안≫에 실린 오리아나 팔라치에 대한 소설가 최일남 씨의 기사를 소개한다. 오리아나 팔라치의 사망 소식을 전해 듣고 최일남 씨가 다산연구소의 소식지에 기고한 이 글은 본인의 양해를 받고 ≪프레시안≫에 소개된 바 있다. 다음은 ≪프레시안≫이 게재한 최일남 씨의 글과 ≪프레시안≫이 추가한 편집자 주의 원문이다.

호메이니 앞에 차도르를 벗어 던진 여자, 무하마드 알리 얼굴에 녹음기를 집어던진 여자. 공격적 인터뷰로 스스로 전설이 됐던 이탈리아 출신 저널리스트 오리아나 팔라치가 지난 15일 76세를 일기로 세상을 떴다. 세상에 모습을 드러내지 않기 시작했던 몇 년 전부터 암으로 투병 중이었고 최근에는 뉴욕에서 고향 피렌체로 병상을 옮겨 호젓한 죽음을 맞았다고 한다. 열여섯부터 펜을 들어 젊은 시절에는 베트남 전쟁, 중동 전쟁, 헝가리 침공, 남미 봉기 등 전장을 누볐고 중년에는 "수천 가지 분노를 갖고" 인터뷰에 임해 '권력자들을 갖고 놀던' 그녀의 부고를 접하고 한국의 소설가 최일남 선생이 그 삶을 기리는 칼럼을 다산연구소 소식지에 실었다. 다산연구소 측의 양해를 얻어 ≪프레시안≫에도 함께 소개한다. _ 편집자

오리아나 팔라치 사망 기사를 며칠 전에 읽었다. 스러지는 '명물'의 시대를 불가불 떠올렸다. 이탈리아 출신의 '전설적 여기자'로 고인의 생애를 치장한 신문 제목에도 그만한 뜻이 담겨 있었던 셈이다. 현실 사회에서는 대하기 힘든 구전(口傳)의 세계가 곧 전설이라고 했을 때, 그녀의 살아생전 언행은 아닌 게 아니라 유별스러웠다.

‘전설적’ 여기자의 ‘발칙한 인터뷰’

본인의 대명사로 통했던 ‘발칙한 인터뷰’ 행각이 특히 그랬다. 종전의 형식이나 내용을 무시하고 마침내 독보적이었던 팔라치 스타일로 한세상을 똑소리 나게 산 것이다. 당대 권력의 중추인 여러 나라 인사를 선택적으로 만나 높은 성가를 누리는 바람에, 팔라치와 인터뷰를 하지 않은 사람은 세계적 인물이 못 된다는 소리가 나올 만큼 위세를 떨쳤다.

열여섯 나이에 이탈리아 최대 주간지 ≪유럽인≫의 특파원으로 베트남 전쟁에 뛰어든 전력이 벌써 심상찮다. 장차 소설도 썼다. 그리스 군사독재에 항거한 레지스탕스 영웅 알렉산드로스 파나굴리스와 연인으로 지낸 외에는 독신으로 평생을 보냈다.

그러나 한국의 일반 독자에겐 생소한 이름이다. 이런 계제에 사사로운 이야기를 끼워 넣기 무렴하지만, 80년 이후 십수 년을 ‘인터뷰 업자’를 부업 삼아 밥을 벌던 나 역시 몰랐다. 한국 사회의 유명 인사 백여 명과 회견을 하고 다니면서도 처음에는 몰랐다. 인터뷰에 관한 책이며 자료를 모으다가 차차 알게 되었다.

아 이런 사람의 이런 인터뷰도 있구나 탄복했다. 수박을 먹으며 이따금 트림을 하는 무하마드 알리의 쌍스러움을 참다못해 그의 얼굴에 마이크를 집어 던졌다는 말에 놀랐다. 세 번째 트림까지 견디다가 “이런 무식한 촌놈을 챔피언이라고!” 소리치며 벌떡 일어서다니. 애들 문자로 ‘유쾌 상쾌 통쾌’를 맛보았다. 미 국무장관 시절의 헨리 키신저도 당했다던가. 인터뷰 기사가 나가자, “그건 팔라치의 창작”이라고 딴전을 피우자마자 “당신이 그래도 남자라고? 이 비겁자. 그 따위로 둘러대면 테이프를 공개하겠다”는 팔라치의 분통을 샀다. “내 일생의 최대 실수는 오리아나 팔라치의 인터뷰를 승낙한 것”이라는 한탄과 함께 두 번 죽은 꼴이다. 일본의 유명 인터뷰어인 아사히 신문 ‘미츠코’ 기자의 책 『여성의 창조적 삶을 위한 지적(知的) 인생론』(최명희 옮김, 제오문화사, 1980)에 나오는 삽화다.

인터뷰 형태에는 대충 두 가지가 있다고 했다. 공격형과 무장해제형으로 나누는데 팔라치는 물론 전자다. 그리고 얼마나 도전적인가를 보여준 예를 들자면 한이 없다. 우리는 물론 후자에 속한다. 우리말의 구조 자체가 공격적이지 못하다는 인식은 여하간에, 애초에 대등한 관계를 마음먹기 어렵다. 문답 내용과는 별도로 의식해야 할 인정과 관습과 겉치레가 무언의 간섭으로 미리 잠재하기 쉽다. 그 말 빼고 이 말을 넣어달라는, 너무나 한국적인 청이나 안 하면 다행이다. 거절하면 인터뷰 장사가 곤란할 지경이다. 일률적으로 그렇지는 않다. 사정이 많이 나아진 편이다. 어떤 주제로 누구와 얘기하느냐에 따라 모양이 각각 다를 것이므로 꼭 팔라치식으로 나갈 필요가 없다. 그녀의 어법에도 도그마가 적잖기 때문이다.

사람 대 사람의 소통을 생각한다

미츠코 기자가 역으로 그녀를 인터뷰한 자리에서, 일본에 대해 기억나는 것을 묻자 "맥아더 따위에게 진 나라"라고 웃으며 대답했다. 중국에 관해서도 말했다. "인민복을 입은 중국 여성을 보면 울고 싶어진다. 그건 인간성에 대한 범죄"라고 비하했다. 퍽 문학적인 표현으로 재미있지만 지나친 독단으로 비친다. 그랬던 팔라치도 인민복을 넘어 세상을 넘보는 중국에서 자신의 소설과 르포물을 번역 출판하기 위해 93년 가을 이 나라를 찾는다. 그보다 11년 앞서 등소평을 만났을 때만 해도 "천안문의 마오쩌둥 사진을 언제까지 내걸어둘 작정이냐"고 날 선 질문을 던졌거늘, 중국인들로부터 자기 나라 사정을 알리는 숱한 편지와 사진을 받으면서 태도를 바꿨다. "이 같은 교류를 통해 중국을 사랑하게 됐다"고 말할 정도로 유연한 자세를 취했다(93년 10월 26일 자 국내 신문).

사는 일이 모두 인터뷰의 연속이라고 할 수 있을지 모르겠다. 취직에 매달리는 청년을 비롯하여 어지간한 인간관계가 대강 그렇지 않은가. '인터뷰의 천재'에 대한 회상은 그러므로 사람 대 사람의 소통을 생각하는 시간에 다름 아니다.

02

인터뷰 사전 준비

1. 인터뷰 기사 게재 매체와 기사 분량

인터뷰 내용을 기사로 작성해 언론에 기고하려면 인터뷰 준비에 앞서 게재를 희망하는 매체의 특성부터 파악해야 한다. 인쇄 매체를 중심으로 살펴보면 매체별로는 일간지와 주간지, 월간지, 계간지 등이 있는데 이 가운데 일간지는 취재 시간과 지면 공간에 대한 제약이 가장 많다. 일반적으로 신문사 외부에서 기사를 취재해 본사로 송고하는 외근 기자는 출입처 또는 기자실에서 오전 9시 이후부터 취재를 시작해 오후 5시까지는 완성된 기사를 편집부에 넘겨야 한다. 하지만 오전 10시 30분을 전후해 열리는 첫 번째 편집국 부장 회의•에서는 기사 취재에 대해 잠정적인 승

• 편집국장을 위시해 편집부, 정치부, 경제부, 사회부, 체육부, 문화부, 사진부 등의 부장들이 모두 참석해 다음 날 신문의 담당 면 뉴스 정보를 교환하거나 보고하는 회의.

인만 한다. 그 뒤 석간신문 등을 참조해 오후 2시경에 열리는 두 번째 편집국 부장 회의에서 기사 작성에 대한 최종 결정을 내리기 때문에 본격적인 취재는 오후 2시부터 약 3시간 안에 이뤄지는 것이 보통이다. 이와 함께 일간 신문의 한 쪽에는 적으면 3~4개, 많으면 7~8개의 기사밖에 싣지 못하므로 인터뷰와 관련된 기사 분량은 A4 용지 한 장을 넘기지 않는 경우가 대부분이다.

반면 잡지는 일간지에 비해 취재 시간과 지면 공간의 제약이 상대적으로 덜하기에 좀 더 깊이 있는 취재가 가능하다. 토요일에 발간되는 주간지는 발간 전날인 금요일 저녁까지는 인쇄와 제본이 완료돼야 토요일 배송이 가능하기에 기사 마감은 보통 수요일 저녁부터 목요일 오후까지다. 물론 기사 편집은 목요일 오후부터 늦으면 금요일 새벽까지 이뤄지는 것이 보통이다. 이후 인쇄와 제본이 끝나는 금요일 오후부터 지하철 가판대를 중심으로 잡지가 배포되며, 일요일을 거쳐 월요일과 화요일에는 구독 기관과 독자들에게 우송된다. 따라서 토요일 발간 이후에는 2~3일, 또는 3~4일에 걸쳐 새로운 기사 발굴 및 취재가 이뤄진다. 그리고 본격적인 원고 작성은 수요일과 목요일 이틀에 걸쳐 진행되기에 기사 제작을 둘러싼 주기는 일간지에 비해 좀 더 긴 편이다. 물론 이러한 기사 제작 주기는 월간지의 경우 더욱 길다. 이와 함께 분량 역시 일간지에 비해 대단히 긴 편이어서 주간지는 A4 1~2장, 월간지는 A4 2~3장을 넘기는 경우가 다반사다. 이 때문에 기사 호흡이 가장 긴 월간지에서는 여러 질문 목록과 함께 앞 장에서 언급했던 기사 이외의 정보들(인터뷰 장소, 인터뷰 대상자의 외양 등에 대한 묘사)도 인터뷰 대상자의 촬영 사진과 함께 챙기는 것이 요령이다.

2. 인물 조사

대중에게 널리 알려진 사람과 인터뷰를 진행할 때에는 해당 인물을 미리 조사하는 것이 대단히 중요하다. 요즘에는 인터넷을 통한 기사 검색이 가능하기에 관련 정보를 구하기가 무척 수월하지만 인터넷이 없던 시절에는 인물과 관련된 자료를 모으기가 쉽지 않았다. 이 때문에 언론사에서는 자료실 또는 조사부라 불리는 기관에서 국내외의 주요 일간지 및 잡지 등을 꼼꼼하게 구독하며 수많은 정보 색인을 통해 인물에 대한 기사를 스크랩해서 보관했다. 몇몇 언론사에서는 해마다 인명 연감 또는 인명사전을 발행해 구매를 희망하는 언론사 및 여타 공공 기관 등에 자신들의 책자를 판매하기도 했다. 이와 함께 마르퀴스 후스 후(Marquis Who's Who)의 『세계인명사전(Who's Who in the World)』, 미국 인명정보연구소(ABI: American Biographical Institute)의 『올해의 인물(International Man of the Year)』, 영국 국제인명센터(IBC: International Biographical Centre)의 『국제인명사전(Dictionary of International Biography)』 등 세계적인 인명사전들도 도움이 많이 된다. 연말에 노벨상 수상자로 생소한 인물이 결정됐을 경우, 언론사 기자는 자료실에 비치된 각종 인물 정보와 이들 사전을 참조해 관련 정보를 얻곤 했다. 하지만 세상이 바뀐 지금은 인터넷만 잘 활용해도 조사 인물과 관련된 자료를 풍부하게 얻을 수 있다. 특히 한국언론진흥재단이 가동 중인 미디어 데이터베이스 '미디어가온(www.mediagaon.or.kr)'• 에서는 지난 수십 년간 국내 언론에 게재된 뉴스들을

• 특히 미디어가온에서는 1960년대부터 1989년까지의 중앙지(≪경향신문≫, ≪동아일

연합뉴스에서는 매년 정기적으로 『한국인물사전』을 발간한다(왼쪽 사진).

인터넷에서 찾은 인터뷰 대상자의 프로필이 충분하지 않을 경우, 공공 도서관 등에 비치된 『한국인물사전』 같은 인물 연감을 활용하면 해당 인물에 대한 상세한 약력을 확인할 수 있다. 오른쪽 사진은 연합뉴스의 『한국인물사전』에 기재된 주요 인물들에 대한 정보이다.

한꺼번에 검색할 수 있기에 이들 자료를 이용하면 인터뷰 대상자에 관한 정보를 손쉽고 자세하게 얻을 수 있다.

일반적으로 언론에서 특정 인물을 인터뷰할 때에는 출신 지역과 학력, 가족 사항 등을 기본으로 살피게 된다. 이와 함께 취미, 출간물, 방송 출연 등과 관련된 팩트를 챙기는 것도 성공적인 인터뷰를 성사시키는 매우

보≫, ≪서울신문≫, ≪한국일보≫)와 지방지(≪경인일보≫, ≪광주일보≫, ≪대전일보≫, ≪매일신문≫, ≪국제신문≫, ≪부산일보≫, ≪영남일보≫, ≪전북일보≫, ≪제주일보≫, ≪충청일보≫)의 날짜별 신문 지면(PDF 파일)을 볼 수 있어 대단히 유용하다.

좋은 방법이다. 좀 더 입체적이고 깊이 있는 인터뷰를 진행하려고 한다면 간접 인터뷰 대상자를 물색하는 것도 요령이다. '간접 인터뷰'란 인터뷰 대상자의 주변인을 인터뷰하는 것으로, 기사 작성자는 이들을 통해 주인공에 대한 이야기를 다각적으로 끌어낼 수 있다. 주로 부모나 친구, 학교 선후배, 직장 상사나 동료 또는 부하, 이웃이 그 대상이다. 이들의 목소리는 자칫 단조로워지기 쉬운 인터뷰 진행 방식에 활력을 불어넣는다.

3. 인터뷰 대상자 선정 시 고려할 세 가지 사항

누구를 만나 어떤 이야기를 나눌지 고민할 때 주제를 떠나 '이러한 사람은 피해야 한다'는 선정 고려의 기준이 있다. 윤리적인 측면에서 바람직하지 않기에 기자협회 등에서 윤리 강령을 통해 인터뷰 대상에서 제외할 것을 권고하는 경우들이다.

먼저 '나이에 따른 제한'을 들 수 있다. 나이가 너무 많거나 어린 경우에는 질문에 대한 적절한 답을 얻기가 힘들 수도 있지만 윤리적인 측면에서도 바람직하지 않다. 따라서 가급적 인터뷰 대상에서 제외하는 것이 좋다. 특히 미성년자에 대한 인터뷰는 신중에 신중을 기해야 한다. 자신들의 인터뷰에 대한 윤리적 책임을 스스로 져야 하는 성인과 달리, 아직 정황 판단이 미흡한 미성년자를 대상으로 한 인터뷰는 당사자들에게 예기치 못한 피해를 안겨줄 수 있다. 언론사에 따라서는 고등학생 이하의 미성년자 인터뷰를 배제하는 경우도 있지만, 필자의 개인적인 견해로는 어떤 상황에서도 20세 미만의 미성년자는 인터뷰하지 않는 것이 바람직

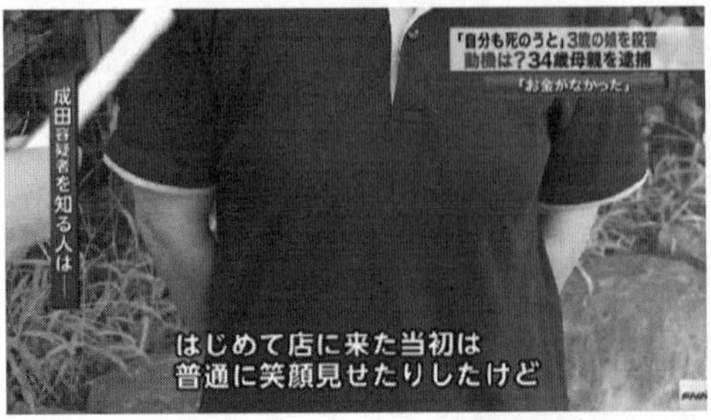

일본 TV 뉴스에서는 비극적인 사건의 유족을 인터뷰하지도 않지만 간접 인터뷰를 하더라도 취재원의 신원을 철저히 보호한다. 왼쪽 사진은 후지 TV 계열의 FNN 방송이 세 살 난 딸을 살해한 후 경찰에게 자백한 어머니를 알고 있는 이웃을 지난 2013년 9월 중순에 인터뷰한 모습이다. 카메라가 인터뷰 대상자의 몸통만을 촬영해서 누군지 알 수 없도록 한 배려가 눈길을 끈다.

반면 같은 시기의 KBS 9시 뉴스에서는 말기 암으로 고통받던 아버지의 부탁을 받고 자신의 아버지를 살해한 아들의 집에 찾아가 유족과 인터폰을 통해 인터뷰를 한 내용이 방영됐다. 재난을 당한 당사자 또는 가족과의 인터뷰를 엄격하게 금지하는 해외의 선진 언론과 달리, 한국에서는 공영방송조차 유족에 대한 인터뷰를 스스럼없이 행하고 있다.

하다. 이는 비단 부정적인 사건뿐만 아니라 긍정적인 사건에서도 마찬가지다. 지금은 언론에서도 이 문제를 신중하게 받아들여서 20세 미만의 미성년자에 대한 인터뷰는 많이 사라졌다. 하지만 10여 년 전만 하더라도 대입 수능 전국 수석을 비롯해 국제 경시대회에서 수상을 한 어린 학생들의 인터뷰 기사가 지면을 자주 장식했다. 비록 긍정적인 의미의 언론 보도라도 미성년자의 언론 등장은 인터뷰 대상자의 일상생활에 많은 변화를 초래한다. 따라서 판단이 미흡한 어린 나이의 당사자들에 대한 인터뷰는 최대한 자제해야 한다. 이와 함께 고령자 역시 인터뷰 대상자에서 가급적 배제하는 것이 좋다. 무엇보다 말을 알아듣기가 힘들 가능성이 높아 자꾸 반복적인 질문을 하는 것이 서로에게 불편함을 안길 우려가 있기 때문이다.

'심신이 미약하거나 정상적이지 못한 경우'에도 인터뷰 대상에서 제외하는 것이 바람직하다. 이러한 예를 가장 잘 보여주는 분야가 바로 재난을 당한 피해자에 대한 인터뷰이다. 실제로 많은 선진국에서는 재난 현장에서 피해자 인터뷰를 피해야 한다는 윤리 강령을 충실하게 지킨다. 또 병원에 입원 중인 환자는 물론 한정치산자, 금치산자 역시 인터뷰 대상에서 마땅히 배제해야 한다. 그렇지 않을 경우, 인터뷰 대상자들은 인권적인 측면에서 제대로 보호받지 못한 채 언론사의 이기주의적 특종 보도 때문에 정신적·육체적 고통을 받을 가능성이 매우 높다. 화상을 입은 환자에게 화재 당시의 상황을 묻는 것은 끔찍한 기억을 다시 떠올리도록 강요하는 꼴이 될 수 있다. 하지만 한국기자협회가 윤리 강령을 통해 제시하는 인터뷰 가이드라인과 달리, 아직 국내에서는 사건·사고의 피해자 인터뷰가 언론에 그대로 실리는 경우가 비일비재하다. 돌이켜보면 필자가 안식년을 맞아 1년간 체류했던 일본에서는 TV의 경우 사건·사고와 관련한 인터뷰에서 보도 기자가 목격자와 이웃에게 간접 인터뷰만 하는 것을 철칙처럼 견지하고 있었다.

한편 윤리적인 측면을 떠나 인터뷰 대상자를 선정할 때 중요한 또 다른 기준 하나가 바로 '참신성'이다. 언론과 미디어에 얼마나 자주 노출됐는가에 따라 인터뷰 대상자에 대한 기사의 신선도가 결정되기 때문이다. 필자가 강의하는 '인터뷰 방법' 수업에서는 여러 과제 가운데 미담 인터뷰 대상자를 선정해오는 것이 있다. 그러면 수강생 중 매년 한두 명은 한림대가 있는 춘천의 '연탄은행' 대표 정해창 목사를 인터뷰 대상자로 선정해오곤 한다. 학생들은 나름대로 참신하다고 생각해서 정 목사를 인터뷰하려 하겠지만, 그는 이미 학생들이 알고 있을 정도로 유명세를 타고 있기에 결코 참신한 인터뷰 대상자라고 할 수 없다. 따라서 기왕 발품을 팔아 인터뷰 기사를 쓰려면 언론에 노출된 적이 있는가를 고려하는 것이 가장 중요하다. 이를 위해서는 주변 탐문을 통해 적당한 인터뷰 대상자를 발견했을 때 먼저 인터넷 검색으로 해당 인물에 대한 언론 기사가 이미 보도된 적이 있는지를 점검하는 것이 필요하다. 그리고 해당 인물에 대한 기사가 이미 언론에 게재됐다면 면밀히 읽어보고 자신이 생각하는 주제와 일치하는지를 살펴봐야 한다. 만일 자신이 생각하는 기사 방향과 일치하지 않는다면 다른 각도에서 이를 다시 다루는 것은 별 문제가 되지 않는다.

4. 인터뷰 시간에 관하여

인터뷰 대상자가 정해졌으면 상대방에게 전화를 걸거나 이메일을 보내 인터뷰를 진행하고 싶다는 의사를 전하고 인터뷰 장소와 시간 등을 논의해야 한다. 이때 인터뷰 대상자와 처음으로 접촉하는 방식이 전화일 경우, 언제 연락을 하느냐가 매우 중요하다. 먼저 요일을 고려해 월요일처럼 일주일의 시작에 해당하는 날에 전화해서 인터뷰 대상자의 근무에 부담을 주기보다는 화요일 이후부터 금요일 사이에 전화를 걸어 인터뷰 시간을 조절하는 것이 요령이다. 이 경우도 일주일 가운데 뒤에 배치된 목요일이나 금요일에 인터뷰 약속과 관련된 전화를 하는 것이 인터뷰 성공률을 좀 더 높일 수 있다. 아무래도 일이 많은 주초보다 주말이 가까운 목요일과 금요일에 여유가 많아지기 때문이다.

첫 접촉에서 실질적인 인터뷰를 성사시키기까지 걸리는 시간은 짧을수록 좋다. 다시 말해 인터뷰를 빨리 성사시키는 것이 성공적인 인터뷰를 위해 매우 유리하다. 인터뷰 날짜를 지나치게 뒤로 잡을 경우 — 예를 들어 일주일보다 더 이후에 — 인터뷰 당사자가 인터뷰 날짜를 제대로 기억하지 못해 약속을 중복으로 잡거나 심경의 변화를 일으켜 인터뷰에 적극적으로 응하지 않을 수 있다. 실제로 필자의 수업 과제를 위해 일반인과 인터뷰를 실시했던 학생들은 인터뷰를 앞두고 갑자기 연락이 두절되거나 약속을 중복으로 잡아버린 상대방 때문에 종종 곤욕을 치르곤 했다.

한편 인터뷰 성사를 위해 직장인에게 전화를 거는 시간은 출근 직후를 포함해 업무 파악 및 동향 보고, 미팅 등이 몰려 있는 오전보다 상대방의 경계를 피하며 부드럽게 접근할 수 있는 점심 이후가 좋다. 이와 함께 하루 일과가 끝나가는 6시를 전후해 접촉을 시도하는 것도 또 다른 방법이다. 이는 이메일의 경우도 마찬가지여서 상대방에게 자칫 부담을 줄 수 있는 시간대인 새벽이나 밤보다는 상대방의 근무 시간에 맞춰 앞서 이야기한 시간대에 이메일을 보내는 것이 정중한 예의를 갖춘 것으로 보여 상대방의 호의를 살 가능성이 높다. 물론 상대방이 자신의 입장에 맞는 시간을 알려올 경우에는 설령 그 시간대가 아침 일찍 또는 밤늦은 시간이더라도 탄력적으로 받아들일 준비가 돼 있어야 한다.

학생들이 수업 과제로 인터뷰를 진행할 때 가장 어려움을 겪는 것 가운데 하나는 인터뷰 대상자와 만날 시간을 정하는 일이다. 무엇보다 대학생 자신이 주 18시간에 이르는 수업과 각종 동아리 활동 및 아르바이트 등으로 바쁜 상황에서 상대방과 인터뷰 시간을 맞추는 것은 더더욱 어렵기 때문이다. 따라서 수업 계획표상에 명시돼 있는 마감 시간을 고려하면 한 달 전부터 인터뷰 대상자와 접촉해 서로 지장을 받지 않는 시간대를 확보하는 것이 무척 중요하다. 그럼에도 인터뷰 대상자를 선정한 이후에 접촉을 차일피일 미루다가 마감 1~2주일 전에야 전화 통화를 시도하는 학생들이 있다. 이런 학생들은 설사 좋은 인터뷰 대상자를 고르더라도 당사자와 만날 수 있는 시간을 확보하는 데 실패해 인터뷰 대상자를 자신의 주변에서 다소 쉽게 찾을 수 있는 사람으로 급선회하는 경우가 종종 있다. 이 경우 앞서 언급했던 바와 같이 참신성 면에서 인터뷰 기사 가치가 그다지 높지 않다. 따라서 기사를 작성해도 지역 언론을 비롯해 인터넷 신문은 물론 대학 신문에 게재될 확률도 무척 낮다.

5. 인터뷰 장소 선정

인터뷰 대상자와 만나서 여러 이야기를 나누는 장소는 성공적인 인터뷰를 결정하는 중요 변수이다. 같은 질문이라도 주변에 누가 있는지 없는지, 공적인 장소인지 사적인 장소인지에 따라 대답의 성실도부터 답변 시간은 물론, 내용의 깊이까지 달라지기 마련이다. 이 때문에 많은 토크쇼나 인터뷰 프로그램들이 출연자를 맞이하는 스튜디오의 제작에 심혈을 기울이며 나름대로 편안한 분위기를 연출하기 위해 고심하는 것이다.

그렇다면 취재원의 공간에서 인터뷰를 하는 것은 어떨까? 전문직 여성을 인터뷰하기 위해 그녀의 직장을 찾아가거나, 김밥 할머니의 기부와 관련해 대학교 앞에서 김밥을 팔고 있는 할머니와 여러 이야기를 나누려 한다면, 생각지도 못한 제3의 변수들이 발생할 수 있음을 고려해야 한다.

예를 들어 김밥 할머니를 현장에서 인터뷰할 경우, 김밥을 중심으로 어렵잖게 서두를 꺼내가며 생생한 현장 화면을 얻을 수는 있겠지만 차분하고 지속적으로 이야기를 나누기는 쉽지 않을 수 있다. 무엇보다 김밥 할머니의 영업 현장에서 행하는 인터뷰가 할머니의 장사에 커다란 방해가 될 수 있다. 끊임없이 손님을 맞이하는 할머니에게 취재기자가 계속해서 말 붙이기가 어려운 상황을 피하기 위해서는 영업이 거의 끝나갈 즈음에 찾아뵙고 같이 이동하거나 별도의 공간을 마련해 인터뷰를 진행하는 자세가 필요하다. 만일 그러한 시도들이 여의치 않다면 김밥 할머니의 양해 아래, 영업엔 최대한 방해가 되지 않도록 주의하면서 손님들이 없을 때 짬짬이 인터뷰를 하는 것이 좋다.

사무실에서 이뤄지는 인터뷰 역시 전화와 방문객, 상사 및 동료, 부하 직원들과의 대화 등 취재를 방해하는 요소가 많다. 회의실이나 접견실이 별도로 있을 경우에는 도움이 되겠지만 그렇지 않다면 이러한 점을 염두에 두고 인터뷰 장소를 조정해야 한다.

인터뷰 전문가들이 공통적으로 꼽는 최고의 미팅 장소는 바로 취재원의 집이다. 취재원 자신의 사적인 공간 중 취재원을 이해할 수 있는 정보가 가득한 곳이 집이기 때문이다. 이는 TV를 통해 연예인들의 집을 방문할 때 거실과 방을 둘러보는 것만으로도 해당 연예인의 성격과 취향을 단번에 파악할 수 있는 것과 같은 이치다. 이와 함께 취재원의 집에서 인터뷰를 진행하면 화제도 풍부해져서 더욱 자연스러운 인터뷰가 될 수 있다. 취재원의 방에는 주인공의 도서 취향을 짐작하게 하는 책부터 가족사진과 인테리어는 물론, 포스터나 벽지 색깔에 이르기까지 그야말로 대화를 이어나갈 요소들이 무궁무진하다. 그런 가운데 기사 가치가 높다고 생각되는 것들(이를테면 수상 경력을 나타내는 상장이나 임원 임명장)은 기사에 부가적인 조미료 기능을 하며 인터뷰 내용을 더욱 재미있고 풍부하게 해준다.

6. 접촉과 인터뷰 조건에 관한 고지

전화나 이메일 등을 통해 인터뷰 당사자와 처음으로 접촉할 때 상대방에게 알려주어야 할 필수적인 정보는 인터뷰 기사를 어느 매체에 보도할 것인가이다. 구체적일수록 상대방은 더욱 친근감을 보이며 마음의 경계를 풀어놓을 수 있기에 어떤 방송 프로그램 또는 어느 신문사의 무슨 면에 대략 언제쯤 기사를 내보낼 요량인지 알려주는 것은 그런 의미에서 매우 중요하다.

필자의 '인터뷰 방법' 수업을 듣는 학생들은 수업 과제로 인터뷰를 실시하며 기사를 작성한다. 그래서 필자는 학생들에게 일단 대학교에서 발행하는 신문을 상대방에게 언급하라고 조언한다. 인터뷰 대상자에게 "한림대의 학생 신문인 ≪한림학보≫에 글을 실을 계획"이라고 언급하도록 조언하는 것이다. 실제로 대학 신문들은 학생들의 기사 투고에 대단히 호의적이며 학생들의 신문 제작 참여를 북돋고 있다. 따라서 인터뷰 기사가 흥미로운 인물을 대상으로 양호하게 작성되었을 때에는 신문에서 이를 실어줄 가능성이 높다. 그리고 학생들의 인터뷰 작품이 종국에는 인터넷 신문 또는 오프라인 주간지, 월간지 등에도 실릴 수 있기에 본인이 희망하는 매체를 언급하며 해당 매체에 투고할 예정이라고 설명하면 된다. 필자가 강의하는 '인터뷰 방법' 수업에서는 학기 중에 수업 과제로 제출한 기사들이 ≪오마이뉴스≫, ≪프레시안≫ 등과 같은 인터넷 신문은 물론 ≪주간동아≫, ≪주간경향≫, ≪월간중앙≫ 등과 같은 주간지와 월간지에도 꾸준히 실리고 있다.

인터뷰 대상자와의 사전 접촉을 통해 알려주어야 할 또 다른 정보는 바로 인터뷰 내용에 관한 것이다. 앞서 언급한 대로 내용에 따른 인터뷰에는 미담, 사건, 인물, 시사 등과 같이 여러 종류가 있다. 따라서 본인의 기사는 그 가운데 어떤 종류의 인터뷰에 속하는지를 정확히 밝혀야 한다. 미담 기사의 경우에는 인터뷰 대상자의 선행을 대중에게 널리 알리기 위해, 인물 인터뷰는 독특하거나 본받을 만한 삶을 영위하고 있는 대상자의 이야기를 독자들에게 전달하기 위해 만나고 싶다는 취지를 전달한다.

마지막으로 인터뷰를 실시하는 기자 예비생들이 알아야 할 또 하나의 노하우는 인터뷰에 걸리는 예상 소요 시간에 대한 설명이다. 처음부터 인터뷰 시간이 1시간 정도 걸린다는 설명을 듣게 되면 흔쾌히 시간을 내줄 사람은 많지 않을 것이다. 따라서 "10~20분 정도 예상하고 있다"라는 말을 건네 상대방의 경계를 완화시켜 인터뷰를 긍정적으로 받아들이도록 유도해야 한다. 준비해간 질문들에 대해 간단하게 답변을 받을 경우, 인터뷰에 소요되는 시간은 20~30분이면 충분한 것이 사실이다. 하지만 취재를 하면서 상대방과의 대화를 잘 이끌 경우에는 인터뷰 대상자 스스로가 적극적으로 입을 여는 경우도 많아 인터뷰 시간이 1시간을 훌쩍 넘어가기도 한다.

:: 여기서 잠깐! ::

예비 인터뷰 대상자도 고려해두자

2013년 봄 학기에 필자의 '인터뷰 방법' 수업을 들은 한 학생이 보내온 이메일은 인터뷰 대상자와의 만남 자체가 얼마나 힘든지를 잘 보여준다. 특히 학생으로서 인터뷰 대상자와 만나는 일은 인터뷰 대상자에게 많은 고민을 안겨줄 수 있다는 사실을 늘 염두에 두고 만일을 대비해 예비 인터뷰 대상자를 한두 명 정도 더 확보해놓는 것이 좋다.

안녕하세요, 교수님. 인터뷰 방법을 수강 중인 10학번 이ㅇㅇ라고 합니다. 우선 교수님께 이런 말씀을 드리게 돼서 정말 죄송합니다. 다름이 아니라 내일(5월 8일) 인터뷰 방법 수업 시간에 조퇴를 하려고 합니다. 그 이유는 인터뷰 대상자가 내일 수요일 2시밖에 시간을 낼 수 없다고 해서입니다. 미담 인터뷰 마감 시간이 내일이고, 그 시간 안에 인터뷰 기사 작성을 하지 못한 것은 저의 책임입니다. 또 당연히 강의 시간에 빠지면 안 되는 걸 알지만, 이번에 꼭 인터뷰를 하고 싶습니다.

교수님이 말씀하신 것처럼 인터뷰 대상자가 인터뷰 당일 연락을 끊을지 상상도 못했습니다. (저는 4월 말부터 지금까지 3명의 인터뷰 대상자가 인터뷰 당일 연락을 끊었습니다.) 인터뷰 대상자를 새로이 찾았지만, 수요일밖에 시간이 안 된다고 합니다. (이렇게 적용되는 건 옳지 않다고 생각하지만) 교수님께서 강의 시간에 말씀하셨던 대로 기자는 인터뷰 시간을 늘 탄력적으로 받아들이기 위해 내린 저의 결정입니다.

교수님께 정말 죄송하지만, 1시 30분까지 수업을 듣고 조퇴하려고 합니다. 그렇게 해도 될까요?

정말 죄송합니다. 그럼 평안한 하루 되세요.

:: 여기서 잠깐! ::

인터뷰 사전 준비 체크 리스트

1. 인터뷰 대상자 선정 시 나이, 정신적 상태, 참신성 등을 모두 고려했는가?

   예 □ 아니오 □

2. 인터뷰 대상자와의 전화 또는 이메일 접촉에 있어 월요일과 오전 시간대는 피했는가?

   예 □ 아니오 □

3. 인터뷰 장소는 외부의 방해 요소가 적은 곳으로 선정했는가?

   예 □ 아니오 □

4. 인터뷰 대상자에게 본인이 게재를 희망하는 언론 매체를 구체적으로 언급했는가?

   예 □ 아니오 □

5. 인터뷰 소요 시간은 10~20분 정도로 길지 않다는 사실을 설명했는가?

   예 □ 아니오 □

03

인터뷰의 요령 I

기술적인 측면을 중심으로

2장 '인터뷰 사전 준비'에서는 인터뷰와 관련된 대상자 선정 및 전화 접촉, 약속 시간 및 약속 장소와 관련된 제반 사항을 알아봤다. 이번 장에서는 인터뷰 진행을 살펴보자. 자연스럽고 편안한 인터뷰를 위해서는 여러 가지 기술적인 요령이 필요하다. 이를 위해 ① 수첩 또는 메모장, ② 질문 목록, ③ 메모 요령, ④ 인터뷰 시작, ⑤ 인터뷰 도중, ⑥ 인터뷰 마지막, ⑦ 녹음기에 관해 알아보자. 먼저 시작에 대한 노하우다.

1. 수첩 또는 메모장

한때 연합통신(지금의 연합뉴스)에서 나눠준 '연(합)통(신) 수첩'이 기자들 사이에서 필수 아이템으로 통하던 시절이 있었다. 필자가 언론사에 재직하던 당시에도 연합통신에서 각 언론사의 신입 기자들에게 무상으

인터뷰에서 상대방의 말을 기록할 때 쓰이는 취재 수첩은 손바닥 안에 들어갈 수 있는 폭에 겉면이 딱딱하며 상단에는 스프링이 달려 있는 수첩이 이상적이다.

로 나눠준 연통 수첩은 손바닥에 쏙 들어갈 만한 8~9cm 정도의 넓이에 길이는 한 뼘이 조금 넘는 20cm 정도로 상단에 스프링이 달려 있는 메모장이다. 수첩의 겉장을 넘기면 맨 앞에는 서울 시내의 경찰서와 구청, 대학, 소방서 등의 전화번호가 분야별로 일목요연하게 적혀 있어 유용하게 사용한 기억이 난다. 또 겉면이 딱딱해서 뒷주머니에 꽂고 다니다가 취재할 때는 손쉽게 꺼낼 수 있어서 대단히 편리했다.

필자 역시 인터뷰에 나서는 기자 지망생들에게 연통 수첩과 같은 필기장을 구입해 취재에 나설 것을 조언한다. 하지만 학생들에게 인터뷰 기사와 취재 내용이 기록된 취재 수첩을 제출받아서 보면 일반 공책부터 다이어리 형태의 일기장에 이르기까지 각양각색의 노트를 접하게 된다. 사무실처럼 책상이나 탁자가 있는 장소에서 인터뷰를 할 때는 공책도 상관이 없다. 하지만 김밥 할머니를 길에서 만나 취재할 때에는 공책을 받치고 쓸 만한 매개체가 없을 수도 있다. 또 길을 걷거나 버스로 이동하며 인터뷰 내용을 받아 적어야 할 때에도 이런 공책은 무척 불편할 것이다. 반면 겉면이 딱딱하고 손바닥에 잡히는 정도의 폭에 상단에 스프링이 있는 수첩은 손쉽게 페이지를 넘기며 취재를 진행할 수 있다. 물론 인터뷰 상대방을 만나자마자 수첩을 꺼내 상대방을 긴장시키기보다, 인사를 나누며 이야기를 이어가는 와중에 자연스럽게 수첩을 꺼내는 것도 인터뷰를 부드럽게 진행하는 요령이다.

2. 질문 목록

인터뷰 질문과 관계된 요령 및 점검 사항들은 4장에서 상세히 소개하고, 이번 장에서는 질문 목록 작성에 관련된 사항들을 말하려고 한다. 일단 인터뷰 대상자의 특성에 따라 미담, 시사, 사건, 인물, 이임·취임 등과 관계된 질문 목록을 뽑았으면 수첩 앞부분에 순서대로 적는다. 이때 질문 목록은 명사 위주로 짧게 적는 것이 필요하다. 질문 사항을 길게 적으면 수첩에 눈길이 오래 머물게 되고, 이는 자칫 인터뷰 대상자에게 질문을 기다리도록 강제하는 어색한 분위기를 연출할 수 있다. 따라서 질문은 한눈에 알 수 있도록 짧게 작성해 수첩은 잠깐씩 쳐다보는 정도에 그치고, 인터뷰 대상자의 눈을 보며 대화를 이어가도록 신경 써야 한다. 질문 목록으로는 ① 현재 하는 일, ② 별명, ③ 수상 경력, ④ 첫사랑, ⑤ 에피소드: 봉사, 기부 등, ⑥ 좌우명, ⑦ 이상형, ⑧ 가족 관계, ⑨ 결혼 계획,

⑩ 꿈 등을 들 수 있다.

덧붙이자면 심도 있는 인터뷰를 위해서 인터뷰 대상자에게 질문 목록이 노출되지 않도록 주의하는 것이 좋다. 질문 수를 파악한 인터뷰 대상자가 자칫 인터뷰보다 인터뷰 시간에 더 신경을 쓸 수 있기 때문이다. 질문 10개 중 이제 겨우 두세 가지가 끝난 상황에서 인터뷰 대상자가 "오늘 질문을 몇 개 정도 준비해 오셨습니까?"라고 물을 수 있다. 이때 인터뷰 대상자에게 정보를 친절하게 제공한다는 생각에서 "10개 정도 준비했습니다"라고 대답했다고 가정해보자. 그럼 인터뷰 대상자는 두세 가지 질문에 10~15분 정도 걸렸으니 '앞으로도 최소한 30~40분은 걸리겠네'라고 생각하며 낭패스러워할 수도 있다. 그렇게 되면 인터뷰를 빨리 끝내려고 "질문을 7~8개 정도만 하면 안 될까요?"라고 부탁하거나 "좀 더 빨리 합시다"라며 서두를 수 있다. 이렇게 되면 자신이 주도하는 인터뷰가 아니라 상대방이 이끄는 인터뷰로 바뀌며 애초에 의도한 바와 달리 깊이 면에서 그다지 만족스럽지 않은 만남으로 끝날 가능성이 크다. 따라서 인터뷰 대상자가 "질문이 몇 개 정도냐?"라고 묻는다면 "몇 개 되지 않는다. 아주 잘 대답해주고 계시니까 이런 식으로 계속 진행되면 곧 끝난다"라고 안심을 시켜가며 대화를 진행하는 요령이 필요하다.

3. 메모 요령

인터뷰 대상자가 쉴 새 없이 토해내는 이야기를 모두 적을 수는 없다. 따라서 가장 중요한 사항을 중심으로 기사 작성에 필요한 정보들을 효과적으로 적는 요령이 필요하다.

1) 육하원칙

메모는 육하원칙에 따라 누가, 언제, 어디서, 무엇을, 어떻게, 왜 했는지를 중심으로 간단하게 적는다.

2) 이름과 나이, 직책

인터뷰 대상자를 포함해 인터뷰 대상자가 언급하는 중요 인물의 이름과 나이, 직책 등을 챙긴다.

3) 수치와 숫자, 연도와 규모

인터뷰 기사에서 수치와 숫자는 매우 중요하다. 사람들의 원초적인 호기심을 자극할 수 있는 정보는 "돈을 많이 벌고 있다"는 이야기가 아니라 "연 2~3억 원의 순수익을 올린다"라는 기사이다. "지난 2002년 월드컵 당시에는 연 수익이 10억 원에 달해 매출액 국내 1위를 달성하기도 했다"라는 내용도 독자들에게 구체적인 연도와 규모를 알려주는 좋은 정보이다.

4) 에피소드

개인의 일화에 해당하는 에피소드는 인터뷰 기사의 꽃이다. 만약 어떤 축구 선수를 인터뷰할 때 마땅한 내용이 없을 경우 "당시 차범근 감독에게 대들었다가 한 시즌 동안 경기에 출전하지 못했다" 같은 일화가 있다면 이는 기사의 제목으로까지 발전하며 글의 전개를 좌지우지할 수도 있다. 이 때문에 인터뷰 수업을 듣는 학생들은 인터뷰 대상자와 대화를 진행할 때 반드시 에피소드를 묻도록 훈련받는다. 하지만 막상 인터뷰를 하게 되면 아직 경험이 많지 않은 탓에 "도시락 배달 자원봉사 일을 하시면서 에피소드도 많았을 것 같은데 혹시 기억나는 일이라도 있으신지?"와 같이 인터뷰 대상자가 스스로 생각하게끔 자동차의 운전대를 넘겨버리는 실수를 종종 저지른다. 그럴 경우 상대방은 "글쎄요. 그다지 생각나는 것이 없는데요"라든지 "도시락 배달을 갈 때마다 밥과 반찬이 차갑게 식었다고 불평하시던 할머니가 기억난다"라며 기자가 의도한 바와 거리가 먼 대답을 전하기 쉽다. 미담에 관한 인터뷰 기사라면 해당 에피소드 역시 훈훈하고 감동적인 것이 좋다. 따라서 기자는 인터뷰 대상자가 자신의 경험을 쉽게 떠올릴 수 있도록 다음과 같이 기자 자신이 원하는 내용과 관련된 예시적 사연을 먼저 제시하는 것이 필요하다.

> 혹시 도시락 배달 봉사를 하면서 보람을 느꼈던 에피소드는 없으신지요? 이를테면 처음엔 냉랭하게 대했던 분들이 지금은 가족처럼 따뜻하게 맞아주시는 경우가 있는지요?

5) 대상자의 특징과 인터뷰 장소의 느낌

앞서 설명한 바와 같이 인터뷰 대상자의 외양을 묘사하고 인터뷰 장소를 간단하게나마 스케치 형식으로 소개하는 것은 자칫 딱딱하게 흐르기 쉬운 인터뷰 기사에 '약방의 감초' 같은 기능을 한다. 말하자면 인터뷰 기사 말머리에 "그녀가 택한 인터뷰 장소는 사방이 전면 유리로 둘러싸여 있는 대단히 밝은 느낌의 카페였으며, 음악 역시 분위기에 맞게 가볍고 경쾌한 재즈가 흘러나오고 있었다"와 같은 묘사 문구를 실을 수도 있다는 것이다. "시종일관 생글거리는 얼굴에 오렌지색 스카프로 한껏 멋을 낸 그녀는 기자를 반갑게 맞아주었다"는 문장 역시 인터뷰 대상자의 겉모습을 간단하면서도 함축적으로 묘사해 독자들이 그녀의 이미지를 쉽게 떠올릴 수 있도록 도와준다. 여기에서 주의할 점 한 가지는, 지나친 외양 묘사나 장소 설명은 오히려 인터뷰 기사의 초점을 흐릴 수 있다는 사실이다. 다음 문장을 보자.

> 그녀가 택한 인터뷰 장소는 사방이 전면 유리로 둘러싸여 있는 가운데, 테이블과 의자 역시 대단히 모던한 분위기를 연출하고 있었으며 종업원들은 깔끔한 줄무늬 티셔츠에 스키니 진 청바지로 손님들을 맞이하고 있었다.

문장의 길이 자체가 두 줄을 넘어가는 가운데 필요 이상으로 자세히 설명한다면 오히려 독자들에게 '이 글이 인터뷰 기사야? 아니면 인터뷰 장소 탐방 기사야?'라는 의구심을 불러일으킬 수도 있다. 과유불급(過猶不及)이라는 말처럼 모자라지도 넘치지도 않게 적당히 인물과 장소를 묘사하는 것이 중요하다. 이 때문에 필자는 외양 묘사나 장소 설명과 관련해 두 가지 이상의 표현을 사용하지 말 것을 권한다. "장소는 깨끗하고 환했으며, 그는 훤칠한 키에 말쑥한 인상이었다"와 같이 장소는 "깨끗하고 환했다", 또 인터뷰 대상자는 "훤칠하고 말쑥했다"처럼 각각 두 표현 이상으로 글을 늘리지 말라는 것이다.

4. 인터뷰 시작

필자가 수업 시간에 강조하는 '첫' 찾기가 있다. '첫'이라는 글자가 들어가는 단어를 떠올려보라고 학생들에게 묻는 것이다. 곰곰이 생각해보면 '첫'이란 단어가 들어가는 낱말로는 '첫사랑', '첫 키스', '첫 만남', '첫 경험', '첫 손님', '첫인사', '첫 손자', '첫차' 등 무수히 많다. 여기에서 필자가 강조하려는 바는 단어 수의 많음이 아니라 '첫'이라는 글자가 가진 의미에 있다. 두 번째도 아니고 세 번째도 아닌 처음으로 겪게 되는 경험의 중요성을 되새겨보라는 뜻에서다. 마찬가지로 인터뷰에서도 첫 만남과 첫인상은 대단히 중요하다. 실제로 사회생활에서 첫인상과 첫 만남이 긍정적이지 못한 경우 그때 받았던 안 좋은 인상이 오랫동안 지속된 예는 비일비재하다. 첫 만남 당시의 인상이 오해였음은 나중에 충분한 대화로 풀어지기도 하지만, 인터뷰 대상자로부터 아기자기한 이야기의 실들을 줄줄이 풀어내야 하는 인터뷰 진행자에게는 첫 만남과 첫인상 역시 당연히 중요할 수밖에 없다.

첫 대화에서 자신의 신분을 밝히고 접촉 목적도 알려주며 취재원의 신뢰를 어느 정도 확보했다면 다음으로는 이미 알고 있는 사실을 재차 확인하는 것도 좋은 방법이다. 전화 통화 시 "현재 무슨 일을 하고 계신 것으로 알고 있는데 혹시 (제가) 잘못 알고 있는 것은 아닌지요?"라며 상대방의 대답을 적극적으로 유도할 수도 있다는 말이다. 다음으로는 어떻게 해서 상대방을 알게 됐는지 설명하여 자신이 전혀 낯선 사람이 아님을 확인시켜주는 것도 하나의 요령이다. "미담에 관한 사례를 찾고 있는데 주변 분들께서 선생님에 관한 이야기를 공통적으로 들려주셨습니다"라는 말을 건네는 것은 이미 인터뷰 대상자의 주변 사람들을 접촉했기에 기자 자신이 인터뷰 대상자에게 마냥 낯설기만 한 불청객이 아님을 간접적으로 전달할 수 있는 방법이다.

더불어 사전에 전화로 접촉한 뒤 인터뷰 장소에서 상대방을 처음 만나게 될 경우에는 인사를 나누는 과정에서 상대방이 좋아할 만한 이야기를 건네는 것이 대화를 쉽게 풀어나가는 또 다른 요령이다. 다음은 처음 만나는 상대방과의 대화를 수월하게 해주는 인사말의 예이다.

오늘 날씨가 정말 좋은데요. 왠지 인터뷰가 잘 이뤄질 것 같은 느낌입니다.(날씨)

목소리만 젊으신 줄 알았는데, 실제로 뵈니 외모도 무척 젊어 보이시네요.(외모)

옷차림이 마음에 듭니다. 패션에 대한 감각이 남다르신 것 같습니다.(패션)

인터뷰 대상자에게 좋은 첫인상을 심어주기 위해서는 속칭 '폭풍 칭찬'을 건네는 것이 가장 효과적이다. 그리고 가장 쉬운 '폭풍 칭찬'은 상대방의 약점을 장점으로 바꿔 말을 건네는 것이다. 이를테면 연예인들 사이에서는 얼굴이 큰 편인 개그맨 강호동을 만나 "실제로 뵈니 얼굴이 굉장히 작은데요"라고 덕담하거나 키가 작다고 알려진 다른 탤런트에게는

"직접 뵈니 키가 작다는 느낌이 전혀 들지 않습니다. 크지는 않지만 그렇다고 결코 작게 느껴지지도 않으니까요"라고 해주는 식이다. 따라서 일반인을 만날 때는 "목소리가 정말 좋으시다"거나 "외모가 무척 뛰어나시다", "지적인 외모를 지니셨다", "인상이 참 좋으시다" 등과 같이 상황에 맞는 칭찬을 해서 초반 분위기를 긍정적인 방향으로 이끌어야 한다.

5. 인터뷰 도중

인터뷰 대상자와 인사가 끝났다면 이제부터 본격적으로 취재를 시작해야 한다. 여기에서 중요한 사실은 인사말에서 취재로 넘어가는 단계가 자연스럽게 이어져야 한다는 것이다. 준비해온 첫 번째 질문은 간단한 배경 설명과 함께 상대방에게 던진 후, 인터뷰 대상자가 충분히 이야기할 수 있도록 여유를 준다. 이때 상대방의 눈길은 피한 채 취재 수첩에 상대방의 말을 계속 받아 적기만 해서는 안 된다. 상대방과 지속적으로 눈을 마주치며 이따금 받아 적는 모습을 연출하는 것이 인터뷰 초기에 상대방의 신뢰를 얻는 방법이다. 상대방의 이야기에 관심을 갖고 있다는 몸짓을 계속 보여줘야 한다. 그렇지 않고 받아 적는 데에만 신경을 쓰다 보면 상대방은 취재기자의 정수리만 응시하며 이야기를 건네는 모양새가 연출된다. 자칫 맥 빠진 인터뷰를 초래할 우려가 있는 것이다. 이 때문에 취재 당사자는 이야기를 잘 듣고 있다는 신호를 상대방에게 보내며 고개를 끄덕이거나 "네, 그렇군요", "잘 알겠습니다", "아, 이해가 갑니다" 등과 같은 말을 건네야 한다.

자칫 딱딱하고 사무적으로 보이기 쉬운 표정 대신 가능한 한 부드럽게 미소 짓는 얼굴로 바꾸는 것도 원활한 인터뷰를 진행하는 또 다른 요령이다. 반대로 취재원에게 인터뷰 진행이 지루하다는 인상을 남길 수 있는 자신의 자세와 태도, 습관 등이 있는지도 살펴야 한다. 실제로 인터뷰와 관련된 수업을 하다 보면 필자와 눈을 마주치길 꺼리는 학생부터 쉬지 않고 다리를 흔드는 학생, 손가락으로 연필을 돌리거나 핸드폰을 만지작거리는 학생 등 여러 부류의 수강생을 접하게 된다. 필자는 그들에게 수업에 임하는 자세 역시 인터뷰의 연장선상에 있기에 잘못된 수업태도를 보일 경우, 강사에게는 자칫 수업이 지루하다는 신호로 해석될 가능성이 있다고 충고하곤 한다. 하지만 지적을 받은 학생들은 다음에도 같은 자세, 같은 패턴의 행동을 반복해서 필자로 하여금 '완전히 습관으로 굳어서 본인도 모르게 하고 있구나'라는 생각을 하게 한다. 이야기를 듣는 본인의 태도에서 무엇이 문제인지 어느 정도 인지하고 있다면 이를 고치도록 노력해서 문제가 발생하지 않도록 애를 써야 한다. 반면 정확히 어떤 문제가 있는지 모를 때에는 의식적으로 자신의 인터뷰 태도 또는 면담 자세를 점검해보는 노력이 필요하다.

이와 관련해 필자가 인터넷 신문 ≪오마이뉴스≫에서 읽은 어느 기자의 진솔한 고백은 예비 기자를 꿈꾸는 여러분에게도 큰 도움이 되리라 생각한다. 기사의 분량이 긴 관계로 이번 장의 말미에 있는 '여기서 잠깐'에 기사를 실었으니 참조하기 바란다.

6. 인터뷰 마지막

1) "간단히 몇 가지만 더 묻고 끝내겠습니다"

드디어 인터뷰의 마지막 단계에 도달했다. 당초 10~20분 정도면 끝날 줄 알았던 인터뷰가 어느새 한 시간을 훌쩍 넘기면 인터뷰 대상자의 인내심도 한계에 도달하기 마련이다. 이때는 장시간의 인터뷰로 흐트러지기 쉬운 상대방의 집중을 다시 한 번 유도하기 위해 육상에서의 막판 스퍼트에 해당하는 말을 건네는 것이 요령이다. 인터뷰가 얼마 남지 않았음을 환기하며 마지막까지 최선의 대답을 이끌어낼 수 있도록 "간단히 몇 가지만 더 묻고 인터뷰를 끝내겠습니다"라고 알려주는 것이 좋다.

2) "혹시 제가 빠뜨린 것이 있습니까?"

인터뷰의 마지막에 다다르면 무엇을 챙기고 재확인해야 하는지 헷갈리기 쉽다. 인터뷰 경험이 많지 않을수록 이러한 혼란은 더 클 수밖에 없다. 기사를 작성하다가 뒤늦게 궁금한 점이 생겨 염치 불구하고 전화로 추가 확인해야 하는 우를 범하지 않기 위해서는, 인터뷰 말미에 "혹시 제가 빠뜨린 것이 있습니까?"라는 질문을 입에 붙일 수 있도록 노력하자.

3) "덧붙이고 싶은 말씀이 있다면?"

아무리 노련한 베테랑 기자라도 깜빡 잊고 중요한 질문을 던지지 못하는 경우가 발생한다. 이럴 때 기자들은 면대면 인터뷰를 마친 뒤 후속 인터뷰로 전화, 이메일 등을 통해 사실을 확인한다. 더욱이 인터뷰가 아직 낯선 기자 지망생에게는 현장에서 미처 확인하지 못한 것들이 반드시 생길 터이다. 따라서 인터뷰 대상자와의 취재를 성공적으로 마친 여러분이 마지막으로 챙겨야 할 것 가운데 하나가 바로 "혹시 덧붙이고 싶은 말씀이 있다면?"과 같은 질문이다. 실제로 인터뷰 대상자 중에는 직접적인 질문을 받지 않아도 먼저 나서서 대화를 진행하려는 사람이 종종 있다. 기자의 질문이 미덥지 못하거나 자신의 의사를 좀 더 정확하고 자세하게 전달하고 싶은 경우가 이에 해당한다. 기자 앞에서 멈칫거리기 쉬운 인터뷰 대상자에게 본인 스스로 적극적으로 말할 수 있는 기회를 주어야 인터뷰를 좀 더 역동적이고 입체적으로 마칠 수 있다.

4) "기사 확인 차원에서 나중에 전화 드려도 될까요?"

필자가 수업 시간에 인터뷰를 끝내면서 상대방에게 반드시 건네야 하는 문장으로 꼽는 것이 바로 "기사 확인 차원에서 나중에 전화 드려도 될까요?"이다. 이렇게 말해놓으면 훗날 기사 확인 차원에서 추가 취재를 할 경우에도 적은 부담으로 전화기를 들어 인터뷰와 관련된 제반 사항을 확인하거나 다시 물어볼 수 있다. 필자의 경험으로 볼 때, 이러한 사전 양해에 "그것은 좀 곤란하다"고 답한 인터뷰 대상자는 지금껏 단 한 명도 없었다. 하지만 이러한 양해를 인터뷰 당시에 미리 구하지 않는다면 나중에 여러분은 무척이나 미안하고 죄스러운 심정으로 전화기를 들어 재취재에 나서야 한다. 물론 미리 양해를 구한 다음 전화를 걸 때에도 통화 말미에 "죄송하지만 궁금한 것이 생길 경우, 나중에 또 전화 드리겠습니다"라는 언급으로 보험을 들어놓는 것이 좋다. 기사를 쓰다 보면 기자 스스로 또는 선배 기자가 본인의 기사를 살펴보고 수정하는 과정에서 반드시 추가 취재 또는 정보 확인이 필요한 경우가 발생한다. 하다못해 인터뷰 대상자가 자신과 관련된 이메일 주소나 웹사이트 주소를 실수로 잘못 알려줄 수도 있다. 인터뷰 이후에 기사를 작성하는 과정에서 이를 알아차리고 추가 취재를 통해 바로잡아야 하는 경우가 그러한 예이다.

5) "기사를 보고 싶다면 편집이 끝나고 인쇄가 된 이후에 가능합니다"

인터뷰 대상자 가운데 드물게는 기사화된 내용을 인쇄 전에 미리 읽어보려는 사람이 있다. 이때 취재기자는 자신의 상사에 속하는 "(담당) 부장 또는 데스크의 재가가 나야 한다"는 말로 양해를 구해야 한다. 거절에 따른 마음의 상처로 자칫 기분이 상하기 쉬운 상대방을 언론사의 규율에 따른 불가항력이라는 말로 설득해야 하는 것이다. 그렇지 않고 상대방의 친절하고 자세한 인터뷰 응대에 감사한 마음을 지닌 채 "인쇄 전에 미리 이메일로 기사 원문을 보내드리겠다"라고 승낙한다고 해보자. 나중에 기사를 본 인터뷰 대상자가 "첫머리는 이렇게 바꾸는 것이 좋지 않을까요?"라는 권유부터 "기사 중간 부분의 매출 이야기는 민감한 사항이므로 빼주시기 바랍니다" 또는 "결론 부분의 임팩트(효과)가 좀 약한 것 같지 않으세요?" 등과 같은 참견을 하여 어느새 인터뷰 기사가 취재기자의 글이 아닌 취재원의 글이 되어가는 모순된 현실을 접할 수도 있다.

6) 수첩을 덮은 다음에도 취재는 계속된다

인터뷰가 끝난 뒤 취재 수첩을 덮으며 자리를 정리하기 시작하는 순간, 인터뷰 대상자가 중요한 이야기를 건네는 경우가 있다. 공식적인 인터뷰 자리에서는 자세가 경직되고 말을 아끼기 마련인지라 인터뷰가 끝난 이후에 긴장이 풀어지는 까닭에서다. 예를 들어 "오늘 인터뷰는 정말 감사했습니다. 기대 이상으로 많은 이야기를 들을 수 있었습니다"라며 취재를 정리하는 기자에게 상대방이 "하루만 늦게 오셨어도 만나 뵙지 못했을 겁니다"라고 말했다고 가정해보자. 이때 취재기자가 정색을 하며 수첩을 꺼내 들고 "무슨 말씀이신지요? 어디 가십니까?"라고 물을 경우, 상대방은 움츠러들며 말을 머뭇거리기 십상이다. 따라서 대화의 흐름이 자연스럽게 이어지기 위해서는 취재 수첩을 그대로 닫아둔 채 "어디 가시나 보죠?"라며 일상적인 이야기를 나누듯 취재를 진행하는 요령이 필요하다. 그래야 상대방 역시, 공식적인 취재는 다 끝났기에 평범한 대화를 나누는 기분으로 자신의 일정을 건네줄 수 있다. 물론 인터뷰 대상자가 건넨 이야기들은 취재 장소를 나서는 순간, 재빠르게 취재 수첩에 옮겨 적는다. 저녁 식사 자리에서 술이 거하게 취한 출입처 정보원의 입에서 고급 정보가 쏟아져 나와도 이를 현장에서 바로 옮겨 적기보다, 화장실을 가는 척하며 바깥에 나와 중요 사항들을 취재 수첩에 적는 프로 정신이 결국 특종을 만들기 마련이다. 그렇지 않다면 다음 날 술을 깨는 과정에서 '어제 상당히 중요한 이야기를 들었는데 뭐였지?'라고 생각만 하고 기억은 못하는 안타까운 상황이 발생할 수 있다.

7. 녹음기

때에 따라서는 녹음기를 동반한 인터뷰가 필요할 수 있다. 인터뷰가 장시간 진행되어 손으로 일일이 적기가 부담스럽거나 필기가 곤란한 상황이 그렇다. 이때 상대방에게 녹음 사실을 미리 알리는 것이 좋다. 그렇지 않고 몰래 녹음을 하다가 상대방이 알게 되면 손상된 신뢰는 어떻게 해도 회복되지 못할 테니 말이다. 세계적으로 저명한 언론인 19명을 인터뷰했던 잭 후버(Jack Huber)와 딘 디긴스(Dean Diggins)에 따르면 처음엔 어색해하던 상대방도 일정 시간이 지나면 녹음기를 의식하지 않는다고 한다(후버·디긴스, 1996). 따라서 필기에 자신이 없거나 인터뷰 시간이 길어질 것 같으면 녹음기를 사용하는 것도 나쁘지 않다. 하지만 녹음기를 편리하게 사용하는 데에 따르는 대가도 있다. 녹음한 것을 정리하는 데 생각보다 많은 시간이 걸리기 때문이다.

필자의 경험으로는 30분짜리 인터뷰 녹음을 정리하는 데 약 3~4배의 시간이 필요하다. 말하자면 녹음기를 다시 들어가며 정리하는 데만 2시간가량이 걸린다는 것이다. 하지만 이것도 인터뷰가 끝난 직후에 정리를 할 경우에나 그렇다. 날짜가 많이 지난 다음에 정리하려고 하면 자신이 진행했던 인터뷰의 순서와 내용이 잘 기억나지 않을 우려가 높아, 많은 시간을 녹음된 내용의 검색에 낭비할 수도 있다. 따라서 질문 목록에 따라 인터뷰를 진행하며 녹음을 하더라도 상대방이 하는 이야기의 주제에 따라 간단한 색인을 만들어놓는 것이 좋다. 그러면 훗날 기사를 쓰기 위해 중요 부분을 찾을 때 또는 대략적인 이야기의 흐름을 파악하려고 할 때 유용하게 활용할 수 있다. 다음은 앞서 소개한 질문 목록에 대한 색인의 예이다.

① 현재 하는 일: 독거노인 도시락 배달, 도서관 서가 관리, 골목길 청소

② 별명: 배달 천사, 친할머니, 폭소 여왕

③ 수상 경력: 춘천 시민 봉사 대상, 강원도 자원봉사 금상(가칭)

④ 첫사랑: 중 3 때 담임 선생님

⑤ 에피소드(봉사, 기부 등): 가족 행사에 초대 받음, 자신의 생일도 챙겨줌

⑥ 좌우명: 매사에 최선을 다하자

⑦ 이상형: 탤런트 김○○, 이○○

⑧ 가족 관계: 부모, 형 1, 여동생 1

⑨ 결혼 계획: 40세

⑩ 꿈: 어린이 재단 설립, 전 재산 기부

녹음기를 쓸 때 염두에 두어야 할 마지막 사항은 기술적인 문제가 언제든지 발생할 수 있다는 것이다. 전날 점검했을 땐 아무 문제가 없던 녹음기가 인터뷰 당일 말썽을 부리거나 잘 녹음됐어도 훗날 본인의 실수로 지워질 수도 있기 때문이다. 이와 함께 핸드폰에 내장된 녹음 기능을 이용해서 녹음하는 것도 여러 면에서 바람직하지 않다. 인터뷰 도중 전화가 오면 자연히 대화의 흐름이 끊어지기도 하지만, 무엇보다 인터뷰 대상자를 성심성의껏 대해야 하는 인터뷰 진행자의 기본자세와는 거리가 먼 까닭이다. 따라서 이 같은 장단점을 잘 파악해서 녹음기를 사용할지 말지 신중하게 선택하자.

:: 여기서 잠깐! ::

〈무한도전〉 노홍철의 넉살, 그게 필요한 거였다니

2013년 7월 13일, 이정민·조경이 기자

안혁모 연기 아카데미 원장님과의 지난 수업(관련 기사: '전지현' 되려고 연기 배우는 거 아닙니다)에는 연기를 통해서 사회적 관계의 문제를 풀어나갈 수 있다는 것을 배웠습니다. 상대와 나와의 관계에 있어서 '목적', 즉 '원하는 바'가 무엇인지 먼저 파악하고 그 이후에 그 목적에 맞게 표현하라는 것이었습니다.

이번에는 안혁모 원장님과 실습에 돌입했습니다. 첫 번째 실습에서는 제가 몸담고 있는 곳에서 가장 많이 만나는 관계인 연예인과 기자의 인터뷰를 예로 들어 보기로 했습니다. 보통 연예부 기자는 일주일에 작게는 1건, 많게는 3~4건의 인터뷰 일정이 잡혀 있습니다. 그럼 한 달이면 15건 내외의 인터뷰를 진행해야 합니다.

사람들은 누구나 '자뻑'이 있는 것 같습니다. 기자 연차로 수백 명의 연예인들과 인터뷰를 한 만큼, 인터뷰 기술도 다른 누군가에게 평가받기 전에는 스스로 '잘하고 있다'고 생각하는 거죠. 저 역시 이번 안 원장님과의 연기 실습이 없었다면 아마도 평생 제가 인터뷰를 잘하고 있다고 느꼈을 것입니다.

보통 수습 기간 초반에는 선배 기자들과 인터뷰 룸에 같이 들어가지만, 몇 개월 뒤부터는 기자 혼자 하게 됩니다. 이후부터는 그냥 그렇게 자기 스타일대로 인터뷰를 진행하게 되죠. 누군가 그곳에 카메라를 달아놓고 감시하지 않는 이상, 크게 잘못해서 홍보팀이나 매니저의 제지를 받지 않는 이상 자신이 무난하고 한발 더 나아가 꽤 괜찮게 인터뷰를 하고 있다고 생각하는 기자들도 많을 것입니다. 저 역시 그랬던 것 같습니다.

안혁모 원장님은 연예부 기자(나)와 연예인의 인터뷰 상황(모의 상황극)의 연기를 카메라로 찍고 후에 그 영상을 함께 보면서 이런저런 교정을 해주셨습니다. 안 원장님은 연기에 앞서 '목적과 관계'에 집중하라고 하셨습니다. 연예인과 그를 인터뷰해야 하는 기자인 것입니다.

이게 나라고? 화면 속 '영혼 없는' 인터뷰에 화들짝 놀랐다

모의 상황극 연기를 한 후 영상을 보고 정말 깜짝 놀랐습니다. '아, 정말 내가 저렇게 사무적이고 영혼 없이 인터뷰를 하고 있었구나' 싶은 게 영상에 드러났습니다. 열정, 호기심, 애정 등은 지친 눈가의 주름과 축 처진 입꼬리를 통해 단박에 사라져 보이고 있었던 것입니다. 너무 놀랐습니다. 진짜 사무적으로 하고 있는 인터뷰였던 것입니다.

10여 분간의 모의 상황극을 마치고 나서 안혁모 원장님의 첫 평가는 "정말 사무적"이라는 것. '대박', 동감이었습니다. 부끄러운 헛웃음이 터져 나왔습니다. 원장님은 연예인은 인터뷰를 할 때 귀신같이 그 공간의 분위기를 캐치하는 사람들이라고 했습니다. 그 분위기가 경직되어 있으면 정말 '그냥 일'이라고 느끼고, 편안하고 유쾌한 기운이 흐르면 '해볼 만하다'고 세포가 반응하는 것이죠.

그래서 안 원장님은 초반의 분위기를 잡는 것이 중요하다고 하셨습니다. 흐름을 잘 타야 한다는 것이죠. 처음 만났을 때 분위기를 풀어주기 위해 최대한 일 느낌이 나지 않게 접근하라고 조언하셨습니다. 내가 필요한 답을 꼭 받아오기 위한 게 아니라, 그를 응원하고 위로하는 차원의 마음으로 시작을 열라는 것이었습니다. "잠깐 쉬면서 저랑 편하게 수다 떨어요" 정도로 운을 뗄 것.

분위기를 편안하게 하기에 가장 좋은 것은 첫 번째 수업에도 배웠던 '칭찬하기'였습니다. 다만 "아름다우세요"와 같은 추상적인 말은 안 하는 게 낫다고 하셨습니다. 연예인이라면 늘 듣던 그 말을 두고 '아름답다는 말 한두 번 들어보나'라며 대수롭지 않게 생각할 수 있다는 것입니다. 그러니 구체적으로 헤어, 피부, 의상, 액세서리 등 구체적으로 칭찬해주는 게 더 진정성이 담겨 있다고 설명하셨습니다.

(중략)

이후에는 표현의 방법도 배웠습니다. 놀라운 것은 모의 상황극에서 제가 대답을 하는데 "아……. 정말요……. 아……. 아……. " 이렇게 입을 웅얼웅얼하고 있었다는 것입니다. 참, 지루한 표정으로 대답을 하더라고요. 이를 두고 안 원장님은 "기본 목적이 있다면 상대를 그냥 보기 위해서 보는 게 아니라 교감하고 반응을 이끌어내야 한다"고 하셨습니다. "아~~~~~ 정말요~~?"라며 좀 더 밝고 경쾌한 표현이 상대방으로 하여금 더 에너지를 얻게 한다는 것입니다.

연예인은 물론이고, 사람이면 누구나 조금씩은 처음 만날 때 다 어색함을 느낍니다. 저 역시 <무한도전>의 노홍철도 아니고 처음 만난 사람들, 처음 만난 연예인을 보면 조금 서먹하기도 하고 낯을 가리기도 합니다. 그 때문인지, 상황극에서도 출연한 연기자 지망생들과의 인터뷰에서 초반 낯선 분위기가 드러났나 봅니다. 이에 대해 안 원장님은 "내가 어색해하면 상대방도 어색해하고, 내가 반갑고 친근감을 갖고 대하면 상대도 그렇다"며 "누구나 처음 만난 사람이 어색하고 낯설지만 반갑고 친근감 있게 대하라"고 조언하셨습니다. 또 더 살아 있는, 생동감 넘치는 반응이 저에게 필요하다고 처방해주셨습니다. 제 표정은 너무 진지하고 사무적이라서 상대가 무슨 잘못이라도 저지른 사람처럼 답을 하게끔 만든다는 것이었습니다. 너무 아픈 지적이네요.

여기까지 듣고, 다시 한 번 모의 상황극을 해보았습니다. 원장님이 가르쳐주신 대로, 내가 이곳에 있는 목적을 우선 파악하고 그 목적에 부합하는 답을 이끌기 위해 더 생동감 넘치는 분위기를 만들려고 노력했습니다. 짧은 수업 시간 동안 그 수년간의 잘못된 습관이 금세 뿌리 뽑히지는 않겠지만 이 가르침을 계속 인식하고 인터뷰 때마다 노력한다면 더 좋은 인터뷰어가 되어 있지 않을까요?

:: 여기서 잠깐! ::

인터뷰 진행과 관련된 체크 리스트

1. 겉이 딱딱하고 상단에 스프링이 달린 세로형 취재 수첩을 준비했는가?

   예 □ 아니오 □

2. 질문 목록들은 명사 위주로 간단하게 작성했는가?

   예 □ 아니오 □

3. 인터뷰 진행 과정에서 여러 숫자와 함께 에피소드는 챙겼는가?

   예 □ 아니오 □

4. 첫인사는 상대방이 좋아할 만한 이야기로 자연스럽게 시작했는가?

   예 □ 아니오 □

5. 인터뷰 대상자에게 자칫 지루해 보일 수 있는 본인의 인터뷰 습관을 스스로 의식하고 있는가?

   예 □ 아니오 □

6. 인터뷰를 마치며 향후의 추가 접촉에 대한 양해를 구했는가?

   예 □ 아니오 □

04

인터뷰의 요령 II

대화를 중심으로

앞 장에서는 인터뷰 실시와 관련된 기술적인 측면을 알아봤다. 이번 장에서는 실질적인 대화를 보며 '인터뷰 대상자'라는 자동차를 성공적으로 운전하기 위한 질문 요령과 함께, 피해야 할 질문 유형을 알아보자.

1. 성공적인 인터뷰를 위한 질문 요령 세 가지

1) 여러분의 '독자'와 '시청자'가 가장 궁금해하는 것을 챙겨라

질문을 할 때는 답이 뻔한 것을 묻기보다 독자와 시청자가 가장 궁금해하는 것을 챙겨야 한다. 예를 들어, 한림대의 학보사 기자가 대기업(예를 들어 S 물산)에 취업한 모교 선배를 찾아가서 인터뷰할 때 독자들이 가장 궁금해할 질문은 다음 중 어느 것일까?

① 직장 취업 노하우

② 입사 당시의 초봉과 현재의 연봉

③ 출퇴근 시간 및 현재 하는 일

④ 직장 만족도와 장래 희망

정답은 ①과 ② 사이에 있겠지만 굳이 정답을 고르자면 ①을 꼽을 수 있다. 초봉과 연봉은 인터넷을 통해 대충 짐작할 수 있지만 직장에 취업하게 된 노하우는 후배들에게 따끈따끈한 정보가 될 수 있기 때문이다. 더군다나 다른 대학도 아니고 모교 출신 선배가 재학 중인 후배들에게 눈높이를 맞춰 해주는 조언이라는 점을 생각하면 첫 번째 질문의 가치는 더욱 커진다. 한림대 출신의 졸업생이 S 물산에 취업한 노하우를 모교 후배들에게 알려주면 그들에게 어느 정도로 구체적인 도움이 될지 생각해보라. 반면 서울의 명문대 출신이 강원도 춘천의 한림대생들에게 S 물산에 취업한 노하우를 강연했다고 해보자. 눈높이와 스펙에서 두 대학의 차이가 엄연히 존재하는 현실에서 청강생들의 반응이 뜨겁지만은 않을 것이다. 따라서 대학의 신문기자라면 모교의 대학 구성원들이 독자라는 사실을 충분히 인지하고 그들의 입장에서 질문을 던져야 한다. 이런 이유로 여러분이 기사를 게재하려는 미디어의 잠재적인 독자와 시청자가 누구인지 파악하는 것은 매우 중요하다.

2) '숫자'를 구체적으로 추적하라

기자 선배님의 대기업 취업 노하우를 듣고 싶습니다. 어떻게 공부하셨나요?

인터뷰 대상자 군대 갔다 와서 복학한 후, 계속 도서관에서 공부했습니다.

기자 주로 뭘 공부하셨나요?

인터뷰 대상자 예, S 물산의 입사 공채 시험인 SSAT를 공부하는 데 중점을 뒀습니다.

기자 역시 SSAT가 가장 중요하군요. 죄송하지만 대략적인 점수를 알 수 있을까요?

인터뷰 대상자 한 400점 정도 맞은 것 같네요.

기자 네, 인터뷰에 응해주셔서 감사합니다.

이때 기자가 모교 선배와의 대화에서 챙겨야 할 숫자로는 SSAT 점수 이외에 어떤 것들이 있을까? 먼저 가장 중요한 사항으로 '하루 평균 공부 시간'을 꼽아볼 수 있다. 하루 평균 공부 시간을 성공적으로 챙겼다면 그 가운데에서 다시 'SSAT와 관련된 공부 시간'은 어느 정도였는지를 물어볼 수 있을 것이다.

세 번째로 중요한 숫자는 "언제부터 얼마 동안 공부했느냐?" 하는 것이다. 가령 "군대에서 제대하고 난 후 3학년 1학기 때 복학해서 4학년 2학기까지 꼬박 2년 동안 하루에 다섯 시간씩 공부했다"라는 답을 얻었다고 하자. 1년 365일 가운데 명절과 휴가 등을 빼고 어림잡아 330일 정도를 꾸준히 공부했다면 2년에 해당하는 '660일 × 5시간 = 3,300시간'이라는 구체적인 수치를 도출해낼 수 있다. 이렇듯 독자들에게 실질적으로 도움을 줄 수 있는 구체적인 수치를 제시하는 것은 매우 중요하다. 물론 실질적인 도움 이외에도 구체적인 숫자를 제시하는 것은 독자들의 호기심을 자극할 수 있는 원초적인 대상이다.

3) 끊임없이 예를 청하라

기자 이 지역의 명물인 청포도 자랑을 부탁드리겠습니다.

인터뷰 대상자 네, 수십 년간의 재배 노하우를 그대로 간직한 저희 고장의 청포도는 매우 달기로 유명합니다.

기자 얼마나 달죠?

인터뷰 대상자 예, 대략 20브릭스(brix) 정도의 당도를 유지하고 있습니다.

기자 아, 그렇군요. 그럼 이 고장에서 청포도 말고 또 자랑하실 게 있다면 뭐가 있을까요?

인터뷰 대상자 네, 오이도 대단히 맛있는 것으로 정평이 나 있습니다.

기자 아, 그럼, 청포도와 오이의 고장이군요.

위의 대화는 실제로 TV에서 방송된 것으로, 어느 아침 방송 프로그램을 통해 전파를 탔다. 당시 화면에는 자막으로 '브릭스: 당도를 측정하는 단위'라는 설명이 나왔지만, 기자가 브릭스와 관련된 추가 질문을 하지 않는 바람에 화면은 다음 장면으로 넘어가고 말았다. 그렇다면 방영 당시 리포터가 챙겼어야 하는 질문은 무엇이었을까? 바로 독자들에게 비교대상을 제시해준 뒤 해당 지역의 청포도가 얼마나 단지를 간접적으로 알려주는 것이다. 다음을 보자.

기자 죄송하지만, 제가 브릭스에 대해 잘 몰라서 그러는데요. 혹시 일반적인 포도는 당도가 몇 브릭스나 됩니까?

인터뷰 대상자 일반적으로 출하되는 청포도는 당도가 보통 10브릭스 안팎입니다.

기자 아, 그렇군요. 그렇다면 혹시, 수박은 몇 브릭스 정도 되는지 알고 계시나요?

인터뷰 대상자 네, 수박도 대개 10브릭스 안팎입니다. 딸기는 7브릭스 정도 되면 상품으로 출하할 수 있죠.

기자 그렇다면 이 고장의 청포도는 일반적인 수박이나 청포도에 비해 2배나 단 셈이군요.

인터뷰 대상자 네, 그렇습니다.

어떤가? 포도의 단맛이 좀 더 구체적으로 느껴지지 않는가? 이처럼 끊임없이 예를 청해서 독자들의 이해를 도와야 한다. 지금까지 인터뷰 대상자에게 질문을 할 때 반드시 챙겨야 하는 3대 원칙을 살펴봤으니 이제 질문을 해서는 안 되는 원칙들을 알아보자.

2. 실패를 피하기 위한 질문 요령 다섯 가지

1) 통일감 있게 질문하라

기자 이번에 어린이 재단에 거액을 기부하셨는데요, 그 동기가 궁금합니다.

인터뷰 대상자 네, 어린이를 무척 좋아하지만 어린이와 관련된 정부의 지원이 성에 차지 않아 저라도 어린이들을 위해 무언가 해야겠다고 마음먹었습니다.

기자 아, 그러시군요. 혹시 취미가 무엇인지 여쭤봐도 될까요?

인터뷰 대상자 골프입니다.

기자 네, 어느 정도 치시는지요?

인터뷰 대상자 말 그대로 취미일 뿐이기에 그렇게 잘 치는 편은 아닙니다.

기자 잘 알겠습니다. 이번엔 가족 사항에 대해 말씀을 좀 나눠볼까요?

인터뷰 대상자 네, 부인과의 사이에 1남 1녀가 있습니다.

이 상황에서는 기자가 횡설수설하는 느낌으로 질문을 던지고 있다. 마치 인터뷰 대상자가 무슨 이야기를 전해주건 간에 상관없이 자신이 준비해온 질문들만 챙긴다고나 할까? 이럴 때는 순서에 따른 질문 목록을 손에 가지고 있어도 관련 내용이 궁금할 경우에는 다 물어봐야 한다. 그러고 나서 다음 질문으로 넘어가는 것이 자연스러운 인터뷰를 위한 요령이다. 다음을 보자.

기자 이번에 거액을 어린이 재단에 기부하셨는데요, 그 동기가 궁금합니다.

인터뷰 대상자 네, 어린이를 무척 좋아하지만 어린이와 관련된 정부의 지원이 성에 차지 않아 저라도 어린이들을 위해 무언가 해야겠다고 마음먹었습니다.

기자 그렇다면 이번만이 아니고 앞으로도 계속 기부를 하실 계획이신지요?

인터뷰 대상자 능력만 된다면야 계속 기부를 하고 싶죠. 하지만 제 형편도 있으니까 좀 두고 봐야 합니다.

기자 어린이를 그렇게 좋아하신다니, 혹시 취미도 어린이와 관련된 것 아닌가요?

인터뷰 대상자 아쉽지만 취미는 골프입니다. 몸이 안 좋아서 동네 연습장에서 휘두르며 시작한 골프가 어느덧 10년째입니다. 그렇다고 골프장에 자주 나가는 것은 아닙니다. 사실 동네 골프 연습장에 가는 것을 더 좋아하거든요.

기자 알겠습니다. 인터뷰를 하는 와중에 가족 관계는 어떻게 되는지 궁금합니다. 가족 중 아직 어린이가 있는 것은 아닌가요?

인터뷰 대상자 네, 부인과의 사이에 1남 1녀의 자식이 있습니다만, 모두 출가해서 아이들이 있습니다. 그러고 보니 손자, 손녀 모두 초등학생 어린이들이네요. 하하하.

한 가지 예를 더 보자.

기자 방송을 통해 수업을 하실 때 얼굴 표정이 다양하고 손동작도 크신 편인데, 실제로 학교 수업에서도 그렇게 하시나요?

인터뷰 대상자 네, 학교에서 수업을 할 때는 얼굴과 손뿐만 아니라 온몸을 이용해서 더욱 적극적으로 수업을 합니다.

기자 아, 그렇군요. 이에 대한 학생들의 반응은 어떻습니까?

인터뷰 대상자 무척 좋아합니다. 수업 집중도도 높은 편이고요.

인터뷰에 나서는 이들이 저지르기 쉬운 두 번째 유형의 질문 실수는 인터뷰 대상자가 준 암시나 단서를 무시하고 다른 질문으로 넘어가는 것이다. 탐정으로 따지면 살인 현장에 남아 있는 단서를 무시하고 목격자와의 대화에만 몰두하는 격이다. 앞의 예제에서는 라디오에 등장하는 한 리포터가 방송 수업에서 재미있는 손동작을 종종 보여주는 인기 강사에게 "학교에서도 그와 같이 수업을 하시느냐?"라고 질문을 던진 경우이다. 문제는 인터뷰 대상자가 얼굴과 손뿐만 아니라 몸까지 사용한다고 말해

줬는데도 기자는 이에 대한 추가 질문을 던지지 않은 채, 다음 질문으로 넘어간다는 것이다.

첫 번째 및 두 번째 예제에서 나타나는 이 같은 유형의 질문은 이른바 '맥락단절형' 질문의 전형이다. 감각이 있는 기자라면, 아니 감각이 있는 기자가 아니더라도 독자나 시청자가 가질 수 있는 궁금증을 풀어주고 싶은 기자라면 '맥락단절형' 질문을 던지기보다 다음과 같은 질문을 이어서 내놓아야 한다.

기자 온몸을 이용해서 수업을 하신다고요?

인터뷰 대상자 네, 그렇습니다.

기자 죄송합니다만, 제가 잘 이해가 안 돼서 그러는데 온몸을 이용해서 수업을 하신다는 게 어떤 의미인지요?

인터뷰 대상자 아, 네. 원리를 설명할 때 칠판에 공식을 적거나 개념을 말로 설명하기보단 몸을 사용하는 실연(實演)을 통해 학생들에게 설명을 한다는 거죠.

기자 죄송하지만 그래도 잘 이해가 되지 않는데, 혹시 예를 들어주실 수 있는지요?

인터뷰 대상자 가령 관성의 법칙을 설명할 경우에는 버스에서 손잡이를 잡고 있는 척하는 거죠. 그러다가 버스가 갑자기 멈춰서는 상황을 '끼이~'라는 브레이크 소리와 함께 표현한 후, 제가 급작스럽게 앞으로 몸이 쏠리는 것을 교실에서 그대로 보여주는 겁니다. 마치 개그의 콩트같이 한 장면을 그대로 시연(試演)한다고나 할까요?

기자 아, 네. 이제 잘 이해하겠습니다.

이 사례처럼 기자는 인터뷰 대상자의 대답이 잘 이해가 되지 않거나 궁금한 것이 해소되지 않을 경우에는 계속 추가 질문을 던져 궁금증을 완전히 해소하는 것이 중요하다. 생각해보라. 기자 자신이 이해하지 못했는데 글을 어떻게 쉽고 명료하게 쓸 수 있겠는가! 기자는 인터뷰 대상자의 답변에서 궁금한 것이 생기면 해당 사항을 명료하게 파악할 때까지 계속해서 보조 질문을 던져야 한다. 이러한 질문을 '발전형' 질문이라고 하는데, 이는 자신이 던진 질문에 꼬리를 물고 나타나는 궁금증들을 해결하기 위한 보충 질문에 속한다.

발전형 질문은 인터뷰를 할 때 반드시 필요한 기술 가운데 하나이다. 인터뷰 대상자는 자신의 관점에서 질문에 대답하기에 인터뷰 진행자가 미처 이해하지 못하는 상황을 간단히 설명하거나 전문용어를 섞어가며 이야기할 수 있기 때문이다. 필자와 인터뷰를 했던 어느 중학교 교사는 필자가 글쓰기와 관련해 자주 언급하던 역삼각형 기사에 대해 "죄송하지만 역삼각형 기사가 무엇인가요?"라고 물은 적이 있다. 그 질문을 받고서야 '아차, 내가 상대방을 고려하지 못한 실수를 했구나' 하고 깨닫게 되었다. 참고로 역삼각형 기사란 가장 중요한 사실을 글의 첫 문장에 배치하고 나서 덜 중요한 문장들을 순차적으로 나열하는 기사로, 언론학에서 주로 사용하는 전문용어다.

초보 기자나 초보 리포터는 익숙하지 않은 상황을 꼬치꼬치 묻는 습관이 몸에 배어 있지 않거나 발전형 질문의 가치를 잘 모른다. 그래서 인터뷰 대상자가 남긴 단서나 암시를 묻어둔 채, 다음 인터뷰로 넘어가는 실수를 종종 저지르곤 한다. 다음의 예를 보자.

인터뷰를 진행할 때 취재기자가 인터뷰 대상자에게 '발전형 질문'을 던지는 것은 독자와 시청자의 궁금증을 풀어주기 위해 반드시 필요하다. 사진은 은퇴한 미국 군인을 인터뷰하고 있는 어느 TV 방송사 기자의 인터뷰 장면이다.
자료: 위키피디아 커먼스.

기자 국제 뫼비우스 클럽에 한국인 최초로 가입하게 되셨는데요, 먼저 축하드립니다.

인터뷰 대상자 네, 감사합니다.

기자 듣자 하니 나노(nano) 테크놀로지에 대한 연구 성과를 인정받아 국제 뫼비우스 클럽에 가입하셨다는데요. 죄송하지만, 나노 테크놀로지에 대한 연구가 어떤 것을 의미하는지 좀 설명해주시겠습니까?

인터뷰 대상자 네, 간단히 말씀드려 극소(極小)의 세계를 연구하는 것입니다. 밀리미터의 1/1000의 세계죠.

기자 대단하군요. 그런데 그렇게 작은 세계가 어느 정도인지 감이 잘 잡히지 않네요. 조금만 더 설명해주실 수 있을까요?

인터뷰 대상자 나노 테크놀로지 하면 흔히 머리카락을 자주 인용하는데요, 머리카락은 보통 0.1밀리미터 정도입니다. 그런 머리카락 한 올을 100개로 나누는 작업이죠.

기자 아, 이제 좀 감이 잡히네요. 그런데 그렇게까지 작고 가는 세계를 연구할 필요가 있나요?

인터뷰 대상자 물론입니다. 나노 테크놀로지야말로 신천지이자 황금 시장이니까요.

기자 아, 그렇군요. 잘 알겠습니다. 그럼 이번엔 앞으로의 계획에 대해 여쭤 보겠습니다.

위의 인터뷰에서는 무엇이 문제였을까? 기자는 나노 테크놀로지가 무엇인지 계속 발전형 질문을 던지면서 자신, 아니 독자들의 궁금증을 해결하려고 나름대로 노력했다. 하지만 기자는 인터뷰 대상자의 마지막 대답에 발전형 질문을 한 번 더 던졌어야 했다. 다음을 보자.

기자 황금 시장이라고 하셨는데, 예를 좀 들어주실 수 있을까요?

인터뷰 대상자 아, 화장품으로 예를 들자면 나노 테크놀로지를 이용해 화장품의 입자를 아주 작게 만들어 화장 성분들이 얼굴과 피부에 더욱 잘 스며들게 할 수 있죠.

기자 혹시 다른 예도 있나요?

인터뷰 대상자 자동차에서도 겉에 색깔을 입히는 도장(塗裝) 산업의 경우, 페인트의 입자를 작게 하면 도료 시 흡착도 잘되고 색깔도 치밀해지겠죠.

기자 아, 그렇군요. 이제 좀 이해가 갑니다.

발전형 질문은 이와 같이 상대방의 답변을 구체적으로 이해할 때까지 지속적으로 질문을 던지며 예를 청해야 한다. 그렇게 해서 얻은 답변들은 이후 생생하고 이해하기 쉬운 기사로 탄생하기 마련이다. 그런 면에서 볼 때 베테랑 기자들은 발전형 질문을 잘 던지며 인터뷰를 통일감 있게 끌고 가는 선수들에 속한다고 볼 수 있다. 그렇다면 질문 시 주의해야 할 두 번째 사항에는 어떤 것이 있을까?

2) 애매모호한 표현은 피해라

기자 최고령자로 대학에 들어오시게 됐는데, 혹시 어디에서 공부하셨는지 여쭤봐도 될까요?

인터뷰 대상자 네? 공부했던 장소를 물어보시는 건가요? 아니면 공부를 했던 교육기관에 대해 물어보시는 건가요?

기자 아, 네. 공부했던 교육기관을 여쭤보는 것입니다.

인터뷰 대상자 네, 국어는 혼자 공부했고, 영어와 수학은 서울 노량진의 입시 학원에서 했습니다.

기자 그럼, 댁에서 입시 학원까지는 얼마나 걸리나요?

인터뷰 대상자 버스를 이용하면 30분 정도 걸리고요, 지하철은 조금 더 걸립니다.

기자 아, 그러시군요. 그럼, 다음 질문으로 넘어가 보겠습니다.

이번에도 기자는 적절치 못한 질문을 던졌고, 오히려 기자보다 나은 인터뷰 대상자는 질문의 요지를 되물어가며 친절하게 답변해주었다. 실제로 수업 시간에 학생들과 모의 인터뷰를 실시하면, 학생들 스스로 애매모호한 표현을 사용하여 인터뷰 대상자가 질문자의 의도를 파악하지 못하는 상황이 자주 벌어진다. 이는 ① 인터뷰를 실시하는 이가 자신이 물으려는 바를 정확히 알지 못하거나, ② 정확한 표현 사용에 익숙하지 않기 때문이다. 사실 인터뷰 대상자를 확정하고 질문과 관련된 준비 과정을 거치고 나면 첫 번째의 경우는 좀처럼 발생하지 않는다. 반면 듣기에 따라 이중적으로 해석될 수 있는 두 번째 유형의 질문은 실제 인터뷰에서 종종 발생한다. 다음의 예를 보자.

기자 이번에 한림대에 1억 원을 기부하기로 하셨죠?

인터뷰 대상자 네, 그렇습니다만, 자꾸 취재를 오시니까 부담스럽네요.

기자 좋은 일을 하셨는데 다른 이들에게도 미담 바이러스를 확산시키려고 하는 것이라 이해해주시면 감사하겠습니다.

인터뷰 대상자 네, 알겠습니다. 그런데 궁금하신 것이 무엇이시죠?

기자 1억 원이라면 적지 않은 금액인데 어떻게 해서 모으게 되셨죠?

인터뷰 대상자 네? 죄송하지만 돈을 모으게 된 동기에 대해 여쭤보시는 것인지, 아니면 돈을 모으게 된 과정에 대해 여쭤보시는 것인지 잘 모르겠습니다.

기자 아, 제 말씀은 돈을 모으게 된 과정에 대한 물음이었습니다.

앞서 설명한 대로 질문자가 자신이 궁금해하는 것을 정확히 표현하지 못해 발생한 상황이다. 그렇다면 어떻게 인터뷰를 하는 것이 최선일지 살펴보자.

기자 이번에 한림대에 1억 원을 기부하기로 하셨죠?

인터뷰 대상자 네, 그렇습니다만, 자꾸 취재를 오시니까 부담스럽네요.

기자 좋은 일을 하셨는데 다른 이들에게도 미담 바이러스를 확산시키려고 하는 것이라 이해해주시면 감사하겠습니다.

인터뷰 대상자 네, 알겠습니다. 그런데 궁금하신 것이 무엇이시죠?

기자 1억 원이라면 적지 않은 금액인데 그러한 금액을 어떻게 해서 모으실 수 있었는지 그 과정이 궁금합니다. 먼저 얼마나 오래 걸리셨는지, 기간부터 들어볼까요?

정확한 표현을 전달하지 못해 발생할 수 있는 두 번째 유형의 질문은 최대한의 부연 설명으로 자신이 원하는 정보가 무엇인지를 상대방에게 제대로 전달해야 한다.

3) 단정적인 질문을 피하라

기자 대학교 1학년생이라고 하셨는데 지난 여름방학 동안 어떻게 지냈는지 여쭤봐도 될까요?

인터뷰 대상자 네, 주로 아르바이트를 했습니다.

기자 그렇다면 등록금은 어느 정도 마련했습니까?

인터뷰 대상자 …….

위의 대화에서 기자는 여름방학에 아르바이트를 한 학생이 등록금을 마련하기 위해 일을 했다고 섣불리 결론을 내리며 질문을 던지고 있다.

값비싼 대학 등록금이 사회문제가 되고 대학생들이 등록금 마련에 어려움을 겪느라 학업에 충실하지 못한다는 뉴스는 그동안 수도 없이 들었다. 그렇다고 여름방학과 겨울방학에 아르바이트를 하는 대학생들이 모두 등록금을 마련하기 위해서 일을 한다고 단정할 수는 없다. 장학금을 받고 있는 학생이 여행 경비를 마련하기 위해 아르바이트를 할 수도 있으며, 비록 돈이 되지는 않더라도 창업과 관련한 경험을 쌓기 위해 일을 할 수도 있기 때문이다. 따라서 이와 같은 유형의 물음은 '단정형' 질문으로 분류될 수 있다. 그렇다면 단정형 질문을 피하기 위해서는 어떻게 묻는 것이 좋을까?

기자 대학교 1학년생이라고 하셨는데 지난 여름방학 동안 어떻게 지냈는지 여쭤봐도 될까요?

인터뷰 대상자 네, 주로 아르바이트를 했습니다.

기자 혹시 돈은 좀 모으셨나요?

인터뷰 대상자 예, 조금 모았습니다.

기자 그렇다면 모은 돈은 어디에 쓰실 예정인지 여쭤봐도 될까요?

인터뷰 대상자 네, 등록금을 다 낼 순 없지만, 부모님 부담을 조금이라도 덜어드리기 위해 저축하는 중입니다.

두 번째 인터뷰에서는 기자가 단정적 질문을 던지는 대신 먼저 아르바이트를 해서 얼마나 많은 돈을 모았는지 물어본 뒤, 발전형 질문으로 인터뷰 대상자에게 추가적인 정보를 얻어냈다. 또 다른 상황을 보자.

기자 고등학교 때 신문 좀 읽으셨나요?

인터뷰 대상자 아니요.

기자 책이나 잡지 같은 것은요?

인터뷰 대상자 안 읽었습니다.

기자 클럽이나 동아리 활동은 했나요?

인터뷰 대상자 아니요.

기자 그럼 도대체 뭘 했습니까?

인터뷰 대상자 게임만 했습니다.

기자 그럼 처음부터 그렇다고 할 것이지요.

인터뷰 대상자 언제 그렇게 물어보셨습니까?

위의 예제는 부적절한 질문들을 모두 포함하고 있다. 첫 번째 예제의 경우는 "고등학교 때 취미 활동으로 주로 뭘 하셨습니까?"라는 질문만 던졌어도 인터뷰를 쉽게 진행할 수 있었다. 하지만 기자는 처음부터 특정 취미 활동의 실시 여부를 물으면서 인터뷰를 어렵게 진행시켰다. 마치 대학생 미팅 현장에서 상대방에게 "전공이 뭐예요?"라고 묻기보다 "혹시 국문학 전공이세요?" 하고 물은 것과 같은 이치다. 미국 교육방송인 PBS(Public Broadcasting Service)의 〈맥네일-레러 뉴스 아워(MacNeil-Lehrer News Hour)〉라는 프로그램에서 인터뷰를 담당한 로저 머드(Roger Mudd)는 "나는 '예'나 '아니오'로 답변할 수 있는 질문은 절대로 던지지 않는다"라고 밝힌 바 있다. 마찬가지로 위의 질문은 인터뷰 진행자 스스로 단정적 질문을 던져 인터뷰 대상자의 답변 입지를 좁힌 유형에 속한다. 따라서 인터뷰를 진행할 때 상대방이 "예", "아니오"로 간단하게 답할 수 있는 단정적 질문은 반드시 피해야 한다.

4) 당연한 대답을 피해서 질문하라

기자 몸도 뚱뚱한데 왜 그렇게 힘들게 달리고 계십니까?

인터뷰 대상자 살 빼려고요.

기자 힘들지 않으세요?

인터뷰 대상자 네, 지금 무척 힘듭니다.

인터뷰를 원만히 이끌어나가기 위해 때로는 수사적인 요령이 필요하다. 하지만 인터뷰 진행자들이 자주 하는 실수 가운데 하나는 당연한 답변이 돌아올 질문을 별 고민 없이 던지는 것이다. 길에서 김밥을 파는 할머니에게 다가가 "할머니, 김밥 장사는 왜 하시는 거예요?"라고 묻는 것이 그 전형이다. 문제는 그러한 질문이 독자와 시청자에게 '아니, 길거리에서 왜 김밥 장사를 하는지 지금 몰라서 물어?'와 같은 반발을 불러일으킬 수 있다는 것이다. 따라서 인터뷰 대상자와 대화를 나누는 과정에서 답변이 너무 뻔한 질문은 피해야 한다. 인터뷰 대상자 및 독자, 시청자의 반감을 살 수 있기 때문이다. 이러한 질문은 '분명하고 뻔하기가 마치 불을 보는 듯하다'는 의미의 '명약관화형' 질문에 속한다고 할 수 있다. 이러한 질문은 전파를 타면 더욱 생생하게 전달되기 때문에 TV 카메라 앞에서는 특히 삼가야 한다. 마찬가지로 새벽에 조깅을 하고 있는 뚱뚱한 이에게 다가가 "아침 일찍부터 왜 뛰세요?"라고 묻는 것 역시 명약관화형 질문에 속한다. 필자는 이런 상황이라면 "아침 일찍부터 열심히 운동 중이신데, 언제부터 조깅을 시작하셨는지요?"라는 물음으로 대화를 시도하며 인터뷰 대상자의 관심을 끌려고 노력할 것이다.

명약관화형 질문의 또 다른 유형은 상대방의 유추 가능한 감정을 묻는 것이다. 10km 달리기에서 1등으로 들어온 사람에게 소감을 묻는 것이 그 예이다. "기분이 어떠세요?"라는 리포터의 질문에 100명이면 100명 모두 "좋다"라고 답할 것은 인지상정이기에 이러한 유형의 질문은 참신함과는 거리가 멀다. 차라리 이런 질문은 두 번째로 들어오는 주자에게 던지는 것이 훨씬 참신하다. 앞서 1등으로 들어온 이야 당연히 기쁘겠지만, 2등으로 들어온 주자의 입에서는 여러 가지 대답이 나올 수 있다. 1등으로 들어온 주자에게는 "먼저 우승한 것을 축하드립니다. 혹시 지금 무슨 생각을 하고 계신가요?"라든가 "대회 시작 전엔 몇 등 정도를 예상하셨는지요?" 등과 같은 질문을 던져 단답형으로 끝나지 않는 역동적인 답변을 이끌어내야 한다.

5) 한꺼번에 여러 개의 질문을 던지지 마라

기자 내일 모래면 마흔이신데, 아직 미혼이시잖아요. 혹시 결혼하실 생각은 있으신가요? 있으시다면 언제쯤 결혼하실 생각이신지요? 그리고 이상형이 있다면 어떻게 되는지요?

인터뷰 대상자 아직 결혼할 생각은 없습니다. 모르죠, 또 올해가 지나면 마음이 바뀔지요. 참, 또 다른 질문은 뭐였죠?

기자 아, 네. 이상형은 어떻게 되는지 물었습니다.

인터뷰 대상자 글쎄요. 지금으로선 딱히 이상형이 없네요.

기자 잘 알겠습니다.

이 대화에서 기자는 반드시 피해야 할 상황을 스스로 초래하고 말았다. 하나의 질문을 던져서 그에 따른 발전형 질문들을 통일감 있게 줄줄이 끄집어내야 하는데 여러 개의 질문을 한꺼번에 던져 결국 인터뷰 대상자가 질문을 잊어버리게 만드는 대형 사고(?)를 친 것이다. 일반적으로 인간의 뇌는 한 번에 한 가지 일을 처리하는 데 익숙해서 두 개 이상의 질문을 동시에 받으면 혼동을 일으키기 쉽다. 공 두 개를 던지면 하나도 제대로 받기 힘든 것과 같은 이치다. 공을 하나씩 던져야 잘 받을 수 있는 것처럼 질문도 한 번에 한 개씩 던져야 한다.

기자가 여러 개의 질문을 한꺼번에 던지는 상황은 보통 인터뷰 대상자의 입장을 고려하는 데 미숙하거나, 시간이 촉박하여 급한 마음에 여러 개의 질문을 던지는 경우이다. 하지만 그럴수록 더욱 신중하게 중요한 질문순으로 한 가지씩 내밀어서 그에 맞는 꽉 찬 대답을 얻어야 한다. 그것이 오리아나 팔라치가 강조한 승용차 운전자의 역할이다. 질문을 한 가지씩 던져야 하는 또 다른 이유는 앞서 설명한 바와 같이 대답에 따른 추가 및 부속 질문을 발전적으로 던져나갈 수 있어서이다. 그런데 그와 같은 가능성은 제쳐두고 질문을 두세 개씩 던진다면 깊이 있고 자연스럽게 추가 질문을 하는 것은 아예 접어야 한다.

:: 여기서 잠깐! ::

극단적인 질문 던지기

구체적인 숫자를 추적하기 위해 상대방의 의표를 찌를 수 있는 비장의 방법이 있다. 바로 고의로 틀린 질문을 던지는 것이다. 이는 민감한 수치를 확인하기 위한 것으로 이성 친구의 숫자를 물을 때, 이성 친구가 없거나 사귄 적이 없다는 대답을 미연에 방지하기 위해서다. "이제껏 사귄 이성 친구의 수가 10명이 넘는다는 소문이 있던데요"라며 상대방의 대답을 유도하는 경우가 그 예이다.

두 번째는 애매한 대답엔 극단적 결론을 유도하는 경우이다. "이성 친구를 사귄 적이 있느냐?"라는 질문에 상대방이 "글쎄요"와 같은 애매한 대답으로 반응할 때 "그러면 이성 친구를 사귄 적이 전혀 없군요"라고 응수하는 것이다. 이때 상대방이 가만히 있거나 부정하지 않으면 이성 친구를 사귄 적이 없는 것이고, 반대로 "그렇지는 않습니다"라고 말을 하면 이성 친구를 사귄 사실을 인정하는 것이기 때문이다. 이러한 질문 유형을 흔히 '판단형'이라고 한다.

:: 여기서 잠깐! ::

오프 더 레코드

취재를 진행하다 보면 인터뷰 대상자가 "오프 더 레코드(off the record)를 부탁한다"는 말을 할 경우가 있다. '오프 더 레코드'란 비기사화를 전제로 하는 취재를 의미한다. 즉, 녹음기의 녹음 기능을 끈 채 취재를 해달라는 것이다.

이러한 '오프 더 레코드'는 취재에 나선 기자나 리포터에게 정보원이 인터뷰 사전 또는 사후에 요청하는 것으로, 자신의 이름이 언론에 노출되는 것을 꺼리는 민감한 상황에서 주로 발생한다. 하지만 전 NBC 뉴스 해설 위원이었던 존 챈슬러에 따르면 언론인은 언제나 모든 사실을 '온 더 레코드(on the record)'로 인식해야 한다. 이는 언제 어디서건 취재기자나 리포터의 근본 역할을 잊어서는 안 된다는 저널리즘의 기본 원칙을 상기시키는 말이다. 실제로 '오프 더 레코드'는 상황에 따라 얼마든지 '온 더 레코드'로 바뀔 수 있다. 예를 들어 인터뷰 대상자에게 극비임을 전제로 고급 정보를 누설한 사람이 더 이상 책임감 있는 위치에 있지 않을 수도 있다. 그럴 경우 '오프 더 레코드'를 전제로 들었던 뉴스는 훗날 '온 더 레코드'로 기사화할 수 있다.

사실 취재자의 입장에서 볼 때 취재원이 '오프 더 레코드'를 들고 나오는 상황은 난감할 수밖에 없다. '오프 더 레코드'를 내세우는 인터뷰 대상자에게 거짓말로 승낙을 한 후 나중에 기사화할 수도 없고, 그렇다고 기사화하지 못할 취재를 의미 없이 진행할 수도 없기 때문이다. 따라서 '오프 더 레코드'를 들고 나오는 취재원을 만날 경우, 몇몇 서적에서는 명확하게 의사를 표명하라고 조언한다. 예를 들어 "'오프 더 레코드'라면 의미가 없으므로 더 이상 취재를 진행하지 않겠다"거나 어느 정도 취재가 진행된 상황이라면 "혹시 내가 이미 알고 있을지도 모를 정보이기에 '오프 더 레코드'를 확약해줄 수는 없다"는 언급으로 추후에 일어날 수 있는 여러 사태를 미연에 방지하는 것이다.

:: 연습 문제 ::

"안녕하세요. 저는 ○○ 대학교 3학년 1학기에 재학 중인 ○○학번 언론 전공, 김○○이라고 합니다. 현재 학교 신문인 ○○ 학보사에서 일하고 있습니다."

위의 내용은 2013년 봄, 필자의 '인터뷰 방법' 수업 시간에 실시한 어느 대학생의 간단한 자기소개이다. 다음에 나열된 여러 질문 가운데 어떤 것이 가장 궁금한지 골라보자.

① 언제부터 학보사에서 일하기 시작했습니까?

② 현재 몇 학점을 수강하고 계십니까?

③ 현재 학보사에서 하는 일이 구체적으로 무엇입니까?

④ 언제까지 학보사에서 일할 계획입니까?

⑤ 학보사에서 일하는 것이 본인의 취업 계획과 관련이 있나요?

⑥ 학보사에서 일하는 것이 힘들지는 않습니까?

⑦ 어떤 계기로 학보사에서 일하게 됐나요?

정답 ☞

수많은 질문이 가능하겠지만 필자가 보기에 첫 질문으로 가장 무난한 것은 ①번과 ③번이다. 이는 육하원칙 가운데 '언제'(①번)와 '무엇을'(③번)에 해당하는 것으로 '어떻게'와 '왜'에 비해 육하원칙의 순서상 앞에 배치돼 있다. 또 인터뷰 대상자에게 좀 더 부드럽게 다가가는 것은 물론, 인터뷰 진행자의 관심을 상대방에게 적극적으로 표명할 수 있는 좋은 질문이다.

그렇다면 ①번 질문인 "언제부터 학보사에서 일하기 시작했습니까?"에 대해 김○○ 학생이 다음과 같이 답했다고 가정해보자.

"2학년 2학기 때부터 학보사 일을 시작했습니다."

이 경우 다음으로 여러분이 떠올릴 수 있는 질문으로는 무엇이 좋을까?

① 현재 학보사에서 하시는 일은 무엇인가요?
② 왜 2학년 2학기 때부터 학보사에서 일하게 되셨는지요?
③ 언제까지 학보사에서 일할 생각이신가요?
④ 학보사 일에 만족하시는지요?
⑤ 그 밖에 다른 동아리 활동을 하고 계시는 것이 있는지요?

정답 ☞

이 경우 가장 좋은 질문은 ②번이다. 대학생이나 대학을 졸업한 이들이라면 잘 알겠지만, 동아리 활동으로 학보사 가입을 2학년 2학기에 한 것은 상당히 이례적인 경우에 속한다. 보통 학보사를 포함한 동아리 가입은 1학년 1학기에 가장 많이 이뤄지며, 그다음으로 1학년 2학기, 2학년 1학기 순서로 나타난다. 한데 김○○ 학생은 1학년 1학기와 2학기는 물론, 2학년 1학기도 아닌 2학년 2학기에 학보사에 들어갔다. 따라서 인터뷰를 진행하는 사람은 앞에서 언급한 여러 질문 가운데 '발전형' 질문을 통해 육하원칙 가운데 '왜'에 해당하는 물음을 던지는 것이 '인터뷰 대상자'라는 승용차를 잘 몰 수 있는 비결이다.

여기에서 중요한 사실은 일반적인 인터뷰 대상자가 그러하듯이, 이 학생 역시 수강생들의 질문에 간단하게 대답하고 있다. 독자 여러분 자신을 포함해 어느 누구도 인터뷰 진행자가 묻지 않았는데 자신의 과거와 현재를 육하원칙에 따라 설명하며 필요한 정보를 모두 건네주지는 않는다. 그러므로 기사 가치가 높은 질문은 여러분이 계속해서 던지며 발전형 질문으로 이어나가야 상대방의 보석 같은 이야기를 끄집어낼 수 있다.

그럼 왜 2학년 2학기에 학보사에 들어갈 결심을 하게 됐는지, 김ㅇㅇ 학생의 대답을 들어보자.

"원래 대학 입학 당시의 전공은 화학이었는데 1년 뒤 언론으로 바꾸었습니다. 그런데 뒤늦게 시작한 전공인데다 문과에 대해서는 아는 것이 거의 없어 조금이라도 빨리 적응하기 위해 학보사에 지원하게 됐습니다."

자, 이제 여러분이 질문해야 할 것은 무엇일까?

① 그렇다면 어떤 이유로 전공을 화학에서 언론으로 바꾸었나요?

② 전공 전환은 어떻게 할 수 있는 것인가요?

③ 전공을 바꿀 때 성적이나 학점과 관련한 제한 조건들이 있나요?

④ 이전에도 화학 전공에서 학보사에 들어간 선배들이 있나요?

⑤ 전공 전환에 대해 만족하십니까? 또 학보사에서의 근무가 만족스럽습니까?

정답 ☞

이번에는 ①번이 인터뷰 대상자라는 승용차를 계속 운전하기에 가장 좋아 보인다. 인터뷰에서 가장 핵심적인 것 가운데 하나는 바로 이 장의 맨 앞에서 강조한

'독자와 시청자가 가장 궁금해하는 것을 챙겨라'이다. 물론 이것이 말처럼 쉽지는 않을 것이다. 바로 뉴스 가치가 무엇인지를 알고 있어야 하는 것과 일맥상통하기 때문이다. 실제로 베테랑 기자들 사이에서도 뉴스 가치를 놓고 종종 잘못된 질문을 던져 독자와 시청자가 가장 궁금해할 사항을 놓치는 경우가 발생한다. 그렇기에 아직 언론사에서 수습 과정을 거치거나 실전에서 뉴스 가치를 배운 적이 없는 독자 여러분에게는 이러한 뉴스 가치를 깨닫는 것이 대단히 어려울 수 있다. 빠른 시간 내에 뉴스 가치가 있는 질문들을 떠올리기 위해서는 역시 관련 기사 — 여기에서는 인터뷰 기사 — 를 많이 접하는 수밖에 없다. 피겨 스케이트를 잘 타기 위해 일류 선수들의 동영상을 반복적으로 봐가며 연구하는 것처럼, 가치 있는 인터뷰 질문을 던지고 좋은 기사를 작성하기 위해서는 언론사의 잘된 인터뷰 기사들을 정독하고 분석하는 것이 반드시 필요하다. 더불어 ⑤번 질문에 대해 첨언하자면 앞서 경계했던 피해야 할 질문 — 질문을 한꺼번에 여러 개 던지지 마라 — 의 전형적인 예이다.

그럼 ①번 질문에 대해 김○○ 학생이 다음과 같이 답변했다고 하자. 여러분이 이어서 던져야 할 좋은 질문은 무엇일까?

"화학과 1학년 때 교지(校紙)를 만들다 보니까 인쇄물을 만드는 것이 생각보다 재미가 있어서 언론으로 전공을 바꾸기로 마음먹었습니다."

① 혹시 선배들 중에서 전공을 화학에서 언론으로 바꾼 경우가 있나요?
② 겨울방학 때에는 무엇을 하셨는지요?
③ 지난 학기에 학보사에서 하신 일은 무엇인가요?
④ 화학 전공에서 배운 것 가운데 도움이 된 지식이나 경험 등이 있었나요?
⑤ 학보사의 다른 기자들과는 원만하게 잘 지내고 있나요?

이번엔 ③번이 자연스러운 인터뷰 진행을 위해 좋아 보인다. 이제 '왜'를 둘러싼 발전형 질문에 대한 궁금증은 어느 정도 풀렸다. 따라서 다음 단계로 넘어가기 위해 ③번을 택했다. 다음 질문은 '무엇을'에 대해서 물어보는 것이 자연스러운 인터뷰 진행 방식이라고 본다. 그렇다면 다음과 같은 답변이 나올 것이다.

"지난 학기에는 수습기자로 기사의 기초적인 스트레이트 작성법을 익히고 오자·탈자를 없애며 엉터리 문장을 제거하는 법과 함께 가장 중요한 사실을 서두에 챙기는 역삼각형 기사 작성을 배웠습니다."

물론 잘 이해가 가지 않을 경우에는 스트레이트 작성법과 엉터리 문장, 역삼각형 기사라는 단어와 개념들을 제대로 이해할 수 있을 때까지 끊임없는 예를 청하며 답변을 요구하는 자세가 필수이다.

05

미담 인터뷰 글쓰기

1. 가뭄의 단비 같은 청량제, 미담 인터뷰

이번 장부터는 인터뷰 글쓰기에 대해 알아보자. 앞에서 성공적인 인터뷰를 위한 준비 과정과 인터뷰를 진행하는 동안의 여러 가지 노하우를 조언했다면, 이제부터는 취재 수첩에 적은 내용을 기사로 만들고 가다듬는 작업을 할 것이다.

그렇다면 어떤 종류의 인터뷰 기사 작성 연습이 초보자에게 가장 적합할까? 필자는 '인터뷰 방법'이라는 수업에서 학생들에게 첫 번째 과제로 독자들에게 감동을 전할 수 있는 미담 인터뷰 기사를 제출하도록 한다. 물론 과제에 앞서 네다섯 차례의 실습수업으로 학생들이 미담 기사 작성과 관련된 기승전결을 익힐 수 있도록 도와준다.

미담 인터뷰 기사를 작성하기 전에 간단하게 살펴보자. 내용에 따른 인터뷰 기사의 종류를 설명할 때 미담 기사는 말 그대로 아름다운 이야기라고 소개했다. 이러한 미담 기사에는 일반적으로 ① 남을 돕는 '봉사' 이야기, ② 자신의 한계를 극복한 '인간 승리 스토리'의 두 종류가 있다. 하지만 언론사에서 주로 다루는 미담 기사는 대개 첫 번째 것을 의미하며, 두 번째의 경우는 '인물 인터뷰'로 분류하기도 한다.

미담 인터뷰 기사는 언론사에 입사한 취재기자가 가장 먼저 다루는 인터뷰 기사 가운데 하나이다. 인물 인터뷰는 범상치 않은 삶을 산 주인공을 선정하는 것부터 기사 작성에 이르기까지 상당한 공력과 경험을 필요로 한다. 또 시사 인터뷰는 언론사에서 몇 년간 소위 말하는 짬밥(?)을 먹어야만 특정 타이밍에 어떤 기사를 쓸 수 있는지 감이 온다. 반면 미담 인터뷰 기사는 취재에서 기사 작성까지 상대적으로 빠르게 배울 수 있다. 그런 면에서 이임·취임 인터뷰는 출입처가 있는 기자에 국한돼 있으며, 이 또한 자주 발생하지 않는 까닭에 좀처럼 접하기 힘든 기사이다. 또 특종 인터뷰는 다년간의 경험에 기초하지 않고서는 인터뷰 자체를 성사시키기 어려울 정도로 희소성이 높다.

미담 인터뷰 기사는 독자에게 훈훈한 감정을 주고 '보이지 않는 곳에서 남을 위해 봉사하는 사람들이 있긴 있구나', '이 사회에 아직 정은 남아 있구나' 하는 생각을 불러일으키는 대상이다. 사실 신문의 1면에서 마지막 면에 이르기까지 부정적인 뉴스들이 기사의 대부분을 차지하는 와중에 미담 인터뷰는 마치 '가뭄에 단비' 같은 청량제 기능을 한다. 따라서 그런 미담 기사를 얼마나 잘 쓰느냐에 따라 언론사 내에서 글솜씨를 인정받을 수 있고, 언론사 자체에 대한 세간의 평가도 달라진다. 1년 내내 부정적인 기사들만 토해내는 경쟁사들과 달리, 조명이 잘 비치지 않는 사회의 구석까지 들춰가며 묵묵히 남을 위해 사는 사람들의 이야기를 꾸준히 다루는 언론사는 독자들로부터 남다른 평가를 받을 수밖에 없다. 하지만 독자들의 감동을 불러일으키려고 과하게 감정적인 표현을 동원하거나 사연을 억지로 침소봉대하다가는 오히려 글의 효과를 반감시킬 수 있다. 이에 따라 기사 작성과 관련해 반드시 염두에 두어야 할 몇 가지 원칙을 알아보자.

2. 대상자 선정

당연한 이야기지만 좋은 미담 기사를 작성하기 위해서는 좋은 인터뷰 대상자를 선정하는 것이 무척 중요하다. 이는 요리를 할 때 재료가 차지하는 비중과 마찬가지인데 기사의 70%가 여기에서 결정된다고 해도 과언이 아니다. 그렇다면 어떤 미담 인터뷰 대상자를 선정하는 것이 요리에서의 좋은 음식 재료를 의미하는 걸까? 이를 위해서는 먼저 좋지 않은 미담 인터뷰 대상자를 소개하는 것이 좀 더 명확한 설명이 될 듯싶다.

일단 '단순 기부 행위 또는 일회성 기부 행위'는 미담 인터뷰의 기사 작성 대상에서 제외해야 한다. 이는 인터뷰 대상자와의 문답을 통해 독자들에게 감동을 주려는 미담 인터뷰 기사에서 기부 행위 자체만으로는 그다지 흥미 있는 이야기를 이끌어낼 수 없기 때문이다. 지역 대학에 1억 원을 기부한 어느 독지가의 선행은 그의 기부 동기와 앞으로의 계획 등을 묻고 나면 더 이상 캐낼 내용이 보이지 않는다. 무엇보다 현재 좋은 일을 행하는 모습을 훈훈하게 그려내서 독자들에게 선행과 관련된 대리만족을 느끼게 하려 해도, 기사 작성자가 취재에 나선 시점에서는 독지가의 기부 행위가 이미 종료됐기 때문에 주인공의 미담 행위는 모두 과거형 시제로 표현될 수밖에 없다. 현재 진행형으로 흘러야 감동이 배가(倍加)되는 미담 인터뷰 기사에서 주인공의 현재를 조망할 이야기가 없다는 것은 그야말로 단팥 없는 호빵과 같다. 따라서 단순 1회 기부가 됐건, 수년간에 걸친 기부가 됐건 금액이나 물품을 전달하는 미담 행위는 인터뷰 기사 작성 대상으로 적절하지 않다.

덧붙여 기부를 통한 봉사 대상으로 기사화하기에 적절치 못한 일례로 '헌혈 증서 기부자'를 꼽을 수 있다. 수년간 수십, 수백 번에 걸쳐 헌혈을 하고 자신이 받은 헌혈증을 정기적으로 봉사 기관에 기부하는 헌혈 천사라 하더라도, 결국 내용은 헌혈증을 기부한 것이 핵심이다. 소위 말하는 '현장 스케치'에서 독자들에게 전달할 만한 봉사 장면이 부족할 수밖에 없다. 여기에서 말하는 '현장 스케치'란 기자들이 반드시 챙겨야 하는 사건 현장 또는 봉사 현장에 대한 묘사이다. 마치 겨울철 화재 현장에서 화재 진화 장면을 기동성 있게 촬영해야 하는 TV 뉴스의 카메라처럼, 글에서도 남을 위해 살아가는 사람들의 봉사 현장을 생생하게 전달하는 현장 스케치가 중요하다. 공부방에서 가정 형편이 어려운 학생들을 도와주는 대학생 도우미나 독거노인들을 위해 짜장면을 만들어 대접하는 중국 음식점 주방장의 이야기는 봉사 현장에서 주인공이 어떻게 불우 이웃을 돕는지, 불우 이웃들은 어떤 마음으로 봉사를 받는지 생생하게 묘사되어야 한다. 그런 의미에서 기부 행위는 현장 스케치가 미약하거나 아예 없는 경우가 대부분이기에 적절한 미담 인터뷰 소재가 아니다.

두 번째로 고려해야 할 미담 인터뷰 배제 대상은 봉사 기간이 짧은 사람의 이야기이다. 겨울철에 연탄을 자비로 구입해 저소득층에게 무료로 배달까지 해주는 평범한 회사원의 아름다운 이야기는 그의 선행이 1년 전 시작됐을 경우, 기사 재료로는 약할 수밖에 없다. 같은 값이면 다홍치마라고 1년보다는 2년이, 2년보다는 5년이, 또 5년보다는 10년이 무게감도 있고 에피소드도 다양할 것이며, 주인공을 빛내줄 주변 덕담도 풍부할 것이다. 이 때문에 미담 인터뷰 대상자를 선정할 때 기자들이 고려해야 하는 포인트는 '얼마나 오랫동안 봉사 활동을 했느냐?'이다. 물론 봉사 기간과 관련된 정답은 없다. 아니, 정답은 본인이 가장 잘 알고 있다는 말이 더욱 정확할 것이다. "봉사한 지 2년이 됐다"는 인터뷰 대상 후보자의 봉사 기간을 스스로에게 물어서 그 정도의 봉사 기간으로도 언론에서 기사화된 것을 읽은 적이 있는지 떠올려보면 답은 저절로 나오기 마련이다. '2년 정도의 봉사 기간은 좀 짧은 것 같은데'라는 생각이 든다면 자신의 마음속에서 울리는 회의를 가감 없이 받아들이는 자세가 필요하다.

'인터뷰 방법' 수업에서 수강생들에게 첫 번째 과제로 미담 인터뷰 기사 대상자를 물색해 오라는 과제를 내주다 보면 대상자의 적정성과 관련된 이메일들을 받게 된다. 그런 이메일을 읽다 보면 학생들 스스로가 이미 미담 인터뷰 대상자의 적정 여부를 어느 정도 알고 있는데도 혹시나 하는 마음에 필자의 의중을 물어보는 경우가 있다. 그렇다면 독자들이 생각할 때 다음의 경우는 어떨까?

심훈 교수님께

안녕하세요. 한 주가 새롭게 시작되는 월요일은 잘 보내셨나요? 하루에도 수많은 이메일을 처리하시는 교수님께 메일을 보내는 일이 부담스럽지만, 내일 오전 인터뷰 대상자를 만나게 될 것 같아서요. 인터뷰 대상자를 만날 수 있는 시간이 9시 30분입니다. 여성회관에서 일하는 분인데 연락처를 알려주는 게 불가능하다며 직접 방문을 권유하셨어요. 그래서 부득이하게 사전 인터뷰를 직접 뵙고 해야 할 것 같습니다. 메일을 올리는 김에 인터뷰 대상자에 대한 간략한 설명을 하자면, 성함은 신ㅇㅇ(42) 선생님이시고, 지난해부터 여성회관에서 제빵 강의를 하시는 분이며, 제빵 기술을 이용해 3년 전부터 어려운 사람들에게 무료로 빵을 나눠주고 있다고 하십니다. 혹시 이전 수업에서 다른 학생들이 인터뷰한 분이면 다른 분을 찾아보겠습니다. 감사합니다.

일단 이 인터뷰 대상자는 아직 좀 더 파악해야 할 정보가 있긴 하지만 일반적인 미담 봉사(이를테면 공부방 도우미, 도시락 배달, 길거리 청소 등)와는 차별화된 신선함이 엿보인다. 또 봉사 기간이 3년 정도면 짧지만은 않기에 나름대로 에피소드를 포함한 여러 가지 좋은 이야기가 나올 가능성이 높다. 아마 독자 여러분도 3년이라는 봉사 기간에서 비슷한 생각을 했을 것이다. 필사는 이 정도 기사 가치를 지닌 사람과의 인터뷰는 좋은 미담 기사가 나올 가능성이 매우 높다고 판단한다.

미담 인터뷰 대상자를 선정할 때 고려할 마지막 사항으로는 대상자의 나이를 꼽아볼 수 있다. 좋은 일을 하고 있고 그 기간이 3~4년이라고 해도 대학생이 기사의 주인공이라면 아무래도 기사 가치 면에서 30~40대나 50대 이상에 비해 약할 수밖에 없다. 어린 나이에 봉사하는 것이 현실적으로 쉽지 않을 뿐더러 봉사 내용도 상대적으로 제한적일 수밖에 없어 독자들에게 깊은 인상을 심어주기 힘들다. 그렇다고 인터뷰 대상자의 나이가 많다고 반드시 좋은 것은 아니다. 중요한 점은 독자들이 수긍할 수 있을 정도의 연령대에서 쉽지 않은 봉사를 행하여 독자들에게 적절한 감동을 불러일으킬 수 있느냐는 것이다. 언론 기사에 대학생의 선행이 잘 등장하지 않는 이유에는 바로 이러한 배경이 있다. 하지만 불문율에 얽매일 필요는 없다. 이는 어디까지나 기사 선정을 위한 가이드라인일 뿐 나이가 어려도 봉사 내용이 좋고 오랫동안 남을 도운 20대 청년을 성공적으로 찾아냈다면 기사화하는 데에는 문제가 없다. 그럼 다음에서는 미담 인터뷰 기사의 작성법을 알아보자.

3. 미담 인터뷰 기사의 작성 순서

어느 글이나 마찬가지겠지만 글의 흐름을 단순화시켜보면 서론, 본론, 결론의 세 부분 또는 기승전결의 네 부분으로 나눌 수 있다. 경우에 따라서는 발단, 전개, 위기, 절정, 결말과 같이 5단계로 나누기도 하지만, 이는 주로 연극이나 영화, 드라마처럼 극적 요소가 강하고 이야기의 분량이 긴 장르에서 등장할 뿐, 기사 분량이 그다지 길지 않은 언론 글쓰기에서는 대부분 3단계의 흐름이 주를 이룬다. 그런 의미에서 미담 인터뷰 기사는 크게 서론, 본론, 결론의 세 단계로 나눠볼 수 있다. 다음은 일간지를 기준으로 볼 때, A4 용지 1매 안팎의 기사 분량인 미담 인터뷰를 세 단계로 나눠서 본 기사 작성 순서이다.

1) 서론 I: 현재의 봉사 요약 / 보람찬 심정 / 별명 소개(A1 단독 인용)

① "이제껏 1만여 명의 머리를 무료로 깎아준 것 같습니다."

② "대가 없이 머리를 깎아주는 순간이 가장 행복해요."

③ "저더러 바리깡 천사래요."

기사의 파급력을 높이고 독자들의 시선을 끌기 위해 기사의 첫 문장은 큰따옴표로 둘러싸인 직접 인용문을 넣는 것이 유리하다. 주인공의 생생한 육성으로 독자들의 눈과 귀를 단박에 사로잡을 수 있기 때문이다. 그러한 사실을 잘 알고 있는 포털 사이트의 뉴스 담당자들은 인터뷰 기사의 첫 줄뿐만 아니라, 링크로 걸어놓은 기사의 제목 역시 직접 인용 부호를 사용한 인용문으로 장식한다. 이와 함께 기사 첫머리의 직접 인용문은 문장 내에서 어떤 부연 설명이나 안긴문장 없이 단독으로 사용해 독자들의 시선을 최대한 잡아끌려고 노력한다. 이 책에서는 이러한 문장을 '단독 인용'이라 부르려고 한다. 한 가지 덧붙이자면 단독 인용문은 짧을수록 호소력이 높다. 권투로 치면 짧게 치는 펀치가 더욱 강하게 느껴지는 것과 마찬가지라고나 할까? 따라서 첫머리의 단독 인용문은 가급적 한 줄을 넘기지 않는 것이 좋다.

인터뷰 대상자의 수많은 인용 가운데 어떤 내용을 첫 문장에 배치해야 할까? 첫머리에 시의적절하면서도 독자들의 눈길을 확 끌어당길 수 있는 인용구를 넣으려고 한다면, 먼저 여러분이 다루는 미담 인터뷰 기사의 성격부터 파악해야 한다. 감동적인 내용의 봉사자에 관한 사연이라면, 독자들이 가장 궁금해할 정보가 무엇인가를 먼저 생각해야 한다는 것이다. 그런 면에서 '선행 천사'로 알려진 김장훈 씨처럼 유명 연예인이 아닌 일반인의 미담을 소개하려는 경우에는, 일단 어떤 종류의 봉사가 행해지는지를 전달하는 것이 가장 큰 관건이다. 따라서 인용구의 첫머리는 인터뷰 대상자의 봉사에 관해 한 번에 알 수 있는 직접 인용 멘트를 넣는 것이 키포인트이다.

예를 들어 지난 10여 년간 저소득층을 대상으로 무료로 이발 봉사를 한 어느 50대 이발사의 이야기는 첫 문장 인용구로 "지금까지 줄잡아서 1만여 명의 머리를 무료로 깎아준 것 같습니다"와 같은 정보를 건네는 것이 좋다. 신문 지상이나 포털 사이트의 한 줄 제목에서 그런 첫머리나 기사 제목을 만나면 독자들은 '도대체 뭘 하는 사람이기에 1만여 명에 이르는 사람들의 머리를 무료로 깎아줬지?' 하는 호기심과 함께 글을 챙기기 마련이다. 반면 인터뷰 대상자의 희망 사항을 가장 먼저 배치해 첫머리 인용구를 "손에서 가위를 놓을 때까지 무료 이발 봉사를 하고 싶습니다"로 시작한다면 '아니, 무슨 봉사를 하는지 알지도 못하는데 밑도 끝도 없이 "손에서 가위를 놓을 때까지 무료 이발 봉사를 하고 싶다"고 말하지?' 하고 생각하기 쉽다. 이러한 첫머리 기사는 독자들에게 '그러면 지금까지 무료로 이발 봉사를 해왔나?'라는 유추와 함께 '지금까지 돈을 받고 이발을 해왔기에 앞으로는 무료 이발 봉사를 하면서 생을 마감하고 싶다는 것인가?' 하는 이중적인 추측을 낳을 우려도 있다.

미담 인터뷰의 첫머리 직접 인용과 관련해 챙길 수 있는 또 하나의 구절로는 기사 주인공의 심정 전달을 꼽을 수 있다. "대가 없이 머리를 깎아주는 순간이 가장 행복해요"라든지 "무료 이발 봉사를 통해 오히려 제 삶이 더 충실해졌어요"와 같은 보람찬 심정들은 봉사에 따른 행복감을 한 번에 전해주는 또 다른 첫머리이다.

마지막으로 언론에서 자주 사용하는 단독 인용문 가운데 하나는 첫머리에 재치 있게 언급하는 미담 봉사자의 '별명' — 있을 경우 — 이다. 이때 주인공의 별명은 자신이 어떤 선행을 하는지 잘 드러내야 첫머리에 쓰일 수 있다. 그렇지 않으면 "남들이 슈퍼맨이래요"라는 뜬금없는 단독 인용문이 글의 첫머리를 열 수도 있다.

미담 인터뷰 대상자의 직접 인용구로 시작한 서론의 첫 번째 문장 다음에는 어떤 글이 뒤따라오는 것이 좋을까?

2) 서론 II: 인터뷰 대상자 소개 및 배경 설명

첫 문장에서 독자들의 호기심을 자극하는 인용구로 성공적인 낚시질을 시작했다면, 다음은 누구에 대한 인터뷰 기사인지를 알려줘야 한다. 이에 해당하는 정보는 다음과 같은 순서로 흐르는 것이 정석이다.

① 어디에는 어떤 사람이 있다.

② 지난 몇 년간 무슨 봉사를 한 사림이다.

③ 그런 그(그녀)를 언제 어디에서 만나 아름다운 봉사 활동에 대한 이야기를 들어봤다.

이에 따라 앞서 소개한 두 개의 첫머리 인용구를 연결해서 글을 작성한다면, 각각 다음과 같이 연결해서 서론을 완성할 수 있다.

①

"이제껏 1만여 명의 머리를 무료로 깎아준 것 같습니다."

강원도 춘천 옥천동에는 아주 특별한 이발사가 있다. 지난 10년간 인근 지역의 저소득층을 대상으로 무료로 이발 봉사를 한 김ㅇㅇ(50) 씨가 그 주인공이다. 봄기운이 완연했던(가을 하늘이 유난히 높았던) 지난 7일, 춘천의 한림대 안에 있는 카페에서 그를 만나 지난 10년간의 이발 봉사에 관한 아름다운 이야기를 들어봤다.

②

"대가 없이 머리를 깎아주는 순간이 가장 행복해요."

강원도 춘천 옥천동에는 아주 특별한 이발사가 있다. 지난 10년간 인근 지역의 저소득층을 대상으로 무료로 이발 봉사를 한 김ㅇㅇ(50) 씨가 그 주인공이다. 봄기운이 완연했던(가을 하늘이 유난히 높았던) 지난 7일, 춘천의 한림대 안에 있는 카페에서 그를 만나 지난 10년간의 이발 봉사에 관한 아름다운 이야기를 들어봤다.

여기에서 한 가지 조언을 덧붙이면, 기자의 주관적인 느낌을 최대한 배제하고 기사를 작성해야 독자들의 거부감이 줄어든다. 거부감이 적어야 앞으로 어떤 이야기가 펼쳐질지 호기심을 갖고 이야기 동선을 쫓아올 수 있다. 하지만 실습 현장에서 학생들의 글을 지도하다 보면 어떻게 해서든 자신의 미담 기사를 아름답게 꾸미려고 처음부터 기자의 주관을 넣어가면서 글을 쓰는 경우가 많다. 다음의 예를 보자.

해마다 깊어가는 경기 불황 속에 한 푼이라도 더 벌기 위해 눈에 불을 켜고 일을 하는 사람이 대다수인 가운데, 무료로 남의 머리를 깎아주는 이가 있어 화제다. 자신의 주머니 사정은 아랑곳하지 않은 채, 자신보다 못한 이들을 먼저 챙기려고 무료로 이발 봉사에 나선 주인공을 만나 어떻게 해서 쉽지 않은 선행을 하게 되었는지에 관한 이야기를 들어보았다.

어떤가? 일단 인용구를 첫머리에 사용하지 않은 것은 둘째 치더라도 기자가 먼저 인터뷰 대상자의 숭고함을 알려주려 애쓰며 주관적인 필치를 놀리는 바람에 독자들은 거부감을 갖고 기사에서 눈과 마음을 떼어내기 십상이다. 처음에는 있는 그대로의 인용구를 잘 골라 배치한 다음, 사실을 위주로 평이하게 기사를 전개시키는 것이 독자들의 시선을 끄는 단순한 비결이다. 이제 기사의 서론을 완성했으니 몸통으로 넘어가자.

3) 본론 I: A2 안긴 인용 + 현재 하는 일 소개

서론도 서론이지만 본론 역시 머리말 못지않게 중요하다. 특히 본론 I에서는 다시 직접 인용구로 시작하면서 첫머리에 잠깐 언급했던 직접 인터뷰를 계속해가는 것이 요령이다. 이때 첫머리에 사용한 인터뷰와 전혀 다른 맥락이 아닌, 그와 관계된 인용문을 동원하는 것이 핵심이다. 말하자면 굳이 첫머리 인용문을 'A1 단독 인용'이라 한다면, 본론 I에선 A2에 해당하는 '안긴 인용'을 동원해야 한다는 것이다. 여기에서 말하는 '안긴 인용'이란 인용문이 평서문 안에 안기는 형태로 작성된 인용이다. 예를 들어보자.

> "이제껏 1만여 명의 머리를 무료로 깎아준 것 같습니다."
>
> 강원도 춘천 옥천동에는 아주 특별한 이발사가 있다. 지난 10년간 인근 지역의 저소득층을 대상으로 무료로 이발 봉사를 한 김ㅇㅇ(50) 씨가 그 주인공이다. 봄기운이 완연했던(가을 하늘이 유난히 높았던) 지난 7일, 춘천의 한림대 안에 있는 카페에서 그를 만나 지난 10년간의 이발 봉사에 관한 아름다운 이야기를 들어봤다.

"남녀노소 불문하고 누구든 이발소 휴일인 월요일에 찾아오는 이들은 무료로 머리를 깎아준다"는 김 씨는 "1년에 1천여 명 정도의 머리를 다듬어왔는데 올해로 미용 봉사가 10년째니 족히 1만여 명은 되지 않겠느냐"라며 환하게 웃어 보인다.

이와 같이 A2 인용구로 처음에 소개했던 장면을 계속 이어나가야 한다. 만약 그렇지 않고 다른 장면을 다음과 같은 A2 안긴 인용으로 내보낸다고 하자.

"이제껏 1만여 명의 머리를 무료로 깎아준 것 같습니다."

강원도 춘천 옥천동에는 아주 특별한 이발사가 있다. 지난 10년간 인근 지역의 저소득층을 대상으로 무료로 이발 봉사를 한 김ㅇㅇ(50) 씨가 그 주인공이다. 봄기운이 완연했던(가을 하늘이 유난히 높았던) 지난 7일, 춘천의 한림대 안에 있는 카페에서 그를 만나 지난 10년간의 이발 봉사에 관한 아름다운 이야기를 들어봤다.

"가게가 협소해 무료 봉사를 실시하는 주말에는 많은 손님을 받을 수 없는 게 안타까울 뿐이죠"라며 인터뷰를 시작한 김 씨는 "그런 사정을 알기에 미리 전화로 주말 상황을 물어보는 경우도 있다"고 귀띔한다.

분명 A1에 해당하는 첫 문장의 단독 인용부터 A2의 안긴 인용에 이르기까지 연결이 부드럽지 않다. 사실 좋은 글이라면 기사건 칼럼이건 사설이건 간에 흐름이 자연스러워야 한다. 이를 위해서는 글의 논지를 일관성 있게 진행해야 하며 도중에 글의 흐름이 바뀐다면 문단 나누기로 장면을 전환하는 요령이 필요하다. 하지만 A1 단독 인용문으로 글을 시작했을 경우에는 이에 대한 끝맺음을 하고 다음 장면으로 전환하는 것이 좋다. 필자가 굳이 인용의 이름을 A1, B2, C1으로 명명하지 않고 A1과 A2로 부르는 까닭이다. 따라서 미담 기사는 대체로 다음과 같이 진행되는 것이 바람직하다.

① 서론 I: "A1 단독 인용"

② 서론 II: 인터뷰 대상자 소개 및 배경 설명

③ 본론 I: "A2 안긴 인용" + 현재 하는 일 소개

이후 글은 현재 스케치 또는 현장 스케치라 불리는 현재의 봉사 활동 내용이나 봉사 현장 묘사를 통해 지금 하는 일이 구체적으로 무엇인지, 또 현장에서 봉사가 어떻게 이뤄지는지 독자에게 전달하는 것이 좋다.

4) 본론 II: 현재 스케치

앞서 설명한 대로 미담 인터뷰에 대한 기사 작성이 원활하게 진행된다면 본론 II에서는 주인공이 하는 봉사에 대한 '자세한' 소개와 함께 현재 스케치가 필수적으로 나와야 한다. 현재 스케치는 기자의 주관이 아닌 객관 묘사를 통해 독자들에게 감동을 불어넣을 수 있는 백미에 해당하기에 이 부분에 취재 역량을 집중시키는 요령이 필요하다. 그럼 현재 스케치를 첨가한 경우를 보자.

> "이제껏 1만여 명의 머리를 무료로 깎아준 것 같습니다."
>
> 강원도 춘천 옥천동에는 아주 특별한 이발사가 있다. 지난 10년간 인근 지역의

저소득층을 대상으로 무료로 이발 봉사를 한 김ㅇㅇ(50) 씨가 그 주인공이다. 봄기운이 완연했던(가을 하늘이 유난히 높았던) 지난 7일, 춘천의 한림대 안에 있는 카페에서 그를 만나 지난 10년간의 이발 봉사에 관한 아름다운 이야기를 들어봤다.

"남녀노소 불문하고 누구든 이발소 휴일인 월요일에 찾아오는 이들은 무료로 머리를 깎아준다"는 김 씨는 "1년에 1천 명 정도의 머리를 다듬어왔는데 올해로 미용 봉사가 10년째니 족히 1만여 명은 되지 않겠느냐"라며 환하게 웃어 보인다.

현재 5평이 채 안 되는 협소한 이발소에서 30년째 일하고 있는 김 씨는 "이발 봉사를 정기 휴일인 월요일에 하고 있다"며 "이를 모른 채 일하는 모습만을 보고 월요일에 잘못 찾아오는 일반인들도 간혹 있다"고 귀띔한다. 다른 날과 마찬가지로 "아침 9시부터 저녁 6시까지 약 15~20명 정도의 손님들을 맞이한다"는 김 씨는 또 "개중엔 처음 봉사를 시작했던 10년 전의 단골손님도 있다"고 알려준다. "무료 봉사라 해도 허투루 하고 싶은 마음은 조금도 없다"는 김 씨는 이어 "가급적 말을 많이 붙여가며 즐겁게 대화하는 가운데 과자나 초콜릿 같은 간식거리도 제공하며 내 가게를 찾아준 이들이 휴가 온 듯한 느낌을 받을 수 있도록 노력하고 있다"고 한다.

한 가지 조언을 덧붙이자면 현장 묘사나 현재 스케치는 가급적 인터뷰 대상자의 생생한 육성으로 작성하는 것이 좋다. 그렇기 위해서는 큰따옴표를 이용해 인터뷰 대상자의 말을 전달해야 한다.

5) 본론 III: 봉사 동기 소개

드디어 가장 중요한 절정 부분이다. 첫 문장에서 인터뷰 대상자의 생생한 목소리를 직접 인용으로 들려준 뒤, 주인공을 만나게 된 사연을 자연스럽게 소개하며 현재 그가 하고 있는 봉사를 설명하면 독자들은 서서히 '대단한 사람이네. 그런데 어떻게 해서 이런 봉사를 하게 된 거지?' 하고 궁금해하기 마련이다. 미담 봉사에 대한 주인공의 동기를 내놓을 때가 된 것이다. 요즘 스토리텔링이라는 기법으로 회자되는 이른바 서사(내러티브) 기법의 전형적인 전개 순서이다. 다음을 보자.

"이제껏 1만여 명의 머리를 무료로 깎아준 것 같습니다."

강원도 춘천 옥천동에는 아주 특별한 이발사가 있다. 지난 10년간 인근 지역의 저소득층을 대상으로 무료로 이발 봉사를 한 김ㅇㅇ(50) 씨가 그 주인공이다. 봄기운이 완연했던(가을 하늘이 유난히 높았던) 지난 7일, 춘천의 한림대 안에 있는 카페에서 그를 만나 지난 10년간의 이발 봉사에 관한 아름다운 이야기를 들어봤다.

"남녀노소 불문하고 누구든 이발소 휴일인 월요일에 찾아오는 이들은 무료로 머리를 깎아준다"는 김 씨는 "1년에 1천여 명 정도의 머리를 다듬어왔는데 올해로 미용 봉사가 10년째니 족히 1만여 명은 되지 않겠느냐"라며 환하게 웃었다.

현재 5평이 채 안 되는 협소한 이발소에서 30년째 일하고 있는 김 씨는 "이발 봉사를 정기 휴일인 월요일에 하고 있다"며 "이를 모른 채 일하는 모습만을 보고 월요일에 잘못 찾아오는 일반인들도 간혹 있다"고 귀띔한다. 다른 날과 마찬가지로 "아침 9시부터 저녁 6시까지 약 15~20명 정도의 손님들을 맞이한다"는 김 씨는 또 "개중엔 처음 봉사를 시작했던 10년 전의 단골손님도 있다"고 알려준다. "무료 봉사라 해도 허투루 하고 싶은 마음은 조금도 없다"는 김 씨는 이어 "가급적 말을 많이 붙여가며 즐겁게 대화하는 가운데 과자나 초콜릿 같은 간식거리도 제공하며 내 가게를 찾아준 이들이 휴가 온 듯한 느낌을 받을 수 있도록 노력하고 있다"고 한다.

그렇다면 김 씨는 어떻게 해서 이발 봉사를 하게 됐을까?

"10년 전 가을이었어요"라며 말문을 연 김 씨는 "당시 이발 비용이 없어 머리를 산발한 채 홀로 지내는 독거노인의 사연을 신문에서 읽은 뒤 내 기술을 이용해 여유가 없는 사람들을 돕기로 했다"고 한다. 하지만 어떻게 사람들을 도울 수 있을지 몰라 고민 끝에 동사무소를 찾아가 자신의 의중을 전했다는 김 씨다. 다행히 동사무소 직원의 적극적인 도움으로 이발소 근처의 독거노인들 가운데 무료 이발을 희망하는 이들에게 매주 월요일마다 머리를 깎아드리겠다는 의중을 전해드릴 수 있었던 김 씨는 "이후 입소문을 듣고 찾아온 동네 독거노인들이 하나둘씩 늘기 시작해 지금은 이웃 동네에서까지 스스럼없이 찾아오는 단골 장소가 됐다"며 미소 짓는다.

문제는 이러한 봉사 동기가 이야기의 흐름상 현재 스케치 뒤에 나와야 하는데 인터뷰 기사 작성 경험이 많지 않은 초보자의 글에서는 봉사 동기가 가장 먼저 나오는 경향이 강하다는 것이다. 실제로 '인터뷰 방법'을 수강하는 학생들의 미담 기사 실습을 지도하다 보면, 가장 먼저 등장하는 내용이 봉사 동기인 경우가 십중팔구다. 다음을 보자.

"이제껏 1만여 명의 머리를 무료로 깎아준 것 같습니다."

강원도 춘천 옥천동에는 아주 특별한 이발사가 있다. 지난 10년간 인근 지역의 저소득층을 대상으로 무료로 이발 봉사를 한 김ㅇㅇ(50) 씨가 그 주인공이다. 봄기운이 완연했던(가을 하늘이 유난히 높았던) 지난 7일, 춘천의 한림대 안에 있는 카페에서 그를 만나 지난 10년간의 이발 봉사에 관한 아름다운 이야기를 들어봤다.

"10년 전 가을이었어요"라며 말문을 연 김 씨는 "당시 이발 비용이 없어 머리를 산발한 채 홀로 지내는 독거노인의 사연을 신문에서 읽은 뒤 내 기술을 이용해 여유가 없는 사람들을 돕기로 했다"고 한다. 하지만 어떻게 사람들을 도울 수 있을지 몰라 고민 끝에 동사무소를 찾아가 자신의 의중을 전했다는 김 씨다. 다행히 동사무소 직원의 적극적인 도움으로 이발소 근처의 독거노인들 가운데 무료 이발을 희망하는 이들에게 매주 월요일마다 머리를 깎아드리겠다는 의중을 전해드릴 수 있었던 김 씨는 "이후 입소문을 듣고 찾아온 동네 독거노인들이 하나둘씩 늘기 시작해 지금은 이웃 동네에서까지 스스럼없이 찾아오는 단골 장소가 됐다"며 미소 짓는다.

"남녀노소 불문하고 누구든 이발소 휴일인 월요일에 찾아오는 이들은 무료로 머리를 깎아준다"는 김 씨는 "1년에 1천여 명 정도의 머리를 다듬어왔는데 올해로 미용 봉사가 10년째니 족히 1만여 명은 되지 않겠느냐"라며 환하게 웃었다.

현재 5평이 채 안 되는 협소한 이발소에서 30년째 일하고 있는 김 씨는 "이발 봉사를 정기 휴일인 월요일에 하고 있다"며 "이를 모른 채 일하는 모습만을 보고 월요일에 잘못 찾아오는 일반인들도 간혹 있다"고 귀띔한다. 다른 날과 마찬가지로 "아침 9시부터 저녁 6시까지 약 15~20명 정도의 손님들을 맞이한다"는 김 씨는 또 "개중엔 처음 봉사를 시작했던 10년 전의 단골손님도 있다"고 알려준다. "무료 봉사라 해도 허투루 하고 싶은 마음은 조금도 없다"는 김 씨는 이어 "가급적 말을 많이 붙여가며 즐겁게 대화하는 가운데 과자나 초콜릿 같은 간식거리도 제공하며 내 가게를 찾아준 이들이 휴가 온 듯한 느낌을 받을 수 있도록 노력하고 있다"고 한다.

필자는 인터뷰 기사 작성을 위한 실습 시간에 문답 형식으로 된 인터뷰 녹취록을 나눠준 뒤 미담 인터뷰 기사를 쓰게 한다. 그런데 대부분의 학생은 수업 시간에 배운 'A1 단독 인용'과 인터뷰 대상자 소개, 'A2 안긴 인용'과 기사 작성 배경을 설명하기보다 봉사 동기를 먼저 등장시킨다.

하지만 앞서 소개했듯이 독자나 시청자가 미담 인터뷰 기사 – 이는 시사, 인물 인터뷰 기사에서도 마찬가지다 – 에서 가장 궁금해하는 것은 '그(그녀)가 현재 하고 있는 미담 봉사는 무엇인가?'이다. 따라서 동기를 먼저 소개하는 것은 독자들의 궁금증을 제대로 챙겨주지 못한다. 글을 통해서건 영상을 통해서건 어떤 인물에 대한 인터뷰를 풀어나가려면, 현재 하는 일을 먼저 소개한 뒤 그에 대한 이유나 동기를 설명해야 한다.

6) 결론 I: 가족 및 주변인들의 내조 또는 반응

이제 기사는 종반부로 접어들었다. 인터뷰 대상자가 하는 일을 자세히 소개한 후, 그러한 미담을 행하게 된 이유와 동기까지 설명했다면 글은 이미 9부 능선을 넘은 것이나 다름없다. 그렇다면 이제 마지막 화룡점정만 남은 셈이다. 그 화룡점정의 첫 번째는 지금까지 미담을 행할 수 있었던 데 대한 주변의 도움을 언급하는 것이다. 좋은 일을 자신만의 능력으로 하기는 무척 어렵다. 주변에는 대부분 박애주의적인 마음을 가지거나 물심양면으로 후원해주는 이가 있기 마련이다. 서사학을 창시한 러시아의 민속학자 블라디미르 프로프(Vladimir Propp)가 스토리텔링을 구성하는 중요 요소 가운데 하나로 언급한 '조력자'에 관한 얘기이다.

그렇다면 미담 인터뷰 기사의 결론 부분에서는 으레 그렇듯이 가족 이야기가 나와야 한다. 가족의 반대 속에 미담을 행하기는 쉽지 않으며, 대부분의 경우 가족의 전폭적인 지원 아래 마음 편하게 미담을 행하는 것이 선행의 필요충분조건이다. 따라서 대단원의 서두는 가족에 대한 이야기를 끄집어내서 독자와 시청자의 마음을 더욱 포근하게 만들 필요가 있다. 가족에 대한 언급은 인터뷰 대상자의 소개로 제공될 수도 있으며, 가족의 직접 인용으로 전달될 수도 있다. 하지만 가족의 직접 인용으로 기사화되려면 가족에 대한 간접 인터뷰도 추가적으로 필요하다. 그럼 다음을 보자.

"이제껏 1만여 명의 머리를 무료로 깎아준 것 같습니다."

강원도 춘천 옥천동에는 아주 특별한 이발사가 있다. 지난 10년간 인근 지역의 저소득층을 대상으로 무료로 이발 봉사를 한 김ㅇㅇ(50) 씨가 그 주인공이다. 봄기운이 완연했던(가을 하늘이 유난히 높았던) 지난 7일, 춘천의 한림대 안에 있는 카페에서 그를 만나 지난 10년간의 이발 봉사에 관한 아름다운 이야기를 들어봤다.

"남녀노소 불문하고 누구든 이발소 휴일인 월요일에 찾아오는 이들은 무료로 머리를 깎아준다"는 김 씨는 "1년에 1천여 명 정도의 머리를 다듬어왔는데 올해로 미용 봉사가 10년째니 족히 1만여 명은 되지 않겠느냐"라며 환하게 웃었다.

현재 5평이 채 안 되는 협소한 이빌소에서 30년째 일하고 있는 김 씨는 "이발 봉사를 정기 휴일인 월요일에 하고 있다"며 "이를 모른 채 일하는 모습만을 보고 월요일에 잘못 찾아오는 일반인들도 간혹 있다"고 귀띔한다. 다른 날과 마찬가지로 "아침 9시부터 저녁 6시까지 약 15~20명 정도의 손님들을 맞이한다"는 김 씨는 또 "개중엔 처음 봉사를 시작했던 10년 전의 단골손님도 있다"고 알려준다. "무료 봉사라 해도 허투루 하고 싶은 마음은 조금도 없다"는 김 씨는 이어 "가급적 말을 많이 붙여가며 즐겁게 대화하는 가운데 과자나 초콜릿 같은 간식거리도 제공하며 내 가게를 찾아준 이들이 휴가 온 듯한 느낌을 받을 수 있도록 노력하고 있다"고 한다.

그렇다면 김 씨는 어떻게 해서 이발 봉사를 하게 됐을까?

"10년 전 가을이었어요"라며 말문을 연 김 씨는 "당시 이발 비용이 없어 머리를 산발한 채 홀로 지내는 독거노인의 사연을 신문에서 읽은 뒤 내 기술을 이용해 여유가 없는 사람들을 돕기로 했다"고 한다. 하지만 어떻게 사람들을 도울 수 있을지 몰라 고민 끝에 동사무소를 찾아가 자신의 의중을 전했다는 김 씨다. 다행히 동사무소 직원의 적극적인 도움으로 이발소 근처의 독거노인들 가운데 무료 이발을 희망하는 이들에게 매주 월요일마다 머리를 깎아드리겠다는 의중을 전해드릴 수 있었던 김 씨는 "이후 입소문을 듣고 찾아온 동네 독거노인들이 하나둘씩 늘기 시작해 지금은 이웃 동네에서까지 스스럼없이 찾아오는 단골 장소가 됐다"며 미소 짓는다.

이러한 김 씨의 이발 봉사에서 가족은 단연, 최고의 지지자들이다. "처음엔 우리도 넉넉하지 못한데 왜 남을 도와야 하느냐는 반발도 있었지만 이젠 그 누구보다 적극적으로 도와주는 든든한 후원자가 됐다"라는 김 씨의 말대로 그의 가족은 아내에서부터 대학과 고등학교에 각각 재학 중인 두 자녀에 이르기까지 봉사 당일 현장에서 손님들을 맞이하며 바닥을 청소하고 간단한 간식과 차를 내오는 소중한 자원봉사자들이다.

7) 결론 II: 앞으로의 계획과 희망

드디어 종착역이다. 마지막 문단에서는 미담 인터뷰 대상자의 희망과 앞으로의 계획으로 이야기의 대단원을 장식해야 한다. 분명 미담 봉사를 행하는 이에게는 지금까지 진행해온 봉사에 대한 아쉬움과 앞으로의 계획이나 바람도 있을 터이다. 따라서 인터뷰를 하는 와중에도 가장 마지막 질문으로 챙겨야 할 사항이자 결론에 배치해야 할 내용이 바로 앞으로의 계획과 소망이다. 이 경우 독자와 시청자에게 강렬한 인상을 남기기 위해서는 '안긴 인용문'을 사용하는 것이 좋다. 물론 이는 어디까지나 선택 사항이며 필수는 아니다. 다음을 보자.

"이제껏 1만여 명의 머리를 무료로 깎아준 것 같습니다."

강원도 춘천 옥천동에는 아주 특별한 이발사가 있다. 지난 10년간 인근 지역의 저소득층을 대상으로 무료로 이발 봉사를 한 김ㅇㅇ(50) 씨가 그 주인공이다. 봄기운이 완연했던(가을 하늘이 유난히 높았던) 지난 7일, 춘천의 한림대 안에 있는 카페에서 그를 만나 지난 10년간의 이발 봉사에 관한 아름다운 이야기를 들어봤다.

"남녀노소 불문하고 누구든 이발소 휴일인 월요일에 찾아오는 이들은 무료로 머리를 깎아준다"는 김 씨는 "1년에 1천여 명 정도의 머리를 다듬어왔는데 올해로 미용 봉사가 10년째니 족히 1만여 명은 되지 않겠느냐"라며 환하게 웃었다.

현재 5평이 채 안 되는 협소한 이발소에서 30년째 일하고 있는 김 씨는 "이발 봉사를 정기 휴일인 월요일에 하고 있다"며 "이를 모른 채 일하는 모습만을 보고 월요일에 잘못 찾아오는 일반인들도 간혹 있다"고 귀띔한다. 다른 날과 마찬가지로 "아침 9시부터 저녁 6시까지 약 15~20명 정도의 손님들을 맞이한다"는 김 씨는 또 "개중엔 처음 봉사를 시작했던 10년 전의 단골손님도 있다"고 알려준다. "무료 봉사라 해도 허투루 하고 싶은 마음은 조금도 없다"는 김 씨는 이어 "가급적 말을 많이 붙여가며 즐겁게 대화하는 가운데 과자나 초콜릿 같은 간식거리도 제공하며 내 가게를 찾아준 이들이 휴가 온 듯한 느낌을 받을 수 있도록 노력하고 있다"고 한다.

그렇다면 김 씨는 어떻게 해서 이발 봉사를 하게 됐을까?

"10년 전 가을이었어요"라며 말문을 연 김 씨는 "당시 이발 비용이 없어 머리를 산발한 채 홀로 지내는 독거노인의 사연을 신문에서 읽은 뒤 내 기술을 이용해 여유가 없는 사람들을 돕기로 했다"고 한다. 하지만 어떻게 사람들을 도울 수 있을지 몰라 고민 끝에 동사무소를 찾아가 자신의 의중을 전했다는 김 씨다. 다행히 동사무소 직원의 적극적인 도움으로 이발소 근처의 독거노인들 가운데 무료 이발을 희망하는 이들에게 매주 월요일마다 머리를 깎아드리겠다는 의중을 전해드릴 수 있었던 김 씨는 "이후 입소문을 듣고 찾아온 동네 독거노인들이 하나둘씩 늘기 시작해 지금은 이웃 동네에서까지 스스럼없이 찾아오는 단골 장소가 됐다"며 미소 짓는다.

이러한 김 씨의 이발 봉사에서 가족은 단연, 최고의 지지자들이다. "처음엔 우리도 넉넉하지 못한데 왜 남을 도와야 하느냐는 반발도 있었지만 이젠 그 누구보다 적극적으로 도와주는 든든한 후원자가 됐다"라는 김 씨의 말대로 그의 가족은 아내에서부터 대학과 고등학교에 각각 재학 중인 두 자녀에 이르기까지 봉사 당일 현장에서 손님들을 맞이하며 바닥을 청소하고 간단한 간식과 차를 내오는 소중한 자원봉사자들이다.

마지막으로 "좀 더 넓은 장소에서 다른 자원봉사 이발사들과 함께 더욱 많은 이들의 머리를 깎아주고 싶다"라며 앞으로의 희망을 피력한 김 씨는 이어 "손에 가위를 쥘 수 있는 힘이 남아 있는 그날까지 이발 봉사를 하고 싶다"는 말로 인터뷰를 마쳤다.

지금까지 제시한 미담 인터뷰의 기사 전개 양식은 어디까지나 정답이 아닌 하나의 예이다. 물론 언론 기사 글쓰기에서는 가장 정형화되고 보편화된 예이기는 하다. 따라서 무난한 미담 인터뷰 기사를 작성하기 위해서는 일단 가장 널리 쓰이는 기사 전개 양식을 익힌 다음, 자신만의 스타일을 만드는 것이 좋은 방법이다.

:: 여기서 잠깐! ::

다음은 미담 기사 작성에서 반드시 피해야 할 단어와 표현이다. 잘 읽어보고 기사 작성 시 참고하기 바란다.

1. 존댓말

'아버님', '어머님', '할아버님', '할머님', '어르신', '고객님' 등과 같은 극존칭 단어는 언론 기사에서 피해야 한다. 언론 글쓰기는 5,000만 국민을 대상으로 하는 공적인 글쓰기이다. 국문법에 의해 "할아버지, 아버지가 집에 막 들어왔습니다"라고 표현하는 것처럼 글 내에서도 공인인 독자들을 존중해 자칫 읽는 이가 부담스러워할 존댓말은 자제해야 한다.

2. 반말 및 비속어

"개ㅇㅇ", "씨ㅇ", "육ㅇ할 ㅇ", "지ㅇ하고 있네" 등과 같은 욕설과 "근데", "그치만", "먹은 건"처럼 구어를 그대로 옮겨 적은 말 역시 인터뷰 대상자의 입에서 나왔더라도 기사로 내보낼 수는 없다. 글의 미관상, 또 인터뷰 대상자를 보호하기 위한 차원에서라도 반말과 비속어, 구어적 표현 등은 순화하거나 제거해야 한다.

3. '그'와 '그녀'

인터뷰 대상자를 일컫는 3인칭을 사용할 때 주인공이 여자인데도 '그'라고 표현하는 경우가 있다. 언론사에 따라서는 '그녀'라고 쓰는 것이 성차별적 표현에 해당한다고 보기 때문이다. 여자 인터뷰 대상자를 언론사에 따라 '그' 또는 '그녀'라고 표기하는 것은 자사의 철학과 관련된 사안이므로 정답은 없다. 따라서 필자는 기사 작성자가 편하거나 익숙한 표현으로 사용하라고 권한다.

1. 다음 글은 미담 인터뷰 기사 과제를 제출하기 전에 필자의 첨삭을 부탁하며 한 학생이 보내온 내용이다. 천천히 읽어보고 무엇이 문제인지 찾아보자(참고로 다음의 글을 포함해 이후에 나오는 글들은 본고의 출판을 위해 최소한의 범위에서 문법적인 수정만 가했기에 글의 표현이 다소 어색하거나 인용이 어눌할 수 있다).

"어르신들이 이제는 제가 올 때를 기다리시죠."

각박한 세상 속에서도 6년째 노인들을 위해 봉사를 하고 있는 이가 있어 화제다. 강원도 춘천시에 거주하는 김정○(金貞○·51) 씨가 그 주인공. 벚꽃이 흩날리던 지난달 29일, 춘천 우두동의 한 커피숍에서 그녀를 만나 사랑의 봉사 이야기에 대해 들어봤다.

"처음엔 노인분들께서 다들 서먹서먹해하시고, 심지어 할아버지들께서는 저를 잘 쳐다보지도 않으셨죠"라고 인터뷰를 시작한 김 씨는 "지금은 제가 가면 모두들 밝은 얼굴로 반겨주시고, 집에 돌아오고 난 다음에는 보고 싶다는 전화도 하시곤 해요"라며 환하게 웃었다. 현재 그녀는 매주 목요일 춘천의 한 노인정을 방문해 그들의 든든한 친구가 되어주고 있다.

"이제는 어르신들의 눈빛만 봐도 어디가 편찮으신지 알아챈다"는 그녀는 노인들의 혈압, 체온 측정 등 간단한 건강검진과 함께 안마도 해드리고 있다. 또 음료나 과일을 준비해 함께 먹으며 말벗이 되어드리는 것은 물론, 사투리 동화도 읽어드린다. 김 씨는 "재미있는 사투리 동화를 읽어드리면 어르신들의 입가에서 웃음이 떠나질 않는다"며 뿌듯해했다. 이어 "연말에는 잔치 국수를 삶아드리고, 크리스마스를 비롯한 명절 때마다 떡을 해드린다"며 "쑥떡을 해드리기 위해 직접 산에 올라가 쑥을 뜯기도 한다"고 이야기했다.

이러한 열정적인 봉사로 김 씨는 2009년도에 '연 180시간 봉사상'을 수상하기도 했다. 그녀는 "힘들고 아픈 독거노인들을 보면 그냥 지나칠 수 없어 목욕을 시켜드리기도 한다"며 "몸이 두 개여서 더 많이 도와드릴 수 있다면 얼마나 좋을까 싶다"고 말했다. 이어 "춘천은 노인들을 위한 다양한 프로그램이 없어 화투나 마작까지 하는 노인정도 있다"며 "건전한 프로그램을 개발해야 어르신들이 건전한 여가를 보냄으로써 건강을 챙기실 수 있을 것 같다"는 나름대로의 속 깊은 생각을 내비치기도 했다.

노인 봉사를 시작한 계기를 묻자 그녀는 "어릴 때 할머니에게 맡겨졌던 게 동기라면 동기"라며 지난날을 떠올렸다. "당시 할머니의 따뜻함이 기억에 많이 남았다"는 김정○ 씨는 또 "나보다 더 어렵고 힘든 사람이 많다는 것을 알게 된 후, 도움을 주러 여러 곳을 가봤지만 어르신들을 위한 봉사 활동이 가장 편안하고 마음이 갔다"고 이야기했다.

가장 기억에 남는 일화가 있느냐는 기자의 물음에 그녀는 "지난해 9월, 예전에 도와드렸던 한 할머니께서 '보고 싶어, 김 선생'이라며 문득 전화를 해오셨죠"라며 말문을 열었다. 당시 전화를 건 할머니는 치매기가 있는 노인이었다고 한다. 그녀는 "할머니가 '내가 노래해줄까?'라며 노래 한 곡을 수화기 너머로 들려주셨어요"라며 기자에게 통화 녹음 내용을 들려주었다. 당시 개인적인 일로 힘들어하던 김 씨에게 할머니의 노래는 매우 큰 힘이 돼주었다고 한다. 그녀는 "내가 도움을 드리기도 하지만 결과적으로는 내가 배우고 얻는 것이 더 많다"며 미소를 지었다.

김 씨에게 가족은 매우 든든한 존재다. 그녀의 큰아들(27)은 무거운 혈압계를 들어주기도 하고, 연로하신 아버지는 항상 딸의 선행을 격려해주신다고 한다. 김 씨는 "아버지의 덕담에 많은 힘을 얻죠"라며 "주변에서도 좋은 분들이 많이 도와줘 이웃에도 늘 감사하고 있다"고 말한다.

김 씨는 힘이 닿는 한 노인들을 위해 봉사할 계획이다. "개인 맞춤형 요양원을 차리는 게 꿈이에요"라는 그녀는 이어 "어르신들도 제각각 성향이 다르기 때문에 비슷한 분들끼리 모여야 더 안정되고 행복할 수 있다"고 설명했다. 또 "앞으로는 미용도 배워 할아버지, 할머니의 머리를 직접 잘라드리고 싶다"며 밝은 얼굴로 인터뷰를 마쳤다.

다음은 필자가 해당 학생에게 보내준 기사와 관련된 도움말이다.

→ 주말인데도 고생이 많네요. ^^

전반적으로 평가하자면 글의 흐름은 매우 좋습니다만, 첫머리의 '리드'•는 상당히 취약합니다. 따라서 독자들의 입장에서 볼 때 리드만 읽어서는 다음 내용으로 눈길을 돌리고 싶지 않습니다. 좀 더 구체적으로 말하면 이 기사의 리드만 봐서는 뒤에 무슨 일이 전개될지 짐작조차 할 수 없다는 것입니다.

"전화를 통해 자신의 노래를 들려주시던 할머니의 음성이 잊히지 않습니다."

그렇다고 위의 문장처럼 호기심을 자극하는 리드도 아니어서 방송 드라마의 첫회나 첫 장면에 비유해볼 때, 시청률이 그다지 높은 수치를 기록할 장면은 아니라는 생각입니다.

실습 시간에 뽑았던 여러 리드들을 떠올려 자신의 글과 비교해보면 이전의 리드들은 적어도 독자의 호기심을 유발하거나 글의 방향을 짐작할 수 있었습니다. 이 때문에 자신이 뽑아낸 약한 'A1 단독 인용 리드'는 이후의 약한 'A2 안긴 인용'을 불러오며 글을 다소 밋밋하게 전개시켜나가게 됩니다.

글을 읽다 보니 궁금해지는 또 한 가지는 이분이 과연 간호학을 전공했는가 하는 것입니다. 글 시작부터 다소 생뚱맞게 등장하는 혈압 및 온도 측정은 '이분이 도

• 주제를 포함하고 있는 기사의 첫 문장. 언론사에서는 기사의 첫 문장을 '리드(lead)'라고 한다.

대체 무슨 자격으로 그런 것을 하나'라는 생각을 불러일으킵니다. 그럼 아무쪼록 코멘트가 도움이 됐기를 바라며, 계속 열심히 수고해주기 바랍니다.

Ⅱ. 다음의 미담 인터뷰 기사를 읽고 좀 더 나은 글을 만들기 위해서는 무엇을 고려해야 하는지 점검해보자.

"애완견이 아니라 '딸'이에요."

주인에게 사랑받지 못하고 버려지는 유기 동물이 늘어가는 지금, 이들에게 손길을 내밀고 보금자리를 마련해주는 사람이 있어서 화제다. 강원도 춘천시에 사는 이진ㅇ(李珍ㅇ·27) 씨가 바로 그 주인공이다. 햇살의 따스함이 가득 녹아든 지난 4일 오후, 보호소에서 유기 동물들을 돌보느라 정신없는 그녀를 만나 이야기를 나눠보았다.

"함께 있던 시간이 길다 보니 이제는 각별해서 안 좋게 보이던 모습도 예뻐 보여요"라며 말문을 연 이 씨는 "비록 동물이지만 가족이나 다름이 없어요"라고 애정을 나타냈다. 주로 "돌보고 있는 동물은 강아지와 고양이가 많지만 간혹 토끼나 기니피그도 있다"고 미소 지었다. 이 씨는 "매주 보호소를 찾아 유기 동물들을 돌보고 있다"며 "기본적으로 견사 청소, 묘사 청소, 그리고 설거지를 한다"고 설명했다. 이어 "그다음에 아이들이 깔끔해지도록 미용과 목욕을 시킨다"고 덧붙였다. 올해로 "2년을 바라보고 있다"면서 "매주 토요일마다 3시간씩 봉사하고 있다"고 알려준다. 현재 "보호소에 있는 동물은 대략 70마리 정도 된다"며 "동물보호센터이기 때문에 종류에 관계없이 유기 동물이라면 전부 보호하고 있어 숫자가 많은 편"이라고 상세히 알려준다.

"동물들은 주민들이 신고할 경우, 시청의 축산과 구조팀에 의해 보호소로 오고 있다"는 이 씨는 "모든 동물을 데려오는 것이 아니라 사람의 손을 탄 동물들만 데리고 온다"고 설명했다. 구분 방법은 "사람의 손을 탄 동물들은 사람을 잘 따르고 애교도 많다"며 "전문가가 아니더라도 쉽게 알 수 있을 정도"라고 웃으며 귀띔해 준다. 그녀는 "동물들이 보호소로 오게 되면 가장 먼저 사진을 찍으며 이는 인터넷 등을 통해 공고가 된다"며 "이러한 공고문은 10일 동안 올라가며 만약 이때까지 주인이 나타나지 않는 경우, 일반인들의 입양 신청이 가능하다"고 말했다. 그렇다고 동물 보호소에 있는 모든 유기 동물들이 입양되는 것은 아니다. "1년 이상 보호소에 남는 경우도 있지만 몸 상태가 너무 나쁘거나 안락사시키기로 시에서 결정하면 별 수 없이 안락사를 시켜야 한다"고 씁쓸하게 말을 건넨다.

유기 동물을 돌보기 시작한 동기에 대해서는 "제가 지금 키우고 있는 개 때문"이라며 "녀석은 한때 유기견이 될 뻔한 동물이었다"고 고백했다. "원래 제가 동물에 대한 정이 유난히 강하다"고 말한 이 씨는 "사정으로 인해 친척 분이 더 이상 애완견을 키우지 못하게 되자 버려질 위기에 놓여 있었던 녀석인데 차라리 내가 키우겠다"고 해서 첫 인연을 맺었다고 한다.

가장 기억에 남는 분이 있다며 "한 아주머니가 보호소에서 통곡을 하고 있었다"고 회상한 그녀는 "처음에는 '뭐 하는 사람이지?'라는 생각을 했는데 알고 보니 잃어버린 강아지를 보호소에서 찾은 것"이라고 말했다. "이리저리 수소문을 했지만 찾지 못해 망연자실해 있는데 보호소가 있다는 걸 알고 마지막으로 찾아온 것"이라며 "마침 보호소에 아주머니의 애완견이 있었다"고 기뻐했다. 이어 "그때는 정말 코끝이 찡했다"고 덧붙였다.

주변 사람들은 그녀에게 '너 왜 그러냐?'는 반응들이다. 애완동물을 키우고 싶다고 하면 바로 이 씨가 "유기 동물 입양할래?"라며 권유하기 때문이다. 그러다 보니 "저더러 '넌 너무 광적이야'라며 피해요"라고 웃었다. 그렇지만 "말은 그렇게 해도 전부 유기 동물들을 사랑한다"며 "어머니도 유기 동물을 입양해 키우고 있는 중이다"라고 고마워했다.

"앞으로 힘이 되는 한 멈추지 않을 것"이라고 말한 그녀는 세 가지만 당부하고 싶다고 했다. 유기 동물이 늘어나는 것은 "첫째로 이름표를 달아주지 않기 때문이라며 이름표를 달아줘야 나중에 잃어버려도 쉽게 찾을 수 있다"고 일러주며 "두 번째로 주인의 부주의로 인해 동물들이 미아가 되는 경우가 많다"고 했다. 이어 "셋째로 싫증을 느끼기 때문"이라며 "어렸을 때는 예뻐서 좋아해주다가 나중에 커버리면 귀여운 면이 없어지기 때문에 싫증을 낸다"며 안타까워했다. 그러면서 "애완동물도 또 하나의 가족이니, 외모만 좋아하지 말고 동물 그 자체를 사랑해주면 좋겠다"고 강조하며 인터뷰를 마쳤다.

다음은 필자가 기사와 관련해 해당 학생에게 보낸 조언이다.

→ 첫 기사 과제 작품치고는 놀라울 정도로 잘 쓴 기사입니다. 나름대로 취재도 잘됐고, 무엇보다 전반적인 글의 흐름이 매우 좋습니다. 잘 알다시피 미담 기사 작성 실습수업에서 강조한 여러 사항 중 하나가 바로 부드러운 글의 흐름이었기에 이 작품은 그러한 실습 내용을 충실히 반영한 작품이라고 생각됩니다.

그럼에도 본 글이 좀 더 업그레이드가 되기 위해서는 몇몇 수정 사항들이 고려돼야 할 것입니다. 먼저 ① A1에 해당하는 단독 인용문 리드는 독자들에게 자칫 보호소의 모든 유기견이 암컷이라는 오해를 불러일으킬 소지가 있으며, ② 독자들이 가장 궁금해하고 이 글의 하이라이트가 되어야 할 토요일의 3시간 자원봉사에 대한 현장 스케치가 매우 간단하고 평이하다는 것입니다.

SBS의 〈순간포착 세상에 이런 일이〉나 〈TV 동물농장〉 같은 프로그램을 보면 주인공이 보호소로 출근하면 동물들이 그녀를 반기는 모습, 봉사가 본격적으로 시작되면서 그녀가 유기 동물들을 씻기고 우리를 청소하며 어떻게 먹이고 놀아주는지의 과정이 상세히 묘사됩니다. 더불어 그녀가 퇴근할 때 동물들의 안타까운 행동도 카메라에 담긴 후, 주인공이 집에 와서 목욕을 해도 동물들의 냄새가 잘 가시지 않는 고충 등이 소개되며 "그래도 이 일이 너무 좋다"라는 코멘트가 따라오겠지요. 이때 주변에서의 — 예를 들어 부모 또는 가까운 친구 — 간접 인터뷰가 들어가면

금상첨화일 것입니다. 그래야만 비로소 시청자들은 이 사람 '정말 대단하다'고 느낄 겁니다.

하지만 이 기사는 이러한 과정을 객관적이고 평이하게 서술해서 오히려 시청자들로 하여금 '좋은 일 하고 있는 것 맞나? 자기가 좋아서 하는 것 아닌가? 뭐 대단한 일이라고 이런 것을 기사로 썼지' 하는 인상을 심어줄 가능성이 매우 높습니다. 그렇다면 왜 이런 일이 발생했을까요?

첫 번째 원인은 취재 당사자가 현장에 가지 않았기 때문입니다. 아니, 설령 갔다 하더라도 적어도 글을 통해 보면 현장에 없었다는 느낌이 들기 때문입니다. 70여 마리에 달하는 유기 동물들의 이름을 대충 다 기억하는 것부터 주인공에 대한 개들의 애정 싸움 속에 약자와 병자까지 일일이 챙기는 그녀의 모습은 가히 성자(聖者)일 수도 있을 텐데 말입니다.

두 번째는 아직 인터뷰 경험이 많지 않다 보니 독자들이 가장 궁금해하는 것이 무엇인지 챙기지 못했기에 취재 대상자와의 인터뷰를 진행하면서 여러 사항들을 상세히 물어보지 못했다는 것입니다.

마지막으로 서론 부분에서 주인공을 소개할 때 "따뜻한 손길을 내밀고 보금자리를 제공한다"고 해서 유기 동물들을 직접 키우는 줄로 알았는데 알고 보니 겨우(?) 1주일에 3시간만 현장에 나가서 봉사하고 있는 분의 이야기였습니다. 리드 기사를 잘못 썼기에 독자들의 오해를 불러일으킬 수 있겠지만, 앞서 설명한 현장 스케치의 대단함을 강조하지 않는 한, 학생들의 기사를 잘 실어주는 ≪오마이뉴스≫ 등에서 과연 이 정도 기삿거리를 실어줄지는 의문입니다. 현재 새로운 인터뷰 대상자를 찾는 것이 시간적인 측면에서 불가능하다면 '참 좋은 일을 하는구나' 하는 공감대를 얻기 위해 더도 말고 덜도 말고 유기 동물 보호 현장에서 그녀가 실제로 하는 일을 잘 찾아내 전달해야 할 것입니다.

그럼, 도움이 됐기를 바라며 이만 줄입니다.

Ⅲ. 세 번째 인터뷰 기사이다. 좀 더 나은 글을 만들기 위해서는 무엇을 고려해야 하는지 생각해보자.

"앞으로 상은 10억 정도 준다 하면 받으려고요."

강원도 춘천시 효자동에는 어려운 이웃에게 한 끼의 따뜻한 행복을 배달하는 '수호천사'가 있다. 바로 김안○(金安○·65) 부녀 회장이 그 주인공이다. 봄비가 내린 후 화창해진 지난 4월 24일 오전, 효자1동에서 뜨끈뜨끈한 행복을 나눠주느라 바쁜 김 씨와 동네에 위치한 팔각정에서 만나 사랑의 도시락 배달 봉사 이야기를 들어봤다.

"상은 더 이상 받기 싫어요. 상금으로 10억 준다 하면 생각해보려고요"라고 말하며 웃는 김안○ 씨의 웃음 속에는 진지함이 묻어났다. 자원봉사를 인정받은 공로로 '월드비전 관장상'에서부터 '춘천 시장상'과 '강원 도지사상'까지 각종 상을 수상한 바 있는 그녀는 "그런 건 제가 받으면 안 된다고 생각해요"라며 "상은 다른 봉사자 분들이 받아야 더 빛나는 것 같다"고 수줍은 듯이 인터뷰를 시작했다.

오전 11시쯤 되면 효자1동의 골목은 월요일에 중학생·고등학생 자원봉사자들, 화요일엔 예비군 중대본부 소속 군인 장병들, 수요일은 부녀회, 목요일은 문화예술원 직원들이 도시락을 든 모습으로 채워진다. '월드비전'에서 운영하는 '사랑의 도시락 배달' 총책임을 맡고 있는 김 씨는 "일주일에 하루씩 당번을 돌아가면서 배달하는 것"이라며 "이렇게 봉사한 지 20년이 넘었어요"라고 말한다. 1993년도부터 햇수로 20년이 돼가는 그녀는 "맨 처음 도시락 배달을 시작한 집이 다섯 가구에서 지금은 서른두 가구로 늘었다"라며 "효자1동이 방세가 싸다 보니 영세민을 대상으로 하는 도시락 배달 가구 수가 불경기 속에 갈수록 늘어난 것 같다"고 덧붙였다.

이어 그녀는 "궂은 날씨에도 늦지 않고 가야 하는 것이 도시락 배달"이라며 "조금만 늦어도 주민 센터나 월드비전에 전화를 통해 '도시락이 안 온다'고 노발대발

하는 노인들이 있어 제때에 가야 한다"고 어려움을 토로했다. 그러면서 동시에 "그대로 초콜릿을 준비해놓으셨다가 주시는 분들도 계시고 때로는 내복 선물을 받기도 한다"며 "저희가 도움을 드려야 하는데 받는 게 오히려 더 많은 것 같다"고 웃어 보였다.

일화를 좀 더 자세히 설명해달라고 하자, 그녀는 "도시락을 배달받는 어느 할머니가 하루는 방으로 들어오라고 하시더니 여기저기서 받으신 내복들을 선물이라고 저한테 주시더라고요"라며 "'할머니께서 입으시라'고 말씀드려도 당신 마음이라며 계속 주셔서 입고 다닌 적이 있어요"라고 이야기했다. 이어 "'다른 봉사자들도 데리고 오라'며 점심을 사주신 할머니도 계세요"라며 "도시락을 배달하면서 오히려 그분들에게 받는 게 더 많은 것 같아 다리가 아프지 않는 한 몇 년이고 계속하려고 노력하고 있어요"라고 덧붙였다.

문득 계기가 궁금해진 기자의 질문에 김 씨는 "월드비전 측에서 동사무소 복지 담당 직원에게 '부녀회장들이 독거노인들에게 도시락을 배달해주는 건 어떻겠느냐'고 먼저 제안을 했답니다. 그래서 그때 동사무소 측으로부터 부탁받고 이 일을 시작하게 됐어요. 그렇게 시작한 지 20년이 훌쩍 지났네요"라며 지난날을 떠올렸다.

이런 사연을 잘 알고 있는 그녀의 가족은 누구보다 그녀를 열렬히 지원해주는 후원자들이다. 김 씨의 남편은 매주 금요일마다 라면과 빵을 실어 날라주는 '배달기사' 역할을 마다 않고 있다. "20년 동안 가족이 이해해주고 지지해주었기 때문에 지금까지 봉사를 계속 할 수 있었다고 생각해요"라는 김 씨의 말이다.

마지막으로 하고 싶은 말이 있느냐고 묻자 김 씨는 "진정으로 봉사해야 되겠다는 마음가짐으로 도우러 오셨으면 좋겠다"며 "여러 차례에 걸쳐 배달 장소를 알려드려도 힘들다고 며칠하고 그만둬버리는 분들이 많아 힘들어요. 강요하는 게 아니니 붙잡을 수도 없죠"라며 말했다. "기왕 시작하실 거면 '1년이고 2년이고 해봐야 되겠다'는 마음으로 나와주시면 정말 감사하겠습니다"라며 그녀는 인터뷰를 마쳤다.

다음은 필자가 이메일로 보낸 기사 관련 코멘트이다.

→ 실습 시간에 배운 기사 작성 노하우를 잘 활용했네요.

하지만 본 기사가 더 우수한 작품으로 거듭나려면, 일단 리드부터 바꿔야 합니다. 무엇보다 리드 자체만 가지고서는 도대체 무슨 기사가 전개되고 있는지 감조차 잡히지 않으니까요. 물론 리드 기사를 흥미롭게 뽑아야 한다는 실습수업 시간의 지침을 나름대로 잘 활용한 것은 충분히 이해가 갑니다만, 중요한 사실은 리드 기사가 흥미로운 내용을 지닌 채 기사의 내용을 짐작할 만한 방향으로 흘러야 된다는 것이지요. 흥미와 내용의 필요충분조건을 모두 갖춰야 한다고나 할까요? 또 이후에 전개되는 'A2 안긴 인용'은 오히려 인터뷰 대상자가 "너무 잘난 척하는 거 아닙니까? 그만큼 상을 많이 받았으니 평범한 상은 지겹다는 것 아닌가요?"라고 생각하는 네티즌들의 악플을 받을 가능성이 매우 높습니다. 따라서 미담 봉사자를 도와주려다 오히려 상처받게 할 수 있기에 관련 문장은 리드 기사를 포함해 모두 바꾸어야 합니다. 잊지 마세요. 이 글의 핵심은 20년간 도시락 배달을 한 어느 자원봉사자의 미담 기사라는 사실을.

더불어 A1의 단독 인용 리드를 바꾼 후 그에 맞춰 A2의 안긴 인용도 바꾼 다음, 독자들이 가장 궁금해하는 주인공의 현재 또는 현장 스케치로 넘어가야 합니다. 수요일 아침에는 몇 시에 일어나서 어디로 도시락을 받으러 가는지, 또 도시락은 반찬, 밥 등 총 몇 개를 몇 시간에 걸쳐 어떻게 배달하는지와 같은 현재 스케치가 반드시 병행돼야 합니다. 이와 함께 독거노인들은 도시락 배달을 어떻게 반기는지, 또 무슨 반찬을 특히 좋아하며 당사자와의 대화를 좋아하지는 않는지, 그럴 때면 다른 분들께도 도시락을 배달해 드려야 하기에 가슴이 답답하고 안타깝지만 "매번 죄송하다"는 말을 남기며 자리를 일어나지는 않는지 등 수많은 이야기들이 인터뷰 대상자의 입에서 나오기를 독자들은 기대합니다. 이 모든 사연들이 차근차근 본론에서 쫙 펼쳐져야만 비로소 '하, 정말 쉽지 않은 일을 무려 20년이나 하다니, 대단하네'라는 독자들의 감동을 이끌어낼 수 있을 겁니다. 그런 다음 간접 인터뷰 또는 동기와 가족 소개, 희망 사항으로 넘어가야 탄탄한 기사로 탄생하고요.

그럼 도움이 됐기를 바라며 좀 더 업그레이드된 기사 기대하겠습니다.

Ⅳ. 마지막 인터뷰 기사이다. 첨삭과 수정을 가한 후 편집부에 원고를 넘겨야 하는 사회부 부장의 입장에서 앞에서 배운 바를 토대로 무엇이 문제인지 훑어보자.

"아무에게도 마음을 열지 않던 한 아이가 내게 다가와 손을 잡았을 때 가슴이 벅차올랐죠."

춘천시 후평동에 자리한 달팽이 지역 아동 센터에는 10년째 구연동화로 사랑을 전하고 있는 이가 있다. 구연동화, 풍선 아트, 페이스페인팅 등 다양한 놀이 및 교육 봉사를 하고 있다는 조기○(趙基○·54) 씨가 바로 그 주인공. 따사한 햇볕이 내리쬐는 7일 오후, 춘천 명동의 한 음식점에서 그를 만나 봉사와 함께한 그의 삶에 대해 들어봤다.

"그런 아이를 만날 때마다 봉사에 보람을 느껴요"라며 인터뷰를 시작한 그는 "월, 화, 금요일마다 달팽이 지역 아동 센터, 드림 아동 센터, 춘천 중앙 지역 아동 센터, 요양원 및 장애인 복지시설 3곳에서 자원봉사를 하고 있다"고 말했다. "이 중 지역 아동 센터 3곳은 각각 10년, 4년, 3년간 매주 봉사한 곳"이라는 그는 "특히 달팽이 지역 아동 센터는 10년간 5번 안팎을 제외하고는 빠짐없이 봉사에 참여했다"고 말했다. 또 그는 "요양원 및 장애인 복지시설은 마음이 맞는 봉사자들 10여 명과 함께 매번 다른 시설을 찾아 봉사하고 있다"고 덧붙였다.

"구연동화, 풍선 아트, 한글 지도, 레크리에이션 등 놀이 및 교육 봉사를 하고 있다"는 그는 "편부모 가정의 아이와 치매 노인, 지체 장애인들에게 즐거움을 주는 일이다"고 설명했다. 그는 "자원봉사를 시작한 지는 올해로 10년째"라며 "구연동화 자격증 하나만 갖고 시작해 지금은 풍선 아트, 한글 지도사, 레크리에이션 등의 각종 자격증 열 가지를 갖추고 있다"고 밝혔다.

봉사를 시작하게 된 계기에 대해 그는 "지역 여성회관에서 구연동화 교육과정을 수강할 때 봉사 활동을 간 적이 있다"며 "당시 봉사했던 달팽이 지역 아동 센터에서 지금까지 자원봉사를 하고 있다"고 설명했다. 또 그는 "아이들이 밝게 웃으며 즐거워하는 모습을 보면서 '내가 꼭 필요한 사람이구나!'라는 생각이 들었다"며 "매주 나를 손꼽아 기다렸다는 치매 노인들과 아이들의 말을 들을 때마다 가슴이 벅차올라 발길을 끊을 수 없었다"고 덧붙였다. 힘든 점은 없느냐는 기자의 질문에 그는 "내가 좋아서 하는 일이기에 전혀 힘들지 않다"고 대답했다.

"32년 전 남편이 군대에서 훈련을 받다 순직한 후 홀로 외동아들을 키웠다"는 그는 "아들이 나를 자랑스러워하는 것은 물론 가끔 봉사에 필요한 학습 도구를 만들어주기도 한다"고 말했다.

그는 작년 춘천시에서 수여하는 봉사상을 받기도 했다. "가끔 찾는 요양원 관계자 분들이 추천해주셔서 얼떨결에 상을 받게 됐다"는 그는 "올해 초에는 주위 분들의 추천 덕에 KBS <아름다운 사람들>이라는 프로그램에 소개되기도 했다"고 밝혔다.

"올해부터 한림성심대 사회복지과에 야간으로 다니고 있다"는 그는 "오랜 기간 봉사를 하던 중 상처받은 이들을 치유하는 데는 전문적인 지식이 필요하다고 생각했다"고 설명했다. 또 그는 "치매 노인들은 물론이고 아동 센터의 어린아이들도 내면에는 큰 상처를 간직하고 있다"며 "졸업 후에는 한림대 대학원에서 사회복지 상담 분야를 더 공부해 도움이 필요한 이들에게 더 많은 보탬을 주고 싶다"고 말했다.

"봉사 자체를 사랑하기에 지금까지 즐거운 마음으로 불우한 이웃들에게 도움을 줄 수 있었다"는 그는 "내 몸이 허락하는 날까지 봉사 활동을 계속할 것"이라고 말하며 인터뷰를 마쳤다.

다음은 필자의 답장이다.

→ 고생이 많습니다. 먼저 좋은 소재를 가지고 미담 인터뷰 기사를 작성한 데에 심심한 수고의 말을 전하는 바입니다. 하지만 이 글이 좀 더 탄탄한 인터뷰 기사로 거듭나기 위해서는 몇 가지 고려해야 할 사항이 있습니다. 우선 실습수업 시간에 가장 강조했던 글머리의 A1 단독 인용이 무슨 내용을 이끌고 있는지 짐작하기가 어렵다는 것입니다. 사실 첫 문장만 놓고 본다면 이 기사가 미담에 관한 인터뷰라는 사실조차 유추하기가 어렵습니다. 따라서 미담에 관한 기사이며 미담의 종류는 어떤 것인지 첫머리에서 단서를 던져주는 고민이 필요합니다.

두 번째로는 봉사하는 분이 하는 많은 선행들을 나열하듯 열거하고 있다는 사실입니다. 어느 영화에서 언급돼 유명세를 탔던 대사 중에 "난 한 놈만 패"라는 말이 있습니다만, 선행을 다루는 미담 인터뷰 기사에서도 가급적 중심적인 선행 하나를 부각시키는 노력이 필요합니다. 관객들에게 공을 여러 개 던져 오히려 하나도 잡지 못하게 만들어버리기보다 하나를 제대로 던져서 그것을 확실히 잡을 수 있도록 해야 한다는 것입니다. 따라서 이분의 선행 가운데 감동적인 사연이 가장 많은 봉사 이야기를 핵(核)으로 삼는 것이 좋을 듯합니다. 그 외의 선행들은 글의 말미에 "한편, 조기○ 씨는 무슨 봉사 이외에 무슨 무슨 봉사도 짬짬이 하고 있다" 정도로 간단히 다뤄주면 됩니다. 정 내용이 좋을 경우에는 한두 줄을 더 첨가해 독자들에게 정보를 제공하면 되고요.

끝으로 주인공의 봉사에 대한 현장 스케치가 거의 전무합니다. 잘 알다시피 미담 인터뷰 기사의 하이라이트는 봉사 현장 스케치입니다. 따라서 주인공을 따라가서 현장 사진도 찍고 어떻게 봉사를 하고 있는지, 또 현장의 반응은 어떤지를 좀 더 정밀하게 묘사해야 할 듯합니다. 그럼 다음엔 좀 더 발전된 글을 기대하겠습니다.

다음은 마지막 인터뷰 기사가 본인의 수정과 첨삭을 통해 ≪오마이뉴스≫에 게재된 글이다. 여러분이 생각했던 수정 사항이 얼마나 반영됐는지 확인해보자(기사는 책의 판형에 맞게 다시 편집되었다).

"10년간 매주 봉사… 봉사 자체를 사랑합니다"
[인터뷰] 사랑의 동화 구연을 전하고 있는 조기ㅇ 씨

2013.06.04 11:04 I 최종 업데이트 2013.06.04 11:04 I 윤아름(yars2)

"자, 여러분~ 선생님과 함께 동화 속으로 떠나볼까요?"

강원도 춘천시에는 10년째 사랑의 동화 구연을 계속하고 있는 이가 있다. 다양한 놀이 및 교육 봉사를 하고 있다는 조기ㅇ(54·여) 씨가 바로 그 주인공이다. 따사한 햇볕이 내리쬐는 5월의 어느 날, 춘천 명동의 한 카페에서 그를 만나 봉사와 함께한 그의 삶에 대해 들어봤다.

"애벌레는 빨~간 사과를 사각사각, 서걱서걱 맛있~게 베어 먹었어요." 그녀는 미리 준비한 사과 모양 모자를 쓰고, 애벌레 인형을 손에 낀 채 동화책을 읽었다. 아이들은 연신 두 눈을 반짝이며 그녀의 목소리에 집중했다. 몇몇 이이는 그녀의 동화 구연에 호응을 하거나 동화 속 주인공을 직접 흉내 내기도 하며 수업에 적극적으로 참여했다.

춘천시 후평동에 자리한 달팽이 지역 아동 센터. 조 씨가 이곳을 찾는 매주 월요일에는 초등학교 저학년부터 고학년까지 6명 남짓의 아이들이 모인다. 그녀에게 한글을 배우거나 동화 구연을 보기 위해서다. 조 씨가 센터 입구에 들어서자 각 방에 있던 아이들이 "동화 선생님 왔다!"고 외치며 달려 나왔다. 그녀가 동화책을 펼쳐 들자, 센터에 있는 모든 아이들이 그 주위로 모여들었다. 이날 조 씨는 한글 지도와 동화 구연은 물론, 게임을 통해 아이들에게 선물을 나눠주기도 했다. 그녀가 센터에 머문 1시간가량, 교실에는 아이들의 웃음소리가 끊이지 않았다.

현재 "달팽이 지역 아동 센터, 드림 아동 센터, 춘천 중앙 지역 아동 센터, 요양원 및 장애인 복지시설 3곳에서 매주 자원봉사를 하고 있다"는 그는 "이 중 지역 아동 센터 3곳은 각각 10년, 4년, 3년간 매주 봉사한 곳"이라고 말한다. 또 "요양원 및 장애인 복지시설은 마음이 맞는 봉사자들 10여 명과 함께 매번 다른 시설을 찾아 봉사하고 있다"고 덧붙였다.

"동화 구연, 풍선 아트, 페이스페인팅, 한글 지도, 레크리에이션 등 놀이 및 교육 봉사를 하고 있다"는 그는 "편부모 가정의 아이와 치매 노인, 지체 장애인들에게 즐거움을 주는 일이다"고 설명했다. 그는 또 "동화 구연 자격증 하나만 갖고 시작해 지금은 풍선 아트, 한글 지도사, 레크리에이션 등의 각종 자격증 열 가지를 갖추고 있다"고 밝혔다.

봉사를 시작하게 된 계기에 대해 그는 "친목 도모를 위해 지역 여성회관에서 동화 구연 교육과정을 수강했었다"며 "수업 도중 봉사 차 찾은 달팽이 지역 아동 센터에서 동화 구연 하나에 행복해하는 아이들의 미소를 본 후 계속 발걸음을 하게 됐다"고 말했다. 그는 또 "매주 나를 손꼽아 기다렸다는 아이들의 말을 들을 때마다 가슴이 벅차올라 발길을 끊을 수 없었다"고 덧붙였다. 이후에는 더 많은 이들에게 행복을 선물하고 싶어 여러 곳에서 봉사 활동을 하게 됐다는 것이 그녀의 설명이다.

그는 작년 춘천시에서 수여하는 봉사상을 받기도 했다. "가끔 찾는 요양원 관계자분들이 추천해주셔서 얼떨결에 상을 받게 됐다"는 그는 "올 초에는 주위 분들의 추천 덕에 KBS <아름다운 사람들>이라는 프로그램에 소개되기도 했다"고 밝혔다.

"올해부터 한림성심대 사회복지과에 야간으로 다니고 있다"는 그는 "오랜 기간 봉사를 하던 중 상처받은 이들을 치유하는 데는 전문적인 지식이 필요하다고 생각했다"고 설명했다. 또 그는 "치매 노인들은 물론이고 아동 센터의 어린아이들도 내면에는 큰 상처를 간직하고 있다"며 "졸업 후에는 한림대 대학원에서 사회복지상담 분야를 더 공부해 도움이 필요한 이들에게 더 많은 보탬을 주고 싶다"고 말했다.

"봉사 자체를 사랑하기에 지금까지 즐거운 마음으로 불우한 이웃들에게 도움을 줄 수 있었다"는 그는 "내 몸이 허락하는 날까지 봉사 활동을 계속할 것"이라고 말하며 인터뷰를 마쳤다.

V. 다음은 미담 인터뷰의 문답 노트이다. 여러분이 취재를 통해 얻어낸 자료라고 가정하고 다음의 문답 노트를 토대로 미담 기사를 써보자.

인터뷰 날짜: 2014년 ○월 ○○일

장소: 춘천 한림대 안 커피숍 '그라치에'

본인의 이름은?

김현○(金賢○)이다.

나이는?

80세다.

듣자 하니 애막골에 있는 공원을 손수 만들었다고 하는데?

사실이다.

계기가 있나?

5년 전 무릎이 아파 산에서 운동을 시작했다. 꾸준히 운동한 덕에 무릎은 물론, 오랫동안 앓아온 위장병까지 나아졌다. 그즈음 같이 운동하던 한 노인이 여러 사람을 위해 체육공원을 만들자는 제안을 했다

체육공원을 만드는 데 얼마나 걸렸나?

만 4년 걸렸다.

현재 심정은?

즐겁다. 보람도 있다. 이것저것 구상하다 보면 밤에 잠도 안 온다.

시에서 보조해주었나?

철봉만 설치해주었다. 나머지는 모두 내가 직접 제작 또는 구입했다.

비용이 만만치 않았을 텐데?

노인네가 돈 쓸 데가 어디 있겠어? 정부에서 주는 노인 교통 수당과 자식들에게 받는 용돈으로 충당했다. 비록 큰돈은 아니지만 아령 같은 운동기구는 살 수 있다. 또 공사장에 버려진 자재들을 주워 공원 시설물을 직접 만들었다.

예를 들면?

벤치는 장판을 깔았다. 훌라후프는 로프에 고압전선을 넣어 만들었다. 그네도 나무에 매달아 직접 만들었다. 그 밖에 사람들이 앉아서 쉴 수 있는 층층 계단 같은 것도 내 작품이다.

애로 사항은?

운동기구를 집어가는 사람들이 있다. 그래서 고민 끝에 새로 산 아령을 일부러 소금물에 넣어 녹슨 채로 내놓기도 한다.

하루 일과는?

아침 10시쯤 공원에 나와 간단한 청소와 시설물의 보충 작업을 한다.

가족은?

아들 하나(42), 딸 하나(29)다.

뭐라고 하나?

처음에는 왜 사서 고생하느냐고 했지만, 지금은 누구보다 든든한 후원자가 돼주고 있다. 아들은 내가 힘에 부쳐 옮기기 힘든 무거운 운동기구를 옮겨주기도 한다.

앞으로의 희망은?

부족한 게 아직 많다. 특히 앉아서 하는 운동 시설의 수는 더욱 늘려야 한다.

일은 주로 어디서 하나?

공원 구석에 내가 지어놓은 움막이 있다. 연장과 청소 도구가 있고 조그마한 의자도 있어서 식사도 거기에서 해결한다.

끝으로 할 말은?

13년 전 죽은 내 부인 영정 앞에서 할 일이 많다고 계속 되뇌고 있다. 그만큼 애막골 공원은 나의 삶의 터전이다. 그렇지만 요즘은 나이 탓인지 공원에서 오랜 시간을 보내지 못해 안타까울 뿐이다.

정답 ☞

반드시 정답이라기보다 앞선 취재 노트를 어떻게 기사로 만들 수 있는지의 예로 읽어주기 바란다.

> "즐겁지, 보람도 있고. 그리고 이것저것 구상하다 보면 밤에 잠도 안 와."
>
> 강원도 춘천시 애막골 작은 산에는 특별한 체육공원이 있다. 김현○(金賢○·80) 할아버지가 4년여에 걸쳐 손수 만든 공원이다.
>
> 할아버지는 5년 전 무릎이 아파 산에서 운동을 했다. 꾸준한 운동 덕에 무릎뿐 아니라 오랫동안 앓아온 위장병까지 호전을 보인 것. 그 무렵 같이 운동하던 한 노

인이 사람들을 위한 체육공원을 만들어보자고 제안을 했다. 하지만 그 노인은 세상을 이미 떠났고 할아버지 혼자 그 계획을 실천하게 된 것이다.

"이걸 어떻게 다 만들었나 싶어." 시에서 보조 받은 철봉을 제외하면 모두 김 노인의 작품이다. 그는 공사장에서 버린 자재들을 주워 공원 시설물을 직접 만들었다. 장판이 깔린 벤치, 고압전선으로 만든 훌라후프, 나무에 매단 그네, 사람들이 앉아 쉴 수 있는 층층 계단, 자신이 만들 수 없는 것은 정부에서 나오는 노인 교통수당과 자식들에게 받는 용돈으로 시설 마련에 보탰다.

"노인네가 돈 쓸 데가 어디 있겠어? 큰 돈은 아니지만 아령 같은 운동기구를 살 수 있는 게 어디야." 하지만 이런 할아버지의 노고에도 아랑곳하지 않고 운동기구를 집어가는 사람들이 있다. 그래서 고민 끝에 새로 산 아령을 일부러 소금물에 넣어 녹슨 채로 내놓기도 했다.

할아버지는 하루도 빠짐없이 오전 10시쯤이면 공원에 나온다. 공원을 둘러보며 청소와 시설물의 보충 작업을 하다 점심때가 되면 공원 구석에 지어놓은 움막에서 식사를 한다. 움막에는 연장과 청소 도구로 가득 차 있고 그만의 의자도 놓여 있다. 이곳에서 앉아 그는 체육공원에 필요한 시설에 대한 구상을 하기도 한다. 김 노인은 "부족한 게 아직 많아. 앉아서 하는 운동 시설의 수도 늘려야 해"라며 더 많은 시설을 확충하기 위해 노력할 것이라고 했다.

할아버지도 요즘 13년 전 죽은 할머니 영정 앞에서 "할멈, 나 일찍 부르면 큰일나. 아직 할 일이 많다고"라고 이야기할 정도로 공원에 강한 애정을 가지고 있다. 하지만 요즘은 나이 탓인지 공원에 머무르는 시간이 짧아졌다며 안타까워했다.

평생 농사꾼으로 살아온 그는 "느지막이라도 남을 위해 봉사할 수 있어 보람 있다"며 "지금이 인생에서 가장 행복한 시기"라고 말했다.

2002년 11월 4일 ≪한림학보≫ 4면, 최민정(언론정보학부 언론 전공 3학년)

다음은 한림대 신문에 기사를 게재하며 곁들인 필자의 설명이다.

본인이 강의를 담당하고 있는 인터뷰 방법 과목에서는 한 학기 동안 모두 다섯 차례에 걸쳐 미담, 시사, 인물, 사건 등에 관한 기사 과제가 나간다. 이번에 소개되는 기사는 첫 번째 과제에 해당하는 미담 인터뷰이다. 결론부터 말하자면 이 기사는 자연스러운 전개와 간결한 문장, 적절한 소재 선택 등이 돋보여 제출 과제 중 가장 좋은 평가를 받은 작품이다.

사실 인터뷰 기사란 자칫 딱딱하게 흐르기 쉬운 뉴스 보도에 활력을 불어넣어줄 수 있는 감초 같은 기능을 한다. 사건 기사(스트레이트)와 칼럼, 기획 및 박스 기사 등으로 빽빽하게 얽혀 있는 신문에서 인터뷰 기사는 독자들에게 가벼운 마음으로 재미있게 글을 음미할 수 있는 공간을 마련한다. 따라서 인터뷰 기사는 무엇보다도 쉽고 재미있게 작성되어야 한다. 이를 위해서는 첫머리부터 독자들의 관심을 끌 수 있는 이야기가 전개돼야 함은 당연하다. 이런 점에서 본다면, 애막골 체육공원의 할아버지 기사는 간결하면서도 흥미를 유발하는 첫머리로 이야기를 시작한다. 이 기사가 갖는 또 하나의 강점은 물 흐르듯 자연스러운 전개이다. 사실 읽고 느끼기는 쉬워도 쓰기는 어려운 것이 기사이다. 이 기사를 작성한 학생은 독자들이 어색함을 전혀 느끼지 못할 정도의 자연스러움을 엮기 위해 꼬박 4일을 기사 작성에 매달렸다고 한다. 또 하나 이 기사에서 들고 싶은 점이 있다면, 적절한 인용과 깔끔한 결말이 글을 더욱 산뜻하게 한다는 점이다.

중간중간 글의 활력을 불어넣는 데 당사자의 인용만큼 좋은 것도 없다. 이 점에서 본다면 기사를 작성한 학생은 너무 넘치지도, 그렇다고 부족하지도 않은 김현○ 할아버지의 목소리를 그야말로 적절하게 배치했다. 깔끔한 결말 또한 훈훈한 분위기가 여운을 남기며 시나브로 사라져가는 기능을 잘 마무리했다.

06

시사 인터뷰 글쓰기

1. 인터뷰 기사의 꽃, 시사 인터뷰

5장에서는 미담 인터뷰의 작성과 관련해 리드 구성에서부터 결말에 이르기까지 여러 단계에 걸쳐 기사 작성 연습을 했다. 그렇다면 이번 장에서는 시사 인터뷰 기사 작성에 대한 노하우를 배워보자.

시사 인터뷰는 일간 신문에서 일주일에 한두 번은 만나게 되는 기사이다. 시기적으로 적절한 인물을 만나 그로부터 현 상황과 관련된 다양한 이야기를 정보 전달 차원에서 독자들에게 들려주기에 인터뷰 기사 가운데 뉴스 가치가 가장 높은, 언론 본연의 임무에 충실한 글이기도 하다. 그렇다면 시사 인터뷰란 무엇을 의미하는가?

앞서 내용에 따른 인터뷰의 종류를 거론하며 시사 인터뷰의 정의를 간단하게 언급한 바 있는데, 시사 인터뷰는 시기적절한 뉴스를 독자들에게 발 빠르게 전달하는 것이 핵심이다. 계절의 변화나 국경일, 연례행사 등과 연관된 인물을 통해 따끈따끈한 소식을 들려주는 '연성 뉴스'에 해당하는 인터뷰이다. 참고로 '연성 뉴스'란 영어로 'soft news'를 의미하며 육하원칙에 따라 역삼각형 형태로 작성되는 경성 뉴스(hard news)와 달리, 독자들의 흥미를 유발하는 오락적 요소가 강한 뉴스이다. 계절별로는 봄, 여름, 가을, 겨울에 각각 환절기 감기와 관련된 이비인후과 의사 인터뷰에서부터 계절 옷 동향 분석을 위한 패션계 조언은 물론, 여행 전문가의 오토캠핑장 소개 등에 이르기까지 다양한 기사들을 꼽아볼 수 있다. 마찬가지로 각종 국경일이나 기념일의 기원을 설명해줄 수 있는 전문가나 거국적인 행사를 추진 중인 인물을 섭외할 수도 있다.

이와 함께 국민적 관심사로 떠오른 정치, 경제, 사회, 문화, 스포츠 등의 굵직한 이벤트와 관련해 연성 뉴스를 전달해줄 수 있는 취재원을 찾아내 그들의 입을 통해 해당 뉴스와 관련된 독자들의 호기심을 충족시킬 수도 있다. 예를 들어, 2010년 서울에서 개최된 G20 정상 회의에서 안전 총책임을 맡았던 담당자를 정상 회의 폐막 이후에 인터뷰하거나 요리 책임자를 만나 여러 가지 재미있는 후일담을 듣는 것이 그 전형이다. 또 앞에서 언급했던 것처럼 올림픽이나 월드컵 축구 등과 관련해 잘 알려지지 않은 인물을 찾아 영광스러운 결과의 뒷모습을 소개하는 것도 좋은 예이다. 그런 의미에서 국가 대표팀 의사, 올림픽 선수촌 마사지 전문가, 선수 전담 동시 통역관 등은 독자들에게 또 다른 재미를 선사하는 시사 인터뷰의 적절한 대상이다.

그러면 시사 인터뷰 대상자를 선정할 때 어떤 요령에 따라 인물을 섭외하는지 알아보자.

2. 대상자 선정

미담 인터뷰 기사와 마찬가지로 좋은 시사 인터뷰 기사를 작성하기 위해서는 좋은 인터뷰 재료가 필요하다. 그렇다면 누구를 시사 인터뷰 대상자로 선정해야 할까? 필자를 예로 들면 먼저 시사적인 뉴스를 시간 단위가 큰 순서로 나눠서 인터뷰 주제를 찾는 편이다. 1년을 시간 단위로 가정할 때 1년을 가장 크게 나눌 수 있는 봄, 여름, 가을, 겨울의 사계절에 따른 인터뷰 대상자를 물색하는 것이다. 이는 월별 또는 국경일별로 시사 인터뷰 대상자를 찾는 것보다 인터뷰 기삿거리도 훨씬 다양한 데다 무엇보다도 마감 시간에 쫓기지 않는다는 장점이 있다. 3·1절을 맞이해 유관순 기념사업본부(가칭)의 본부장을 인터뷰할 경우, 해당 기사는 반드시 3월 1일 자 언론에 게재되어야만 한다. 따라서 인터뷰 대상자와 사전 접촉부터 취재 및 기사 작성에 이르기까지 일련의 모든 과정을 3월 1일에 맞춰 진행해야 하기에 기사 완성 일정은 빡빡할 수밖에 없다.

반면 입맛을 잃기 쉬운 봄철을 맞아 산나물 요리나 춘곤증을 퇴치할 수 있는 체조를 소개하기 위해 적당한 인물을 물색할 때에는 3~4월에 걸쳐 상당한 여유가 있다(5월에 이러한 취재 기사를 내보내기에는 상당히 늦다). 따라서 취재 기간이 월별 이벤트 또는 국경일 행사 등에 비해 넉넉한 까닭에 좀 더 차분하게 적합한 인물을 찾아볼 수 있으며 인터뷰도 충실하게 진행할 수 있다. 무엇보다도 시간적 여유가 넉넉하기에 한 군데에 송고한 자신의 시사 인터뷰 기사가 퇴짜를 맞더라도 다른 곳에 다시 재송고할 수 있는 기회가 상당 기간 남아 있다.

계절과 관련해 언론에 자주 등장하는 시사 인터뷰 주제들을 거칠게나마 꼽아보면, 봄에는 입맛 요리, 춘곤증과 야외 나들이, 여름엔 물놀이와 피서, 가을엔 단풍놀이, 독서, 운동(마라톤), 겨울엔 스키나 스케이트, 불우 이웃 돕기 등이 있다. 이와 함께 시사 인터뷰 대상자의 범위를 계절에서 월별로 좀 더 좁혀보면 다음과 같다.

1월: 신정, 산불

2월: 구정, 졸업식, 밸런타인데이

3월: 개학식, 입학식, 화이트데이

4월: 식목일, 장애인의 날

5월: 어린이날, 어버이날, 스승의 날, 석가탄신일, 대학 축제

6월: 6·10 항쟁, 6·25 사변 등을 둘러싼 호국

7월, 8월: 방학, 초복, 중복, 말복, 국토 대장정, 해외여행, 어학연수, 광복절

9월: 추석, 독서

10월: 개천절, 한글날, 국군의 날 등 국경일

11월: 빼빼로 데이(11월 11일), 대학 수능 시험, 김장, 할로윈

12월: 크리스마스, 송년회, 구세군 냄비

대상자를 선정할 때 염두에 두어야 할 사항은 시사 인터뷰에 등장하는 인물이 해당 주제에 대한 정보를 전달하는 데 어느 정도 '대표성'이 있어야 한다는 점이다. 독자들에게 시사 정보를 전달하기 위해서는 시사 인터뷰에서 다루는 주제에 관해 일반인보다 훨씬 많은 지식을 지닌 동시에 전문가로의 능력을 인정받는 위치에 있어야 한다. 다음의 예를 보자.

심훈 교수님께

이번 시사 인터뷰에 대해 질문이 있어서 메일을 보내게 되었습니다. 처음엔 주제를 방학이나 연말 휴가를 이용해 해외여행을 가는 것으로 잡고 그에 대한 기사를 쓰려고 했습니다. 그래서 해외여행에 관한 동향을 파악하기 위해 여행사들에 인터뷰 요청을 했는데, 제가 연락한 7~8곳이 모두 인터뷰에 대해선 거절을 했습니다. 결국 좀 더 고민한 끝에 내린 결론이, 요즘 학생들이 많이 신청하는 '워킹 홀리데이'로 주제 범위를 좁히고 '워킹 홀리데이'를 다녀온 학생들에 대해 인터뷰한 뒤, 여행사들에서 그냥 정보만 구하여 기사를 작성하려 하는데 이렇게 시사 인터뷰를 작성해도 되는지 여쭤보려고 합니다.

많은 학생들이 시사 인터뷰 기사를 작성할 때 부딪히는 첫 번째 문제가 바로 인터뷰 대상자와의 접촉 성공 여부이다. 실제로 언론사에서도 인터뷰 취재를 요청할 때 상대방에게 거절을 당하는 사례가 비일비재하다. 앞에서 필자가 기자는 하루 종일 전화기에 매달려 있다고 했는데, 이는 취재와 함께 인터뷰 대상자 접촉을 위한 전화 통화도 당연히 포함된다. 만일 위의 학생이 주변에서 자신의 친구 가운데 한 명을 물색해 '워킹 홀리데이'에 관한 시사 인터뷰를 한다면, 이때 얻는 정보는 유용성 측면에서 매우 취약할 수밖에 없다. 그렇다면 시사적인 정보의 전달력에서 대표성이 있는 여행사가 인터뷰를 모두 거절하는 상황에서는 어떻게 해야 할까?

일단 '워킹 홀리데이'를 둘러싸고 방학을 맞아 관련 정보를 제공해줄 수 있는 인물을 찾아 나서려는 아이디어는 대단히 좋다. 실제로 돈도 벌고 어학도 챙기는 일석이조의 '워킹 홀리데이'는 대학생들에게 상당히 인기 있는 어학연수 프로그램이다. 이 때문에 제대로 된 정보원만 구한다면 대중매체에서 관심을 가질 만한 인터뷰 콘텐츠를 잘 만들 수 있다.

여기에서 필자가 건네는 조언은 생각을 조금만 바꾸면 정보 전달력에서도 대표성이 있고 좋은 인터뷰를 성사시킬 수 있는 사람들을 주변에서 쉽게 찾을 수 있다는 것이다. 앞에서 학생이 보낸 이메일을 다시 한 번 들여다보자. 메일에서 눈에 띄는 사실 가운데 하나는 이 학생이 여행사를 통해 '워킹 홀리데이'에 관한 정보를 얻으려고 한다는 것이다. 하지만 찬찬히 생각해보면 여행사로부터 인터뷰를 허락받아도 '워킹 홀리데이'에 대해 깊이 있는 정보를 얻는 것에는 한계가 있다. 인터뷰 대상이 '워킹 홀리데이'를 떠나는 대학생 또는 '워킹 홀리데이'를 마치고 돌아오는 젊은이가 아닌 까닭에서다. 비행기 표나 여행 패키지 상품을 주로 취급하는 여행사에서는 오히려 '워킹 홀리데이'를 잘 모를 수도 있다. 따라서 인터넷을 검색하다 보면 만나는 수많은 '워킹 홀리데이' 관련 카페나 블로그, 페이스북 등을 활용하는 것이 좋은 요령이라 하겠다. 물론 앞서 언급한 대로 인터뷰 대상자가 정보 전달력에서 대표성이 있으려면 당연히 인기 1, 2위를 다투는 관련 카페의 카페지기거나 운영자가 좋다. 또 블로그 역시 파워 블로거가 인터뷰 대상자로 등장해야 취재하기도 용이할 뿐 아니라 글을 풀어나가기도 수월하다. 그래야 시사 인터뷰 글 첫머리를 다음과 같이 쓸 수 있다.

어학도 챙기고 해외여행도 경험할 수 있는 일석이조의 '워킹 홀리데이'가 최근 대학생들 사이에서 스펙 쌓기를 위한 필수 아이템으로 떠오르고 있다. 여름방학을 맞이하는 대학생이라면 누구나 한 번쯤 '워킹 홀리데이'를 고려하고 있는 요즘, 네

티즌들의 사랑을 한 몸에 받고 있는 '워킹 홀리데이'의 파워 블로거 박ㅇㅇ(26) 씨를 만나 '워킹 홀리데이'에 관한 여러 궁금증을 들어봤다.

그렇지 않고 '워킹 홀리데이'를 다녀온 가까운 친구를 인터뷰할 경우, 기사는 다음처럼 작성하기 마련이다.

어학도 챙기고 해외여행도 경험할 수 있는 일석이조의 '워킹 홀리데이'가 최근 대학생들 사이에서 스펙 쌓기를 위한 필수 아이템으로 떠오르고 있다. 여름방학을 맞이하는 대학생이라면 누구나 한 번쯤 '워킹 홀리데이'를 고려하고 있는 요즘, 1년 전 여름 '워킹 홀리데이'를 맞아 호주에 다녀온 한림대 언론정보학부 4학년 김ㅇㅇ(24) 씨를 만나 '워킹 홀리데이'에 관한 여러 궁금증을 들어봤다

두 리드 가운데 첫 번째 리드는 당장 어느 언론사에서도 쓸 수 있겠지만, 두 번째 리드는 한림대의 대학 신문에서밖에 사용하지 못하는 한계가 있다. 또 두 명의 입을 통해 나오는 정보의 폭과 깊이 역시 상당한 차이가 있을 수밖에 없다. 하지만 무엇보다 두 번째 리드를 읽을 경우, 독자들은 "워킹 홀리데이를 다녀온 수만 명의 대학생 가운데 왜 하필이면 한림대 언론정보학부 4학년 김ㅇㅇ(24) 씨를 인터뷰했지?" 하고 궁금해할 수 있다는 것이다. 따라서 알려고 하는 주제를 정확히 그리고 많이 알고 있는 대상을 찾되, 정보 전달력에서 대표성을 가진 이를 물색하는 것이 시사 인터뷰의 성공을 결정하는 필요충분조건이다.

그럼 다음에서는 시사 인터뷰 기사의 작성법을 알아보자.

3. 시사 인터뷰 기사의 작성 순서

앞서 설명한 대로 인터뷰 기사의 구조는 크게 서론, 본론, 결론으로 나뉜다. 이에 따라 시사 인터뷰 기사도 미담 인터뷰 기사 작성과 마찬가지로 세 부분에 걸쳐 글을 진행하는 것이 요령이다. 먼저 서론이다.

1) 서론 I: 시사적인 정보, 과거의 심경 고백(A1 단독 인용)

① "사물놀이와 판소리는 세계적인 상품 가치가 있습니다."

② "음대에서의 생활은 창살 없는 감옥 같았습니다."

언론 기사를 비롯한 모든 글에서 첫 문장은 대단히 중요하다. 언론사에서는 기사의 첫 문장을 '리드'라고 표현하며 가장 중요한 사실을 맨 앞에 배치한다는 의미에서 역삼각형 기사 양식이라고 말한다. 시사 인터뷰 기사에서는 시기적절한 인물을 만나 그와 나눈 대화 가운데 가장 중요한 사실을 기사의 맨 앞머리에 배치해야 한다. 그렇다면 어떤 정보가 가장 중요할까? 아니, 어떤 정보가 '독자들에게' 가장 중요할까?

일반적으로 독자들에게 가장 중요한 정보는 독자들이 가장 필요로 하는 정보와 일맥상통한다. 하지만 독자들에게 가장 중요한 정보가 독자들이 필요로 하는 정보에 국한된 것만은 아니다. 인터넷 뉴스를 돌아다니다 누구나 한 번쯤은 낚시질을 당한 경험이 있는 것처럼, 독자들의 호기심을 자극하는 "충격" 또는 "이럴 수가" 뉴스 역시 독자들이 가장 필요로 하는 정보는 아니지만 독자들이 궁금해하는 사항을 알려준다는 점에서 매우 중요하다. 이 때문에 시사 인터뷰 기사의 첫머리는 ① 독자들이 가장 듣고 싶어 하는 정보, ② 독자들의 호기심을 자극할 수 있는 정보 등 두 가지가 커다란 주류를 형성한다.

'워킹 홀리데이'를 주제로 한 경우에는 당연히 ①번과 관련된 정보가 시사 인터뷰 기사의 첫머리를 장식하겠지만, 요즘 한층 뜨고 있는 드라마 주인공을 인터뷰할 때는 일반 독자들의 관심이 ②번에 몰릴 수도 있다. 따라서 경성 뉴스에 가까운 정보를 전달하는 시사 인터뷰는 ①번, 연성 뉴스에 가까운 흥미 위주의 시사 인터뷰는 ②번과 관련된 리드가 전면에 배치되는 것이 바람직하다. 참고로 ②번과 관련해 가장 많이 다루는 리드 내용은 인터뷰 대상자의 힘들었던 과거 이야기이다.

앞의 두 리드는 우리에게 천재 기타리스트로 잘 알려진 유진 박 씨의 내한 공연에 관한 기사 첫머리이다. 길거리 공연, 소속사 사장의 감금 폭행, 조울증 등으로 끊임없이 언론에 오르내리는 그가, 지난 1996년에 한 첫 내한 공연과 관련된 기사이다. 이는 필자가 '인터뷰 방법' 수업에서 시사 기사 작성 연습 교재로 즐겨 사용하는 자료이기도 하다. 당시 언론에 보도된 어느 언론사의 인터뷰 기사를 문답 형식으로 해체한 후, 가상적인 상황을 몇 개 덧붙여 학생들에게 재구성해보라고 하면 학생들은 미담 인터뷰 기사와는 전혀 다른 내용의 이야기 전개 형식에 힘들어한다.

요령은 앞서 설명한 두 가지 가운데 하나를 가지고 리드를 작성하는 것이다. 만일 여러분이 생각할 때 유진 박이 언급한 여러 이야기 가운데 한국인들이 좋아할 만한 내용이 가장 중요하다고 생각한다면 첫 번째 유형의 리드를 꼽아야 할 것이다. 반면 그의 과거를 궁금해하는 사람이 많을 것이라고 판단한다면, 두 번째 유형의 리드를 뽑는 것도 나쁘진 않다.

하지만 여기에서 주의해야 할 사항은 시사 인터뷰가 벌어지는 상황이 한국을 방문한 천재 바이올리니스트에 대한 것이라는 사실이다. 그렇다면 여러분이 생각할 때 뉴스 가치는 ①번과 ②번 유형 가운데 어떤 것이 더 높을까? 필자의 경우에는 ①번이 시사적인 의미에서 더욱 가치가 높다고 생각한다. 마찬가지로 '워킹 홀리데이'와 관련해 파워 블로거나 인기 1위의 카페지기를 인터뷰하는 상황에서, 여러분이 챙기게 될 정보는 ①번과 ②번 리드 가운데 어떤 것이 좋을까? 아마 정답은 여러분 자신이 잘 알고 있을 것이다. 그러면 시사 인터뷰 대상자의 직접 인용구로 시작한 서론의 첫 번째 문장 다음에는 어떤 내용이 뒤따라오는 것이 좋을까?

2) 서론 II: 인터뷰 대상자 소개 및 배경 설명

이 부분은 5장에서 미담 인터뷰 기사 작성 요령을 통해 언급했던 내용과 똑같다. 첫 문장에서 독자들의 호기심을 자극하는 인용구로 성공적인 낚시질을 시작했다면, 다음으로는 누구에 대한 인터뷰 기사인지 관련 정보를 제공해야 한다. 따라서 다음과 같은 순서로 흐르는 것이 정석이다.

① 어디에서 무엇을 하는 어떤 사람이 있다.

② 그런 그(그녀)를 언제 어디에서 만나 무엇에 관한 이야기를 들어봤다.

이에 따라 앞서 소개했던 두 개의 A1 단독 인용 가운데 첫 번째 리드를 이용해 글을 작성한다면 다음과 같이 연결할 수 있다.

"사물놀이와 판소리는 세계적인 상품 가치가 있습니다."

대중과 편안한 대화를 원하는 음악가, 세계적인 명성을 떨치고 있는 천재 바이올리니스트 유진 박이 지난 10일 내한했다. '크로스 오버 록'이라는 다소 생경한 장르를 들고 한국을 방문한 유진 박은 현재 음반 제작 및 발매, 콘서트 등으로 일정이 무척 빡빡한 상태다. 그런 유진 박을 자신의 숙소가 있는 서울 남산의 H 호텔에서 지난 13일 어렵게 만나 내한(來韓)과 관련된 이모저모에 대해 들어봤다.

한 가지 첨언하자면 앞 장에서 설명한 바와 같이 화려한 수식 어구를 동원해 인터뷰 대상자를 꾸밀 경우, 독자들은 거부감이 들 수 있다. 따라서 다소 건조하면서도 필요한 인적 정보는 최소한으로 챙겨주는 소개 문구가 시사 인터뷰의 서론에선 필요하다. 다음의 예를 보자.

"사물놀이와 판소리는 세계적인 상품 가치가 있습니다."

한국의 자랑스러운 음악가로 전 세계인들이 열광해 마지않는 천재 바이올리니스트, 더불어 10대와 20대에게 가장 많은 사랑을 받는 전자 기타 바이올리니스트로 클래식 음악의 대중화를 선도적으로 개척해온 유진 박이 지난 10일 내한했다.

이렇게 소개한다면 오히려 독자들의 입맛을 식상하게 할 우려가 있다. 따라서 감정은 죽이고 톤은 평이하게 조절하면서 간단명료하게 인터뷰 대상자를 소개하는 노하우가 필요하다. 이제 기사의 서론을 완성했으니 몸통으로 넘어가자.

3) 본론 I: A2 안긴 인용 + 현재 하는 일 소개

서론도 서론이지만 본론 역시 머리말 못지않게 중요하다. 특히 본론 I에서는 다시 직접 인용구로 시작하면서 첫머리에 잠깐 언급한 직접 인터뷰를 계속하는 것이 요령이다. 이때 첫머리에 사용한 인터뷰와 전혀 다른 맥락이 아닌 그와 관계된 인용문을 동원하는 것이 포인트다. 말하자면 앞 장에서 설명한 바와 같이 첫머리 인용문을 'A1 단독 인용'이라고 한다면, 인터뷰 대상자에 대한 본론 I에선 A2에 해당하는 '안긴 인용'을 동원해야 하는 것이다. 다음을 보자.

> "사물놀이와 판소리는 세계적인 상품 가치가 있습니다."
>
> 대중과 편안한 대화를 원하는 음악가, 세계적인 명성을 떨치고 있는 천재 바이올리니스트 유진 박이 지난 10일 내한했다. '크로스 오버 록'이라는 다소 생경한 장르를 들고 한국을 방문한 유진 박은 현재 음반 제작 및 발매, 콘서트 등으로 일정이 무척 빽빽한 상태다. 그런 유진 박을 자신의 숙소가 있는 서울 남산의 H 호텔에서 지난 13일 어렵게 만나 내한과 관련된 이모저모에 대해 들어봤다.
>
> "우리나라의 판소리에는 감정을 움직이는 힘이 녹아 있어요"라며 아직 피로가 채 가시지도 않은 얼굴로 음악 이야기를 먼저 꺼낸 유진 박은 "사물놀이 역시 마찬가지여서 이들 음악에 팝과 록을 살짝 가미한다면 기가 막힌 음악 상품이 탄생할 것"이라고 힘주어 강조한다.

탄탄한 'A1 단독 인용'의 리드부터 적절한 A2 안긴 인용까지 부드럽게 넘어갔다면 이미 기사의 70%는 완성된 것이나 다름없다. A1의 단독 인용 문구를 뽑아내는 것도 어렵지만 최적의 A2 안긴 인용문을 제대로 배치하는 것은 더더욱 어렵다. 학생들의 실습을 지도하다 보면 잘못된 A1 단독 인용문을 뽑아내는 바람에 콘텐츠가 부족하거나 적절한 뒷받침 문장을 발견하는 것에 실패해 A2 안긴 인용문을 확보하지 못하는 경우를 자주 만나게 된다. 또 취재를 통해 그러한 문장이 있어도 기사를 자연스럽게 전개하는 요령이 부족해서 A1과 A2가 따로 노는 경우도 종종 볼 수 있다. 그럼 이번엔 본론 II로 넘어가자.

4) 본론 II: 현재 스케치

기사 가치가 가장 높은 인용구를 기사 앞머리에 배치했으니 이젠 본격적으로 시사 인터뷰의 주인공이 현재 하고 있는 일을 소개할 순서이다. 이와 관련해서는 주인공의 하루 또는 일주일이나 연속적으로 진행하고 있는 일들을 순차적으로 보여주는 것이 일반적이다. 다음을 보자.

> "사물놀이와 판소리는 세계적인 상품 가치가 있습니다."
>
> 대중과 편안한 대화를 원하는 음악가, 세계적인 명성을 떨치고 있는 천재 바이올리니스트 유진 박이 지난 10일 내한했다. '크로스 오버 록'이라는 다소 생경한 장르를 들고 한국을 방문한 유진 박은 현재 음반 제작 및 발매, 콘서트 등으로 일정이 무척 빡빡한 상태다. 그런 유진 박을 자신의 숙소가 있는 서울 남산의 H 호텔에서 지난 13일 어렵게 만나 내한과 관련된 이모저모에 대해 들어봤다.
>
> "우리나라의 판소리에는 감정을 움직이는 힘이 녹아 있어요"라며 아직 피로가 채 가시지도 않은 얼굴로 음악 이야기를 먼저 꺼낸 유진 박은 "사물놀이 역시 마찬

가지여서 이들 음악에 팝과 록을 살짝 가미한다면 기가 막힌 음악 상품이 탄생할 것"이라고 힘주어 강조한다.

현재 "하루 24시간이 너무 짧다"고 행복한 불만을 토로하는 유진 박은 새벽부터 음반 녹음 작업을 진행한 후, 오전엔 서울 시립 오케스트라와의 협연 연습, 점심엔 언론사 인터뷰, 오후엔 음악 꿈나무 무료 지도, 저녁엔 판소리와 사물놀이 음악 공부 등으로 그야말로 눈코 뜰 새 없이 바쁘다. 그런 그이기에 한국에서의 체류 기간 중 스케줄은 이미 내한 전부터 모두 꽉 차버린 지 오래다. 그렇다면 그의 음악 인생에 있어 한국 방문은 무엇을 의미하는 것일까?

5) 본론 III: 현재와 연관된 과거 소개

시사 인터뷰에서 주인공의 과거는 상황에 따라 짧게 기술되거나 아예 생략될 수도 있다. 이는 어디까지나 주인공의 과거 이야기가 독자들에게 얼마나 호소력이 있는가에 달려 있다고 보면 된다. 만일 주인공의 과거에 특별한 기사 가치가 없다면 과감하게 생략해도 되겠지만, 기사 가치가 있다고 판단될 경우에는 사안에 따라 길게 또는 짧게 기술해야 한다. 그렇다면 분량의 차이는 있을지언정 어떤 연유로 현재의 위치에 이르게 되었는지 설명할 필요가 있다. 다음 문장을 보자.

"사물놀이와 판소리는 세계적인 상품 가치가 있습니다."

대중과 편안한 대화를 원하는 음악가, 세계적인 명성을 떨치고 있는 천재 바이올리니스트 유진 박이 지난 10일 내한했다. '크로스 오버 록'이라는 다소 생경한 장르를 들고 한국을 방문한 유진 박은 현재 음반 제작 및 발매, 콘서트 등으로 일정이 무척 빡빡한 상태다. 그런 유진 박을 자신의 숙소가 있는 서울 남산의 H 호텔에서 지난 13일 어렵게 만나 내한과 관련된 이모저모에 대해 들어봤다.

"우리나라의 판소리에는 감정을 움직이는 힘이 녹아 있어요"라며 아직 피로가 채 가시지도 않은 얼굴로 음악 이야기를 먼저 꺼낸 유진 박은 "사물놀이 역시 마찬가지여서 이들 음악에 팝과 록을 살짝 가미한다면 기가 막힌 음악 상품이 탄생할 것"이라고 힘주어 강조한다.

현재 "하루 24시간이 너무 짧다"고 행복한 불만을 토로하는 유진 박은 새벽부터 음반 녹음 작업을 진행한 후, 오전엔 서울 시립 오케스트라와의 협연 연습, 점심엔 언론사 인터뷰, 오후엔 음악 꿈나무 무료 지도, 지녁엔 판소리와 사물놀이 음악 공부 등으로 그야말로 눈코 뜰 새 없이 바쁘다. 그런 그이기에 한국에서의 체류 기간 중 스케줄은 이미 내한 전부터 모두 꽉 차버린 지 오래다. 그렇다면 그의 음악 인생에 있어 한국 방문은 무엇을 의미하는 것일까?

"감정 없이 규칙만 따라야 하는 미국에서의 음악 대학 생활은 마치 창살 없는 감옥 같았다"라며 과거를 회상하기 시작한 그는 "자유롭고 싶어서, 또 넘쳐나는 에너지를 쏟아내고 싶어서 고향인 한국으로 돌아오려고 했다"고 한다. 사실 "세 살 때 사촌 누나의 바이올린 연주 모습을 흉내 내기 시작한 것이 오늘의 나로 이어졌다"는 유진 박은 하루 평균 5~6시간을 꼬박 바이올린과 씨름한 덕에 15세에 이미 음악인들의 등용문, 줄리아드 음대에 입학한 수재다. 하지만 타고난 히피적인 기질 때문에 학업과 기숙사 생활로 일분일초가 꽉 짜인 규칙 속에서 힘든 나날을 보내왔다고 한다. 그 때문에 비록 바쁘긴 해도 자신이 하고 싶은 일을 마음껏 할 수 있는 한국에서의 생활이 너무 즐겁다는 그는 "벌써부터 떠날 일이 걱정된다"며 너스레를 떤다.

이제 바야흐로 결론이다. 언제나 그렇듯이 글에서 화룡점정, 금상첨화에 해당하는 작업이 바로 깔끔한 결론, 즉 마무리다. 다음을 보자.

6) 결론: 시사 뉴스에 대한 총체적 정리 또는 앞으로의 계획 및 희망

마무리에서는 지금까지 전달한 정보들을 총체적으로 아우를 수 있는 직접 인용과 함께 앞으로의 계획을 말하는 것이 가장 무난하다. 따라서 앞서 묻지 않았던 중요 질문 가운데 마지막에 해당하거나 결론을 간단하게 묶을 수 있는 질문과 함께 향후 꾀하고 있는 일로 기사의 마무리를 짓는 것이 좋다.

"사물놀이와 판소리는 세계적인 상품 가치가 있습니다."

대중과 편안한 대화를 원하는 음악가, 세계적인 명성을 떨치고 있는 천재 바이올리니스트 유진 박이 지난 10일 내한했다. '크로스 오버 록'이라는 다소 생경한 장르를 들고 한국을 방문한 유진 박은 현재 음반 제작 및 발매, 콘서트 등으로 일정이 무척 빡빡한 상태다. 그런 유진 박을 자신의 숙소가 있는 서울 남산의 H 호텔에서 지난 13일 어렵게 만나 내한과 관련된 이모저모에 대해 들어봤다.

"우리나라의 판소리에는 감정을 움직이는 힘이 녹아 있어요"라며 아직 피로가 채 가시지도 않은 얼굴로 음악 이야기를 먼저 꺼낸 유진 박은 "사물놀이 역시 마찬가지여서 이들 음악에 팝과 록을 살짝 가미한다면 기가 막힌 음악 상품이 탄생할 것"이라고 힘주어 강조한다.

현재 "하루 24시간이 너무 짧다"고 행복한 불만을 토로하는 유진 박은 새벽부터 음반 녹음 작업을 진행한 후, 오전엔 서울 시립 오케스트라와의 협연 연습, 점심엔

언론사 인터뷰, 오후엔 음악 꿈나무 무료 지도, 저녁엔 판소리와 사물놀이 음악 공부 등으로 그야말로 눈코 뜰 새 없이 바쁘다. 그런 그이기에 "한국에서의 체류 기간 중 스케줄은 이미 모두 꽉 차버린 지 오래다. 그렇다면 그의 음악 인생에 있어 한국 방문은 무엇을 의미하는 것일까?

"감정 없이 규칙만 따라야 하는 미국에서의 음악 대학 생활은 마치 창살 없는 감옥 같았다"라며 과거를 회상하기 시작한 그는 "자유롭고 싶어서, 또 넘쳐나는 에너지를 쏟아내고 싶어서 고향인 한국으로 돌아오려고 했다"고 한다. 사실 "세 살 때 사촌 누나의 바이올린 연주 모습을 흉내 내기 시작한 것이 오늘의 나로 이어졌다"는 유진 박은 하루 평균 5~6시간을 꼬박 바이올린과 씨름한 덕에 15세에 이미 음악인들의 등용문, 줄리아드 음대에 입학한 수재다. 하지만 타고난 히피적인 기질 때문에 학업과 기숙사 생활로 일분일초가 꽉 짜인 규칙 속에서 힘든 나날을 보내왔다고 한다. 그 때문에 비록 바쁘긴 해도 자신이 하고 싶은 일을 마음껏 할 수 있는 한국에서의 생활이 너무 즐겁다는 그는 "벌써부터 떠날 일이 걱정된다"며 너스레를 떤다.

마지막으로 "한국의 대중가요가 다소 맹목적으로 미국 문화의 틀을 따르는 것 같다"며 애정 어린 비판을 아끼지 않은 유진 박은 "판소리와 사물놀이를 통해 새로운 차원의 음악을 만들어보고 싶다"는 바람과 함께 인터뷰를 마쳤다.

:: 여기서 잠깐! ::

"큰따옴표 이야기"

글에는 카메라의 녹음 기능에 해당하는 음성적인 효과가 없다. 따라서 인터뷰 대상자의 목소리가 생생하게 들리는 듯한 효과를 일으키기 위해서는 시각적인 도구가 필요하다. 바로 큰따옴표 얘기다. 실제로 "인터뷰 대상자의 직접 인용문에 큰따옴표를 사용하면 상대방의 목소리가 들리는 것 같은 느낌을 준다"라는 것이 필자의 지론이다. 그래서 필자는 인터뷰 실습 시간에 "상대방의 말에 큰따옴표를 팍팍 넣으라"고 주문한다. 기사를 작성하다 보면 생각만큼 큰따옴표를 잘 사용하지 않기에 오히려 인터뷰 대상자의 목소리를 감추거나 생략하는 현상이 자주 발생하기 때문이다. 그럼 이 글에서 큰따옴표를 없앤 아래의 글을 보면서 큰따옴표라는 기호가 일으킬 수 있는 청각적인 효과를 한번 생각해보기 바란다. 마지막으로 큰따옴표 찬양 구호를 크게 한번 외치고 글을 마치겠다. "큰따옴표 만세."

글에는 카메라의 녹음 기능에 해당하는 음성적인 효과가 없다. 따라서 인터뷰 대상자의 목소리가 생생하게 들리는 듯한 효과를 일으키기 위해서는 시각적인 도구가 필요하다. 바로 큰따옴표 얘기다. 실제로 인터뷰 대상자의 직접 인용문에 큰따옴표를 사용하면 상대방의 목소리가 들리는 것 같은 느낌을 준다는 것이 필자의 지론이다. 그래서 필자는 인터뷰 실습 시간에 상대방의 말에 큰따옴표를 팍팍 넣으라고 주문한다. 기사를 작성하다 보면 생각만큼 큰따옴표를 잘 사용하지 않기에 오히려 인터뷰 대상자의 목소리를 감추거나 생략하는 현상이 자주 발생하기 때문이다. 그럼 이 글에서 큰따옴표를 없앤 아래의 글을 보면서 큰따옴표라는 기호가 일으킬 수 있는 청각적인 효과를 한번 생각해보기 바란다. 마지막으로 큰따옴표 찬양 구호를 크게 한번 외치고 글을 마치겠다. 큰따옴표 만세.

1. 다음 글은 시사 인터뷰 기사 과제를 제출하기 직전에 필자의 첨삭을 부탁하며 한 학생이 보내온 내용이다. 천천히 읽어보고 무엇이 문제인지 파악해보자.

"준비하는 만큼 환급받을 수 있는 게 바로 연말정산입니다."

추운 겨울과 함께 연말이 찾아왔다. 한 해를 마무리해야 한다는 아쉬움도 잠시, '13월의 월급'이라고 불리는 연말정산이 직장인들을 설레게 한다. 하지만 회사에 막 들어간 신입 사원들에게 연말정산은 어려운 과제다. 지난 1일 서울 양천구의 한 카페에서 회계법인 '삼정 KPMG'의 정○(31·회계사) 씨를 만나 연말정산에 대해 눈높이 설명을 들어봤다.

"신입 사원들은 연말정산의 뜻조차 알지 못하는 경우가 많다"며 인터뷰를 시작한 그는 "회사에 처음 입사해 정신없이 1년을 보낸 그들에게 소득세, 주민세, 의료보험, 국민연금과 같은 세금은 어려움 그 자체"라고 설명했다. 얼마 되지 않는 월급에서 떼어간 세금을 환급받을 기회이기에 마술처럼 느껴지는 연말정산은 과연 '13월의 월급'이기만 한 것일까?

정확히 연말정산이 무엇이냐고 묻자 정 씨는 "국가는 간이세율표에 따라 직장인의 월급에서 미리 세금을 걷어간다"며 "연말에 세금 계산을 다시 해 1년치 소득에 대한 정확한 세금을 정산하는 과정"이라고 설명했다. 또 그는 "이미 납부한 세금이 정산한 세금보다 더 많다면 돌려받는 것이고 모자라면 더 납부하는 것"이라며 "무조건 돈을 환급받는다고 오해하는 사람들이 많다"고 덧붙였다. 정 씨는 "연말정산을 이해하기 위해서는 공제의 개념을 알아야 한다"며 "공제는 세금 할인이라고 생각하면 쉽다"고 설명했다. 그는 "월급에서 이미 세금을 낸 만큼, 연말정산 시 공제되는 금액이 많아야 환급에 유리하다"고 말했다. 실제로 정부가 제시하는 공제 기준이 제각기 다르기에 똑같은 돈을 써도 지출 내용과 결제 수단에 따라 환급액이 달라지는 경우가 생긴다.

"연말정산의 시작은 의료비, 교육비 납부 증명서와 같은 소득공제 증명 서류를 회사에 제출하는 것"이라며 인터뷰를 이어간 그는 "이후 회사가 서류를 모아 담당 세무서에 제출한다"고 소개했다. 증명 서류를 작성하는 과정은 본인이 하는 일이므로 결국 노력에 따라 '13월의 월급'을 받을 수도 '13월의 세금'을 낼 수도 있다.

신입 사원들이 연말정산에서 환급받기 위해 할 수 있는 가장 쉬운 방법은 무엇일까? 그는 "신용카드보다 체크카드 사용량을 늘려야 한다"고 말했다. 실제로 신용카드 공제율은 15%고, 체크카드 공제율은 30%다. 똑같은 100만 원을 써도 신용카드는 85만 원에 해당하는 세금을 내야 하고 체크카드는 70만 원에 해당하는 세금만 내면 된다. 이왕 돈을 써야 한다면 체크카드를 사용해 공제율을 높이는 것이 바람직하다. 또 정 씨는 "적은 금액에는 현금을 사용해 현금영수증을 발행받는 것도 좋은 방법"이라며 "체크카드와 마찬가지로 공제율이 30%나 된다"고 덧붙였다.

두 번째 비결을 묻자 정 씨는 "연금 상품에 가입하는 것"이라고 말했다. 이는 매달 돈을 저축하는 적금과 비슷하지만, 노후 대비까지 할 수 있다는 점이 다르다. 그는 "1년에 400만 원까지 공제가 된다"며 "저축을 할 것이라면 소득공제에 도움이 되는 연금 상품을 이용하는 것이 유리하다"고 설명했다. 정 씨는 "저축도 하고 노후 대비도 하고 소득공제도 받고 일석삼조(一石三鳥)"라고 말했다. 그는 또 "국세청에서 연말정산을 어려워하는 직장인들을 위해 연말정산 간소화(www.yesone.go.kr) 서비스를 운영하고 있다"며 "이는 신입 사원뿐만 아니라 모든 직장인에게 도움이 될 것"이라고 설명했다.

마지막으로 하고 싶은 말이 없냐고 묻자 정 씨는 "연말정산이라고 해서 가만히 앉아 돈 받을 생각만 하면 안 된다"며 "귀찮더라도 각종 공제 혜택을 챙기는 것이 연말정산의 성공 비결"이라고 말했다. 정 씨는 "앞으로 다자녀 가정엔 공제 혜택이 더 많아진다"며 "결혼을 서둘러 다자녀를 낳는 것도 좋은 방법"이라고 환하게 웃으며 인터뷰를 마쳤다.

다음은 필자가 해당 학생에게 이메일로 보낸 기사 관련 도움말이다.

→ 대단히 좋은 소재에 글의 흐름도 아주 자연스러운 작품입니다. 하지만 학생 입장에서 연말정산에 대해 쓰다 보니 직장인들의 눈높이를 맞추지 못한 안타까움이 느껴집니다. 연말정산과 같은 주제는 끊임없이 비교 대상을 선정해 구체적으로 알려주어야 합니다. 만일 ○○ 양이 직장 1년차로 연봉 2,000만 원을 받을 때 연말정산으로 최대 얼마까지 돌려받을 수 있는지가 글의 리드에 나와야만 비로소 독자들은 구체적으로 그 규모를 이해하기 시작한다는 것입니다.

이와 함께 연금 400만 원짜리를 들면 얼마를 더 돌려받을 수 있는지, 또 공제 대상 지출액(예를 들어, 안경, 콘택트렌즈 구입이나 학원 교육비) 가운데 연말정산에서 자칫하면 놓치기 쉬운 것으로는 무엇이 있는지 등을 알려주어야 합니다. 하지만 무엇보다 중요한 것은 체크카드 및 신용카드 사용과 관련한 정보가 직장인들을 대상으로 그다지 적합하지 않다는 사실입니다. 일례로 체크카드는 할부가 안 되고 또 즉시 빠져나가기에 대학생들이 선호하기는 한다지만 직장인들은 대부분 신용카드를 쓰고 있습니다. 모르긴 해도 체크카드 사용에 관한 장점을 시사 인터뷰에 내보낸다면 직장인들은 "학생이라 현실을 몰라도 너무 모르는군"이라고 생각할 수 있습니다. 그런 의미에서 철저히 직장인의 시각으로 어떻게 해야 돈을 한 푼이라도 더 받을 수 있는지 상당히 구체적으로 기술해야 합니다.

그럼 코멘트가 도움이 됐기를 바라며 마칩니다.

II. 역시 다음의 시사 인터뷰 기사를 읽고 좀 더 나은 글을 만들기 위해서는 무엇을 고려해야 하는지 점검해보자.

"여름철 '몸짱', 화장실에서도 충분해요."

봄을 뒤로한 채 햇빛이 점차 강해지자 많은 사람들이 자신의 몸매를 뽐내기 시작한다. 더위가 기승을 부리며 여름을 알리는 6월, 무더운 날씨와 맞서기 위해 사람들의 발걸음이 헬스장을 향한다. 뜨거운 태양만큼 뜨거운 열정으로 회원들에게 트레이닝을 해주고 있는 최근○(崔根○·26) 헬스 트레이너를 만나 여름철 운동법에 대한 이야기를 들어보았다.

"여름철에 몸을 만들고 싶다면 가장 빠른 시간에 최대의 효과를 볼 수 있는 운동법이 있다"며 인터뷰를 시작한 그는 "그것은 바로 '보이는 근육'을 키우는 것"이라고 했다. 이어 "대부분 수영장이나 바다에서 과시하기 위해 운동을 하러 오는 사람이 많다"며 "꾸준히 운동을 한 사람만큼은 아니지만, 꽤 큰 효과를 볼 수 있다"고 덧붙였다. 최 씨는 보이는 근육이라고 하면 "남자는 가슴 근육과 이두근(팔 위쪽 앞부분)이고, 이두는 우리가 흔히 알고 있는 '알통'이라고 생각하면 된다"며 "여자는 엉덩이와 하체가 있다"고 설명했다. 그는 "여자도 가슴 운동이 중요하지만, 운동으로 어떻게 할 수 있는 부분이 아니잖아요?"라며 익살스럽게 물으며 "때문에 하체 운동을 하는 것이 좋다"고 웃으며 말했다.

최 씨는 "남자는 가슴과 이두를 키우기 위한 운동으로 팔굽혀펴기가 있다"며 "한 번 실시할 때마다 '15회씩 3세트'를 하면 가슴 근육과 이두근을 평소보다 크게 키울 수 있다"라고 알려준다. 이와 같은 방법으로 운동을 하면 "평소보다 커진 가슴 근육과 이두를 볼 수 있다"며 "팔굽혀펴기는 때와 장소에 관계없이 할 수 있기 때문에 틈틈이 하는 것도 좋다"고 말했다. 보통 "팔굽혀펴기로 키운 근육들은 약 20분 정도 유지가 가능하다"며 "만약 수영장에서 커진 근육을 계속 유지하고 싶다면 20분마다 화장실에 가서 팔굽혀펴기를 해보세요"라며 미소 지었다.

여자의 경우는 "하체 운동이 중요한데, 하체는 세트 수를 많이 할수록 좋다"라며 "스쿼트(일어선 자세에서 허벅지가 무릎과 수평이 될 때까지 허리를 펴고 앉았다 섰다 하는 운동)를 20회씩 5세트 정도 하면 충분하다"고 권했다. 또 "스쿼트는 하체의 군살 제거와 힙업, 그리고 매끄러운 하체를 만드는 데 효과가 뛰어나다"라고 했다. 최 씨는 "여자는 남자와 달리 단시간에 효과를 보기는 힘들다"라며 "무엇보다 하체는 꾸준히 하는 것이 중요하다"라며 귀띔했다.

사실 여름 하면 너도나도 할 것 없이 '초콜릿 복근'을 떠올린다. 이렇듯 복근은 필수 아닌 필수가 되어버린 상황. "개인적으로 복근 운동이 제일 중요하다고 생각해요"라고 말한 그는 "복근은 단시간 안에 만들 수 없어 꾸준히 운동을 해야 한다"고 당부했다. 솔직히 "운동이 계절에 따라 나뉘는 것은 아니기 때문"이라며 "복근 운동만큼은 남녀 관계없이 꼭 추천하고 싶다"고 강조했다. 이와 함께 "한 가지 조언을 한다면, 복근은 마무리 운동으로 하는 것이 좋다"며 예를 들어 "본 운동을 마친 뒤에 마무리로 복근 운동을 하면 된다"고 넌지시 건넸다.

복근 운동법에 대해 좀 더 알려달라는 말에 최 씨는 "복근 운동은 크게 상복부와 하복부로 나뉘는데"라며 "상복부 운동인 크런치(누운 상태에서 갈비뼈를 말아 올린다는 느낌으로 상체를 드는 운동)와 하복부 운동인 레그레이즈(누운 상태에서 다리를 뻗어 들어 올리는 동작으로 하복부 운동)가 대표적이다"라고 했다. 중요한 것은 "복근 운동을 할 때 하복부 운동부터 해야 다음 운동을 하는데 무리를 덜 준다"며 "상복부 운동을 먼저 하면 하복부나 외복사근(갈비뼈 쪽에 있는 근육) 운동을 제대로 하지 못한다"고 거듭 강조했다.

꾸준히 운동한 사람도 운동을 하다가 부상을 당하는 경우가 빈번하다. 더욱이 운동을 처음 하거나 오랜 시간 쉬고 운동을 다시 시작하는 사람이라면 부상 위험이 더욱 클 것이다. 이렇게 부상에 노출되어 있는 사람들에게 최 씨가 조금이나마 부상 위험에서 벗어날 수 있도록 일러준다. "운동을 몇 년간 계속하는 저도 부상 방지를 위해 반드시 하는 것"이라며 "그건 바로 스트레칭이다"라고 했다. 그는 "운동을 할 때 근육이 움직일 수 있는 운동 반경이 한정되어 있는데 스트레칭은 이런 운동 반경을 늘려주기 때문에 근육의 무리를 덜어준다"고 설명했다. 또 "근육이 긴장을 하면 근육의 장력도 늘어나고, 심장박동 수가 높아지면서 근육으로 가는 혈액도 빠르게 공급된다"고 덧붙였다. 최 씨는 "운동을 하기 전에 실시하는 스트레칭을 귀찮아하는 사람이 꽤 많다"며 "부상을 방지하기 위함인데, 결국 생략하고 운동을 하다가 많은 사람들이 부상을 입는다"고 아쉬워했다.

끝으로 그는 운동을 시작하는 사람들에게 전하고 싶은 말이 있다고 했다. "운동은 남에게 보여주기 위한 과시용이 아니라 자기 자신을 위해 투자하는 것"이라며 "보여주기 식으로 하는 운동은 절대 오래갈 수 없다"고 당부했다. 그뿐만 아니라 "운동은 한 동작을 하더라도 정확한 자세를 요구하기 때문에 잘못된 자세로 여러 번을 해도 소용이 없다"며 "충분한 시간을 가지고 꾸준히 운동을 한다면 누구나 '몸짱'이 될 수 있다"는 말로 인터뷰를 마쳤다.

다음은 필자가 보낸 조언이다.

→ 먼저 시기적절한 아이템을 선정했다는 말을 건네고 싶습니다. 노출의 계절이 다가온 만큼 '몸짱'을 위한 인터뷰는 매우 좋다고 봅니다. 하지만 기사를 위해 선정된 이가 어떤 유명세를 타고 있거나 블로그 또는 웹상에서 인지도 있는 동호회 회장이 아니라 그냥 동네 헬스 트레이너(?)인 것으로 생각되는 까닭에 — 아니면 적어도 이러한 설명 자체가 실종돼 있기에 — '왜 이 사람이 언론에 등장해야 하는지?'라고 생각할 수 있는 독자들에게 설득력이 약할 수밖에 없습니다. 그런 면에서 볼 때, 기사 자체는 나쁘지 않지만 인터뷰 대상자 선정이 좀 약하다는 생각입니다.

두 번째로 인터뷰 기사 내용 역시 일반적으로 우리가 알고 있는 것에서 별다르게 색다른 것이 없어 보입니다. 시사 인터뷰에서는 우리가 가장 필요로 하는 정보를 최우선으로 제공해주는 것이 가장 중요합니다. 그렇다면 우리에게 가장 필요한

'몸짱' 정보는 과연 무엇일까요? 모르긴 해도 하루 몇 분씩 운동해서 며칠 동안 지속하면 최소한의 노력으로 최대한의 효과를 볼 수 있다든지, 짧은 시간에 칼로리를 가장 많이 소모하는 운동은 무엇인지, 또는 다이어트 요법 병행 시 어떤 것이 가장 효과적인지 등이 아닐까 합니다. '몸짱'을 원하는 사람들이 바라는 바가 있다면 아무래도 최단 시간에 최대의 효과를 내면서 다이어트 스트레스는 받지 않는 것일 테니까요. 이 때문에 이 시사 인터뷰는 콘텐츠적인 측면에서 많이 부족하다는 생각입니다.

마지막으로 'A1 단독 인용 리드'("여름철 '몸짱', 화장실에서도 충분해요")가 'A2 안긴 인용'("여름철에 몸을 만들고 싶다면 가장 빠른 시간에 최대의 효과를 볼 수 있는 운동법이 있다")과 맞지 않는 데다 글 뒷부분에도 해당 내용이 전혀 나오지 않아 다소 생뚱맞다는 느낌입니다. 차라리 'A1 단독 인용 리드'("여름철 '몸짱', 화장실에서도 충분해요")를 중심으로 관련 내용을 기술했다면 훨씬 신선하고 좋았을 것이라는 생각입니다. 그럼, 이상의 사항들이 도움이 됐기를 바라며 마칩니다.

Ⅲ. 다음 글을 보고 전반적으로 무엇이 부족한지, 잘된 점은 무엇인지 찾아보자.

"종교를 떠나 사람들의 작은 정성을 저희가 어려운 분들에게 대신 전달해드리는 거죠."

추운 겨울의 거리 풍경을 생각하면 빠질 수 없는 것이 바로 빨간 구세군 냄비이다. 제복을 입은 사관들의 '딸랑딸랑' 하는 종소리가 생각나는 요즘, 강원도 춘천의 구세군 냄비를 따듯하게 데워주고 있는 이재○(李在○·56·춘천시 석사동) 사관을 지난 11월 말 구세군 춘천교회에서 만나봤다.

그는 "구세군은 기독교 행사가 아닙니다"라고 말하며 인터뷰를 시작했다. 이어 "구세군 모금액은 행정안전부에서 감사를 받아 심장병 환자 등을 돕는 데 쓰입니다"라고 말했다. 작년에는 약 48억 원 정도를 모아 기초생활수급대상자와 차상위

계층, 저소득층 빈곤 가정 의료 지원, 복지시설 지원 등에 사용했다. 강원도의 모금액은 타 지역에 비해 적은 편이다. 그는 "작년에는 1,900만 원 정도를 모았고, 올해의 모금액은 2,100만 원으로 잡았습니다"라고 말했다. 문득 주로 모금하는 연령대가 궁금해졌다. 그는 "다양하죠. 거리 모금이다 보니 차를 타고 다니시는 분들보다는 장 보러 오는 분들, 학생들이 저희의 주 후원자입니다"라며 웃었다.

그에게는 여태까지 가슴을 따듯하게 해주는 일화가 하나 있다. "해 떨어질 무렵이었어요. 제가 신학생일 때, 그러니까 1985년의 일입니다"라며 그는 이야기를 시작했다. 당시 서울의 한 백화점 앞에서 모금을 하고 있던 그의 옆으로 팔다리가 절단된 남성이 배를 밀며 다가왔다. "'저분이 옆에 있으면 모금을 하기 힘들 텐데'라고 생각하고 있던 저에게 그분이 여태까지 모은 돈을 자선냄비에 모두 붓더라고요"라며 그는 그때를 회상했다. 이어 "그분이 '저도 이렇게 벌어먹고 삽니다. 저보다 더 어려운 분들을 위해 이 돈을 써주세요'라고 말했습니다. 그때 정말 감동을 받았죠"라며 미소를 띠었다.

26년간 모금을 하다 보니 당황스러운 일도 있었다. "한번은 이런 일도 있었어요. 모금을 하고 있는데 자기가 바로 불우 이웃이라며 자선냄비의 돈을 가져가려고 하더라고요." 이재○ 사관은 이어 "그래서 전국적으로 모금한 돈은 '구세군 자선냄비 본부'에서 어려운 분들에게 사용하니 그곳으로 가보시라고 타일러 보냈죠"라고 말했다고 한다.

올해는 춘천 명동 입구와 중앙 시장, 온의 이마트 주차장 등 세 곳에서 12월 7일부터 24일까지 금, 토, 일의 주말을 중심으로 모금한다. 그는 "남을 돕고 싶은 마음은 대부분의 사람이 갖고 있지만 혼자서는 힘들잖아요. 푼돈이지만 구세군 냄비에 넣으면 그걸 모아 다른 어려운 사람들에게 대신 도움을 드리는 봉사를 하는 겁니다"라고 환히 웃으며 인터뷰를 마쳤다.

다음은 필자가 해당 학생에게 이메일로 보낸 답장이다.

→ 소재는 대단히 훌륭합니다. 연말이라는 시기와도 잘 맞아떨어지는 데다 나름대로 취재도 잘됐고요. 하지만 'A1 단독 인용' 리드가 좀 길고 장황한 느낌을 줍니다. 수업 시간에 강조했다시피 'A1 단독 인용'은 길이가 짧을수록 독자들의 눈길을 끕니다. 짧게 내지르는 펀치가 더욱 강력한 것처럼 말이죠. 그런 의미에서 "종교를 떠나 사람들의 작은 정성을 저희가 어려운 분들에게 대신 전달해드리는 거죠"라는 'A1 단독 인용' 리드를 다음과 같은 정도로 표현을 조금 더 짧고 명확하게 바꾸면 어떨까 싶습니다.

"여러분의 작은 정성이 구세군 냄비를 통해 어려운 분들께 전달됩니다."

두 번째로는 감동적인 에피소드로 소개한 사연이 1980년대의 너무 옛날이야기라 별로 감흥이 오지 않네요. 또 불경기 속에 강원도 모금액은 작년에 비해 늘었는지 줄었는지, 예상 모금액은 얼마 정도인지, 현재까지의 상황은 작년에 비해 어떤지 등이 궁금합니다. 역시 수업 시간에 강조한 것처럼 인터뷰 기사에서 정보 제공 차원에서 독자들의 흥미를 끌 수 있는 '숫자'는 대단히 중요하니까요. 이와 함께 춘천에서는 몇 명의 구세군 봉사자들이 몇 시부터 몇 시까지 고생하는지 등에 대한 정보가 없어 독자의 입장에서 궁금합니다. 마지막으로 이러한 종류의 인터뷰 기사에서 가장 중요한 현장 스케치가 없다 보니 그야말로 사무실에서 수치 몇 개와 과거의 일화만이 나열된 느낌입니다. 그럼 이러한 코멘트가 도움이 됐기를 바라며 이만 줄입니다.

Ⅳ. 마지막 인터뷰 기사이다. 첨삭과 수정을 가한 후, 편집부에 원고를 넘겨야 하는 사회부 부장의 입장에서 앞의 글을 통해 배운 바를 토대로 무엇이 문제인지 훑어보자.

"아시아 청소년 대회에 '한국 대표'로 출전해요."

중국 무술을 현대 형식에 맞게 규정화한 스포츠인 '우슈'를 아는가. 어린 나이부터 이 종목에 자신의 꿈을 가지고 달려온 고등학생이 있다. 우슈 청소년 국가 대표 박근ㅇ(18) 군이 그 주인공. 지난 10일 경북 영주시의 한 체육관에서 그를 만나 우슈에 대한 이야기를 들어봤다.

"아시아 경기를 두 달 앞두고 좋은 성적을 내기 위해 최선을 다하고 있어요"라며 인터뷰를 시작한 박 군은 "힘들기도 하지만 태극 마크를 달았다는 자부심으로 더 힘을 낸다"며 활짝 웃었다. 그는 지난 3월 '2013 우슈 국가 대표 선발전'에서 고등부 남자 장권전능 부문 우승을 차지하며 국가 대표의 반열에 올라, 오는 8월 필리핀에서 열리는 '제7회 아시아 청소년 우슈 선수권 대회' 출전 티켓을 거머쥐었다.

체육관을 날아다니는 듯한 날렵한 몸짓으로 보는 이들의 탄성을 자아낸 박 군은 현재 영주에서 일요일을 제외한 매일 4시간씩 훈련받고 있다. 그는 "몸동작을 이용하는 장권, 도와 곤을 이용해 연기하는 도술과 곤술 경기를 준비한다"고 말한다. 우슈는 표현 경기인 '투로'와 대련 경기인 '산수'로 나눌 수 있는데(태권도식으로 말하면 투로는 품세, 산수는 겨루기), 박 군은 그중 투로 부문 선수이다. 그가 준비하는 세 가지 경기는 크고 넓은 동작과 스피드, 순간적인 힘을 필요로 한다. 그는 "제 종목은 상대방과 겨루는 경기가 아닌 혼자서 연기하는 경기이기 때문에 표현력이 특히 중요하다"며 "부족한 부분을 보완하기 위해 노력하고 있다"고 설명했다.

"이번 대회에서는 꼭 애국가를 울리고 싶다"는 박 군은 이미 아시아 대회에 출전해 입상한 경험이 있다. 2년 전 '제6회 아시아 청소년 우슈 선수권 대회'에서 장권 부문 은메달, 도술 부문 동메달을 획득한 것이다. 그는 "메달을 땄을 때 그동안 고생했던 생각이 많이 나서 눈물이 났고, 기뻐하시는 부모님의 얼굴이 떠올라 매우 뿌듯했다"며 "우슈를 하면서 가장 보람찬 일이었던 것 같다"고 이야기했다.

아직까지는 비인기 종목인 우슈. 박 군은 그에 대해 어떻게 생각할까? "그래도 몇 년 전보다는 대중화된 것 같아요"라며 입을 연 그는 "더 많은 사랑을 받는 종목으로 성장했으면 좋겠다"고 말했다. 이어 "김연아 선수가 좋은 성적을 내 피겨 스케이팅이 유명해진 것처럼, 저도 국제 무대에서 훌륭한 성적을 가지고 와서 우슈를 인기 종목으로 만들고 싶어요"라고 덧붙였다.

박 군은 초등학교 3학년 시절 우슈를 처음 접했다. 그는 "어머니께서 운동을 보내려고 하셨는데 태권도나 합기도 같은 운동은 너무 흔해서 고민하셨대요"라며 "그러다 우연히 우슈 체육관에 다니게 되었어요"라며 지난날을 떠올렸다. 이어 "거기에서 흥미를 느끼고 재능이 있다는 걸 알게 돼 지금까지 하게 되었다"고 이야기했다.

한편 박 군의 1분 차 쌍둥이 누나 박보ㅇ(18) 양도 그와 같은 우슈 선수라 화제다. "우슈계에서는 이미 쌍둥이 선수로 유명해요"라며 밝게 웃는 그는 "누나는 재작년, 작년, 올해 3년 연속 청소년 국가 대표로 선발됐다"고 말을 이었다. 그는 "누나와 같이 운동을 하니까 외롭지 않다"며 "서로의 장단점을 지적해줄 수 있는 것도 좋은 점이다"고 말했다.

롤 모델이 있느냐는 기자의 질문에 "제 스승님인 김창ㅇ 관장님을 닮고 싶어요"라고 말한 그는 "그분은 누구보다도 제자들을 성심성의껏 가르쳐주신다"며 "항상 관심을 가져주시기 때문에 더 열심히 운동하게 된다"고 말했다. 그는 "많은 부분에 있어서 스승님께 정말 감사하다"며 "나중에 지도자가 되어 제자들을 키울 때 그분의 모습을 많이 본받고 싶다"고 귀띔했다.

"운동을 하면서 다친 적도 많은데 부모님이 아시면 속상해하실까 봐 숨기기도 했다"는 박 군은 마음씨가 예쁜 효자 아들이다. 그는 "우슈를 하면서 힘들 때도 많았다"며 "집안 형편상 전지훈련에 참여하기 어려워 포기할 생각을 한 적도 있었다"고 전했다. 이어 "그때 부모님께서 '어떻게 해서라도 꼭 보내줄 테니 걱정 말고 운동이나 열심히 해'라고 하셨다"며 "당시 많이 속상했고, 차라리 공부를 했더라면 부모님이 덜 힘드셨을 거라는 생각도 했다"고 덧붙였다.

그런 그에게 주변의 관심과 성원은 큰 힘이 된다. 박 군은 "주변 사람들이 나를 정말 자랑스럽게 여긴다"며 뿌듯해했다. "시합 때 응원도 와주시고 힘들어할 땐 격려도 많이 해주신다"며 "보답하기 위해 더 열심히 할 것"이라고 이야기했다.

그에게 앞으로의 목표에 대해 물어봤다. "내년에는 세계 대회에 출전하고 싶다"고 답한 그는 "세계 선수권과 같은 큰 대회에서 금메달을 따서 부모님과 스승님의 목에 걸어드리고 싶다"며 당찬 포부를 밝혔다. 이어 "운동선수를 넘어 스포츠 스타가 되는 것이 제 바람이기도 해요"라며 마지막 말을 건넸다.

필자의 코멘트이다.

→ 대단한 작품을 써주었네요. 일단 글의 구성이 그야말로 물 흐르듯 하네요. 얼마나 많은 시간을 공들이며 수정에 수정을 가했는지 한눈에 보이는 듯합니다. 특히 일반인에게는 용어가 생소한 우슈를 쉽고 간단하게 설명하기 위해 태권도를 곁들여 비교해준 부분은 단연 눈에 띕니다. 단지 'A1 단독 인용' 리드는 다소 심심하기에 'A1 단독 인용' 리드와 이에 따른 'A2 안긴 인용'만 다시 작성하면 완벽한 시사 인터뷰가 되리란 생각입니다. 그럼 잘 고민해보고 기사 제출과 함께 ≪오마이뉴스≫에 투고해보기 바랍니다.

다음은 이 글이 수정을 통해 ≪오마이뉴스≫에 게재된 기사이다. 여러분의 조언이 그대로 반영됐는지 확인해보자(기사는 책의 판형에 맞게 다시 편집되었다).

“김연아 사례처럼 우슈도 인기 끌었으면…”

[인터뷰] 우슈 청소년 국가 대표 박근○ 선수

2013.06.25 14:20 | 최종 업데이트 2013.06.25 14:20 | 김희영(h_young)

박근○ 선수가 제7회 아시아 청소년 우슈 선수권 대회 출전을 위해 훈련하고 있다. ⓒ 김희영

중국 무술을 현대 형식에 맞게 규정화한 스포츠 ‘우슈’를 아는가. 어린 나이부터 이 종목에 자신의 목표를 설정해 달려온 고등학생이 있다. 우슈 청소년 국가 대표 박근○(영주 영광고 2년) 군이 그 주인공. 뜨거운 햇살이 내리쬐던 지난 10일, 경북 영주시의 한 체육관에서 그를 만나 우슈에 대한 이야기를 들어봤다.

“세계 선수권 같은 큰 경기에서 금메달을 따서 부모님과 스승님의 목에 걸어드리고 싶다”며 인터뷰를 시작한 박 군은 “현재 아시아 경기를 두 달 앞두고 좋은 성적을 내기 위해 최선을 다하고 있다”고 전했다. 그는 “힘들기도 하지만 태극 마크를 달았다는 자부심으로 더 힘을 낸다”고 활짝 웃었다. 박 군은 지난 3월 2013 우슈 국가 대표 선발전에서 고등부 남자 장권 부문 우승을 차지하며, 8월 필리핀에서 열리는 제7회 아시아 청소년 우슈 선수권 대회에 한국 대표 선수로 출전하게 됐다.

체육관을 날아다니는 듯한 날렵한 몸짓으로 보는 이들의 탄성을 자아내는 박 군은 현재 영주에서 매일 4시간씩(일요일 제외) 훈련을 받고 있다. 그는 "몸동작을 이용하는 장권, 도와 곤을 이용해 연기하는 도술과 곤술 경기를 준비한다"고 말했다. 우슈는 표현 경기인 '투로'와 대련 경기인 '산수'로 나뉘는데(태권도식으로 말하면 투로는 품세, 산수는 겨루기), 박 군은 그중 투로 부문 선수다. 그가 준비하는 세 가지 경기는 크고 넓은 동작과 유연성, 힘 등을 필요로 한다. 그는 "제 종목은 상대방과 겨루는 경기가 아닌 혼자서 연기하는 경기이기 때문에 표현력이 특히 중요하다"며 "부족한 부분을 보완하기 위해 노력하고 있다"고 설명했다.

"이번 대회에서는 꼭 애국가를 울리고 싶다"는 박 군은 이미 아시아 대회에 출전해 입상한 경험이 있다. 2년 전 제6회 아시아 청소년 우슈 선수권 대회에서 장권 부문 은메달, 도술 부문 동메달을 획득한 것. 그는 "메달을 땄을 때 그동안 고생한 생각이 많이 났고, 기뻐하시는 부모님의 얼굴이 떠올라 매우 뿌듯했다"며 "우슈를 하면서 가장 보람찬 일이었던 것 같다"고 이야기했다. 아직까지는 비인기 종목인 우슈. 박 군은 그에 대해 어떻게 생각할까?

"그래도 몇 년 전보다는 대중화된 것 같아요. 더 많은 사랑을 받는 종목으로 성장했으면 좋겠어요. 김연아 선수가 좋은 성적을 내 피겨 스케이팅이 유명해진 것처럼, 저도 국제 무대에서 훌륭한 성적을 가지고 와서 우슈를 인기 종목으로 만들고 싶어요."

쌍둥이 누나와 함께 우슈하는 박근ㅇ 선수

박 군은 초등학교 3학년 시절 우슈를 처음 접했다. 그는 "어머니께서 운동을 보내려고 하셨는데 태권도나 합기도 같은 운동은 너무 흔해서 고민했다더라"라며 "그러다 우연히 우슈 체육관에 다니게 됐다"고 지난날을 떠올렸다. 이어 "거기에서 흥미를 느끼고 재능이 있다는 걸 알게 돼 지금까지 하게 됐다"고 설명했다.

한편, 박 군의 쌍둥이 누나 박보ㅇ(선영여고 2년) 양도 그와 같은 우슈 선수다. "우슈계에서는 이미 쌍둥이 선수로 유명하다"며 밝게 웃는 그는 "누나는 재작년, 작년, 올해 3년 연속 청소년 국가 대표로 선발됐다"고 말을 이었다. 그는 "누나와 같이 운동을 하니까 외롭지 않다"며 "서로의 장단점을 지적해줄 수 있는 것도 좋은 점"이라고 설명했다.

롤 모델이 있느냐는 기자의 질문에 "제 스승님인 김창ㅇ 관장님을 닮고 싶다"라고 말한 그는 "그분은 누구보다도 제자들을 성심성의껏 가르쳐주신다"며 "항상 관심을 가져주시기 때문에 더 열심히 운동하게 된다"고 설명했다. 그는 "많은 부분에 있어서 스승님께 정말 감사하다"며 "나중에 지도자가 되어 제자들을 키울 때 그분의 모습을 많이 본받고 싶다"고 귀띔했다. 박 군은 마음씨가 예쁜 효자기도 하다.

"운동을 하면서 다친 적도 많은데 부모님이 아시면 속상해하실까 봐 숨기기도 했어요. 우슈를 하면서 힘들 때도 많았어요. 집안 형편상 전지훈련에 참여하기 어려워 포기할 생각을 한 적도 있었지요. 그때 부모님께서 '어떻게 해서라도 꼭 보내줄 테니 걱정 말고 운동이나 열심히 해'라고 하셨습니다. 당시 많이 속상했고, 차라리 공부를 했더라면 부모님이 덜 힘드셨을 거라는 생각도 했어요."

그런 그에게 주변의 관심과 성원은 큰 힘이 된다. 박 군은 "주변 사람들이 나를 정말 자랑스럽게 여긴다"며 뿌듯해했다. 이어 "시합 때 응원도 와주시고 힘들 땐 격려도 많이 해주신다"며 "보답하기 위해 더 열심히 할 것"이라고 덧붙였다.

그에게 앞으로의 계획에 대해 물어봤다. "내년에는 세계 대회에 출전하고 싶다"는 박 군은 "운동선수를 넘어 스포츠 스타가 되는 것이 제 바람이기도 하다"고 말했다.

07

인물 인터뷰 글쓰기

1. 인터뷰 기사의 최고봉, 인물 인터뷰

인물 인터뷰 기사는 수많은 인터뷰 기사 중에서 최고봉에 속한다. 만나서 이야기를 나누는 대상자가 한 분야에서 입지적인 업적을 이루었거나 인간적으로 또는 사회적으로 인정을 받은 경우가 많기에, 이를 글로 녹여내려면 많은 준비가 필요한 까닭에서다. 인물 인터뷰 기사는 특히 한 인물의 인생을 망라해가며 행적을 적는 전기(傳記)적 구성 방식을 자주 채택하기 때문에 사전 준비, 기사 작성, 사진 촬영 등 곳곳에서 세심한 노력을 요구한다.

미담 인터뷰는 각종 봉사 활동 단체나 주변의 추천 등으로 당사자를 만날 가능성이 높다. 그 결과 인터뷰 대상자 개인에 대해서는 그다지 많은 것을 알지 못한 채 만남을 준비하는 경우가 많다. 따라서 유사한 종류의 예전 기사들을 들여다보고 핵심적으로 물어야 할 질문들을 인터뷰 대상자의 에피소드 및 봉사 동기 등과 함께 챙기는 것이 중요하다. 반면 시사 인터뷰는 시사적인 정보 제공을 위해 특정 분야에서 일가견을 이루었거나 해당 정보가 풍부한 사람을 만난다. 따라서 인터뷰 대상자에 대한 질문보다는 시사적인 정보를 둘러싼 정보에 더욱 많은 질문을 내놓아야 한다. 하지만 인물 인터뷰는 초점을 맞춰야 하는 대상이 미담도 아니요, 시사적인 정보도 아닌 인물 그 자체에 있으므로 주인공에 대한 풍부한 사전 조사가 필요하다.

21세기 대한민국 사회에 불고 있는 숱한 인터뷰 프로그램 제작 열풍은 이러한 인물 인터뷰의 전형을 잘 보여준다. SBS의 〈힐링 캠프〉와 지금은 폐지된 tvN의 〈화성인 바이러스〉, MBC의 〈무릎팍도사〉 같은 TV 프로그램은 모두 다양한 형식의 인물 인터뷰에 속한다. 따라서 범상치 않은 인생을 살아온 인터뷰 대상자의 개인사를 어느 정도 숙지해서, 궁금한 사항들에 대한 질문을 미리 챙겨야 한다. 물론 그러한 준비를 위해서는 앞서 설명한 바와 같이 언론에 나왔던 기존의 기사들을 훑어보는 노력이 필요하다.

인물 인터뷰는 그 대상자가 정치인, 종교인은 물론, 체육인, 예술인 등에 이르기까지 워낙 폭이 넓은 데다 주인공으로 선정된 대상자와 장시간 대화를 나누기에 대화의 폭도 넓을 수밖에 없다. 이러한 취재 특성을 고려할 때 인터뷰 대상자 선정부터 취재 및 기사 작성에 이르기까지 여타 인터뷰와는 달리 염두에 두어야 할 사항이 몇 가지 있다.

2. 대상자 선정: 감동과 철학의 메신저

역시 인물 인터뷰에서도 가장 중요한 것은 대상자 선정이다. 특히 인물 인터뷰는 다른 인터뷰 기사들과 달리 대상자 선정이 차지하는 비중이 워낙 높아서 인물 선정 시 신중에 신중을 기해야 한다. 그렇다면 어떤 인물 인터뷰 대상자를 선정하는 것이 필요할까? 먼저 '특정 분야에 오랜 시간 종사한 사람'이라면 좋은 글감에 속한다고 볼 수 있다. 말하자면 한 분야에서 일가견을 이룬 사람이 인물 인터뷰의 대상자로 적합하다. 여기에서 오랜 시간이라는 것에는 정답이 없다. 하지만 10년이면 강산이 변한다고 적어도 한 분야에서 10년 이상 꾸준히 외길을 걸어온 사람이라면 충분히 자격이 있다.

두 번째로는 존경할 만한 요소가 있어야 한다는 것이다. 단순히 구멍가게를 10년 이상 운영하거나, 초등학교 야구팀 코치를 15년째 하고 있는 것만으로는 독자와 시청자의 이목을 끌 수 없다. 그보다는 삶의 철학에 본받을 만한 요소가 있어야 한다. 구멍가게를 10년 동안 운영했지만 그 구멍가게가 도서 마을이나 산간벽지에서 유일하게 운영되는 적자투성이의 중요한 생필품 공급처라면 이야기는 달라질 것이다. 어차피 돈을 벌기 위해서라면 오지에서 10년 이상 구멍가게를 운영하지는 않았을 것이고, 강산이 변하는 동안 마을 사람들과 숱한 에피소드를 만들며 나름대로의 철칙과 철학도 생겼을 테니 담아낼 이야기가 많을 가능성이 높다. 마찬가지로 초등학교 야구팀 코치이지만 일반적인 초등학교가 아니라 청각 장애인 초등학교의 야구팀 코치라면, 인물 인터뷰의 대상자로 낙점될 가능성이 높다. 청각 장애가 있는 초등학교 아이들을 대상으로

15년 이상 코치 생활을 한다는 자체가 매우 이례적이고 그 행동이 존경스러운 데다 호기심 차원에서 독자와 시청자의 많은 관심을 불러일으킬 수 있기 때문이다.

그런 의미에서 인물 인터뷰 대상자는 남들이 잘 가지 않는 길을 오랫동안 묵묵히 걸어가고 있다는 의미에서 감동을 준다. 또 그러한 길을 걸어가는 동안 스스로 깨달은 자신만의 철학을 독자들에게 전달하는 역할을 수행한다고 볼 수 있다. 그럼 다음에서는 인물 인터뷰 기사의 작성법을 알아보자.

3. 인물 인터뷰 기사의 작성 순서

인물 인터뷰 기사의 작성 순서는 지금까지 소개한 미담 및 시사 인터뷰와는 상당히 다르다. 이는 인물 인터뷰 기사가 미담 인터뷰 기사나 시사 인터뷰 기사와는 달리 기사의 첫머리를 'A1 단독 인용'으로 내보내는 양식에서 어느 정도 벗어나 있기 때문이다. 한 인물의 삶을 감동과 철학이라는 메시지로 녹여내려면 자극적인 출발과는 조금 다른 차원에서의 접근이 필요하다. 이는 방송 분량에 해당하는 글의 길이에서도 마찬가지여서 다른 인터뷰 기사들이 빠르고 짧게 진행되는 것과 달리 인물 인터뷰는 글의 호흡이 좀 더 차분하며 다소 늘어지는 경향을 보인다. 글의 첫머리가 상대적으로 밋밋하게 느껴질 수 있는 어조로 시작되는 경우도 종종 있다.

엄밀히 말하면 인물 인터뷰의 기사 작성 양식을 놓고 정형화된 형식을 설정해 소개한다는 것 자체가 어불성설이다. 음식에 비유하면 숙성된 정도에 따라 맛의 깊이가 다른 요리를 정형화된 형식으로 소개한다는 터무니없는 발상과 매한가지라고나 할까? 실제로 10개 신문사의 베테랑 기자 10명이 미담 인터뷰 기사 및 시사 인터뷰 기사를 쓴다면 그 전개 양식이 비슷하게 흘러갈 가능성이 높지만, 인물 인터뷰는 각양각색으로 전개될 것이다. 그럼에도 이 책에서는 지금까지 연습한 미담 및 시사 인터뷰 기사 작성 요령에 기초해 인물 인터뷰 기사 작성을 논하려고 한다. 이는 아직 하나의 공을 받는 것도 익숙하지 않은데 공연히 두 번째 공을 연달아 던짐으로써 자칫 두 개의 공을 모두 놓칠 수 있는 우려를 방지하기 위해서이다.

이번 장에서는 지금까지 반복한 미담 및 시사 인터뷰 기사 작성 요령을 인물 인터뷰 기사 작성에 적용해 기사 작성과 관련된 노하우를 대략적으로 기술하려고 한다.

1) 서론 I: 자신의 소신과 철학 / 알려지지 않은 과거 이야기(A1 단독 인용)

"택시 기사와 손님이 서로가 누군지 모르는 데에서부터 부당 요금 징수와 불친절 서비스가 시작됩니다."

인물 인터뷰에서는 결코 범상치 않은 삶을 살았거나 살고 있는 주인공을 중심으로 이야기를 펼쳐나가야 한다. 이 때문에 평범하지 않은 삶을 산 주인공의 시각에서 이 사회 또는 자신이 속한 세계에 대한 자신만의 단상(斷想)으로 첫머리를 장식하는 것이 가장 무난하다. 그렇게 볼 때 인물 인터뷰의 서론 역시 부드러운 느낌의 연성적인 내용보다 다소 딱딱하고 거칠 수 있는 경성적 리드가 나오기 마련이다. 여기에서 중요한 사실은 주인공의 철학에서 본받을 점이 있어야 전면에 내세울 수 있다는 것이다. 그렇지 않고 "현대사회에서도 여성은 여전히 남성의 노예"라거나 "비정규직으로 일생을 마감할 바에야 차라리 태어나지 않는 것이 낫다"와 같이 과격하고 받아들이기 힘든 문장을 단독 인용 리드로 내보낼 경우, 독자들의 거부감은 대단히 클 수밖에 없다. 그러므로 인물 인터뷰 대상자의 첫머리 단독 인용은 당사자의 말로부터 독자들이 배울 수 있는 지혜가 담긴 문장을 중심으로 엮어나가는 것이 좋다.

앞의 글은 춘천의 명물 택시 기사 허남○ 씨에 대한 인물 인터뷰이다. '인터뷰 방법' 수업에서 이 기사를 과제로 제출한 학생은 필자의 조언을 받아들여 좀 더 가다듬은 뒤 ≪오마이뉴스≫에 자신의 기사를 성공적으로 게재했다. 참고로 이 기사는 다소 오래전인 2003년에 쓰인 작품이다. 그럼 다음의 전개를 보자.

2) 서론 II: 주인공 소개 및 배경 설명

검도, 유도, 태권도와 같은 무술은 물론 미술, 음악 같은 예술에도 기초 단계에서 익혀야 하는 정형화된 형식이 있다. 가장 중요하면서도 기초인 훈련을 짧은 시간 동안 효과적으로 익힐 수 있도록 체계화된 교육 프로그램이라고나 할까? 마찬가지로 지금까지 학습한 인터뷰 기사 작성 양식도 하나의 정형화된 틀로 이해하면 된다. 이러한 형식을 충분히 습득하고 몸에 익힌 후에는 정형화된 틀에서 벗어나 자신만의 독창적인 글쓰기를 자유롭게 시도할 수 있다. 하지만 이는 역으로 말해 아직 정형화된 기본 형식에 익숙하지 않은 이들에게 자유로운 형식의 글쓰기는 시기상조라는 뜻이다.

앞서 미담 인터뷰 기사와 시사 인터뷰 기사 작성에서 첫머리의 'A1 단독 인용 리드' 다음은 육하원칙에 근거해 주인공을 소개하며 그를 만나게 된 이유를 설명하라고 했다.

> "택시 기사와 손님이 서로가 누군지 모르는 데에서부터 부당 요금 징수와 불친절 서비스가 시작됩니다."
>
> 강원도의 대표적인 관광도시 중 하나인 춘천은 주된 교통수단으로 택시가 이용되는 곳이다. 그 택시들 가운데 유독 많은 사람들이 탑승하기를 희망하는 차가 한 대 있다. 바로 허남○(46) 기사가 운행하는 택시이다.

다음은 본론이다.

3) 본론 I: A2 안긴 인용 + 현재 하는 일 요약 소개

본격적인 이야기가 시작되는 본론에서는 당연히 현재 스케치·현장 스케치에 대한 인용 또는 설명이 등장해야 한다.

> "택시 기사와 손님이 서로가 누군지 모르는 데에서부터 부당 요금 징수와 불친절 서비스가 시작됩니다."
>
> 강원도의 대표적인 관광도시 중 하나인 춘천은 주된 교통수단으로 택시가 이용

되는 곳이다. 그 택시들 가운데 유독 많은 사람들이 탑승하기를 희망하는 차가 한 대 있다. 바로 허남○(46) 기사가 운행하는 택시이다.

흔히 달리는 음악 감상실로 불리는 이 택시는 승객들이 원하는 음악을 틀어준다고 한다. 허 씨는 "대부분의 택시 기사가 자신이 좋아하는 음악이나 뉴스를 듣는데, 이것은 손님은 안중에도 없는 처사"라고 말했다. 그의 택시에서 승객들이 즐길 수 있는 서비스는 비단 음악만이 아니다. 장거리를 가는 사람들은 택시 안에 있는 시집과 소설책으로 무료한 시간을 달랠 수 있으며 뒷좌석에 마련된 껌과 사탕도 먹을 수 있다. 또 허 씨는 자신의 택시를 탔던 승객을 다시 만나게 될 경우, '행운의 동전'을 선물한다고 한다. 이것은 그가 직접 한국은행에서 바꾸어온 2003년에 제작된 100원짜리 동전이다. 하지만 이외에 승객들이 가장 좋아하는 것은 택시의 내부 장식이라고 한다.

이 글에서는 안긴 인용과 현재 하는 일 소개의 순서가 바뀌어 있다. 또 서론 이후의 'A2 안긴 인용'도 엄격하게 지키지 않고 있다. 그래도 전반적인 글의 흐름에는 별 문제가 없어 보인다. 단독 리드가 어떤 이야기의 중간에서 끊어지는 것이 아니라 한 문장으로도 이해가 가능한 하나의 철학이기 때문이다. 예를 들어 미담 인터뷰에서는 "남들이 저더러 목욕 천사래요"라는 자신의 별명과 관계된 단독 인용문을 앞세우거나 "판소리와 사물놀이에는 기막힌 시장성이 있습니다"와 같은 문장을 내놓았다면, 반드시 'A2 안긴 인용'으로 이를 풀어주거나 이어줘야 한다. 하지만 이 글은 이미 리드에 "택시 기사와 손님이 서로가 누군지 모르는 데에서부터 부당 요금 징수와 불친절 서비스가 시작됩니다"라는 한 택시 기사의 철학이 인과적 설명을 통해 다 나와 있다. 따라서 굳이 맥락을 이으려고

'A2 안긴 인용'을 동원할 필요가 없다는 말이다. 그럼 이번엔 본론 II로 넘어가 보자.

4) 본론 II: 현재 스케치 또는 현장 스케치

앞에서 택시 기사로서 자신의 운전 철학과 함께 현재 하는 일을 간단히 설명했다. 그렇다면 이제부턴 인물 인터뷰의 백미(白眉)에 해당하는 현재 스케치 또는 현장 스케치이다. 인물에 따라 사안이 다를 수 있지만 택시 기사의 경우는 현장 스케치가 사실상 불가능할 수밖에 없다. 합승이 법적으로 금지된 상황에서 손님의 양해를 얻어 같이 동행하면서 취재를 병행하기가 곤란하기 때문이다. 마찬가지로 수십 년 경력의 예술인이나 무형문화재 장인을 인터뷰하더라도 현재 진행 중인 공연이나 일감이 없다면 현장 스케치는 실리기가 어렵다. 이럴 경우에는 현장 스케치를 대신할 수 있을 정도로 자세하고 구체적인 현재 스케치가 필요하다. 이른바 이미지의 대용이라고나 할까? 참고로 현재 스케치란 현재의 일상사를 소개하는 글로, 일터에서 벌어지는 작업 상황을 실시간으로 소개하는 현장 스케치와 달리 주인공의 반복적인 삶에 대한 개괄적인 안내를 담당한다.

"택시 기사와 손님이 서로가 누군지 모르는 데에서부터 부당 요금 징수와 불친절 서비스가 시작됩니다."

강원도의 대표적인 관광도시 중 하나인 춘천은 주된 교통수단으로 택시가 이용되는 곳이다. 그 택시들 가운데 유독 많은 사람들이 탑승하기를 희망하는 차가 한

대 있다. 바로 허남○(46) 기사가 운행하는 택시이다.

흔히 달리는 음악 감상실로 불리는 이 택시는 승객들이 원하는 음악을 틀어준다고 한다. 허 씨는 "대부분의 택시 기사가 자신이 좋아하는 음악이나 뉴스를 듣는데, 이것은 손님은 안중에도 없는 처사"라고 말했다. 그의 택시에서 승객들이 즐길 수 있는 서비스는 비단 음악만이 아니다. 장거리를 가는 사람들은 택시 안에 있는 시집과 소설책으로 무료한 시간을 달랠 수 있으며 뒷좌석에 마련된 껌과 사탕도 먹을 수 있다. 또 허 씨는 자신의 택시를 탔던 승객을 다시 만나게 될 경우, '행운의 동전'을 선물한다고 한다. 이것은 그가 직접 한국은행에서 바꾸어온 2003년에 제작된 100원짜리 동전이다. 하지만 이외에 승객들이 가장 좋아하는 것은 택시의 내부 장식이라고 한다.

지난해 가을, 운행 도중 길거리에 날리고 있는 낙엽을 보게 된 허 씨는 "대부분의 손님들은 낙엽 밟을 시간이 없을 것"이라고 생각하여 택시 바닥에 은행잎을 깔아놓았다. 그는 "어떤 아주머니들은 서로에게 은행잎을 던지며 즐거워했다"면서 "한 손님이 겨울에는 눈을 깔아놓을 거냐고 하길래 나중에는 바닥을 솜으로 덮었다"고 말했다. 현재는 솜을 깔고 그 위에 은행잎, 꽃, 조개 등을 올려놓은 상태라고 한다.

허 씨는 그 무엇보다도 자신이 시행하고 있는 '서비스 실명제'를 강조했다. 이것은 택시 기사와 승객에게 자신이 누구인지를 알리는 서비스이다. "승객들에게 내 소개와 함께 명함을 나눠주고 있다"고 말한 그는 "나와 손님이 서로가 누군지를 알게 되면 분실물을 찾아줄 수도 있고, 내 자신이 불친절한 행동을 할 수도 없게 된다"고 그 의도를 밝혔다.

또 허 씨는 명부를 만들어 승객들의 이름과 전화번호, 승차 일지 등을 기록해놓고 있다. 이렇게 하면 손님이 명함을 잃어버렸을 경우 자신이 먼저 연락을 해서 분실물을 찾아줄 수 있기 때문이다. 그리고 온라인상에 카페를 개설하여 가입된 회원들과 지속적인 만남의 기회를 가진다고 한다. 현재 카페에 가입된 회원은 1,053명. 그는 "춘천이 아닌 다른 지역과 외국에 사는 사람들도 많다"고 했다.

하지만 허 씨가 이렇듯 손님을 위한 서비스에만 관심을 가지는 것은 아니다. 그는 택시의 앞자리에 돼지 저금통을 놓고 어려운 이웃을 위해 성금을 모으기도 한다. 허 씨는 "손님이 잔돈을 받지 않고 가는 경우에 생기는 수입이나 콜택시로 운행할 경우 받는 콜비 1천 원을 모두 저금통에 넣고 있다"면서 "지금은 자발적으로 동전을 넣어주는 손님들도 많아졌다"고 말했다.

지금까지 이렇게 쓰인 돼지 저금통은 모두 44개. 그는 그렇게 모인 성금을 강원도 인제의 '사랑의 집' 양로원과 주위에 있는 몇몇 어려운 학생들을 돕는 데 썼다고 한다. 허 씨는 현재 춘천 서면에서 살고 있는 세 명의 고아 자매를 돕고 있다. 그는 "카페 회원들과 모임을 가질 때마다 다 같이 그 아이들에게 찾아가 저금통을 전달해주고 온다"고 말했다.

이 기사에서는 무려 다섯 문단에 걸쳐 현재 하고 있는 일을 기술하고 있다. 이전에 서론과 본론 I의 총분량이 세 문단이었던 점에 비춰보면 거의 배에 가까운 분량을 현재 스케치에 쏟아붓는 셈이다.

5) 본론 III: 현재와 연관된 과거 소개

미담 인터뷰를 통해 특히 강조했던 내러티브의 전개 순서상 이제 과거 이야기가 나올 때가 됐다. 평범한 과거를 가진 사람이 독특한 택시 운행 철학을 지니며 남 돕는 일에까지 적극 나설 이유는 없다. 그렇다면 이젠 동기까지는 아니더라도 범상치 않은 인물이 된 데에 대한 개인의 과거사가 나올 차례다.

"택시 기사와 손님이 서로가 누군지 모르는 데에서부터 부당 요금 징수와 불친절 서비스가 시작됩니다."

강원도의 대표적인 관광도시 중 하나인 춘천은 주된 교통수단으로 택시가 이용되는 곳이다. 그 택시들 가운데 유독 많은 사람들이 탑승하기를 희망하는 차가 한 대 있다. 바로 허남○(46) 기사가 운행하는 택시이다.

흔히 달리는 음악 감상실로 불리는 이 택시는 승객들이 원하는 음악을 틀어준다고 한다. 허 씨는 "대부분의 택시 기사가 자신이 좋아하는 음악이나 뉴스를 듣는데, 이것은 손님은 안중에도 없는 처사"라고 말했다. 그의 택시에서 승객들이 즐길 수 있는 서비스는 비단 음악만이 아니다. 장거리를 가는 사람들은 택시 안에 있는 시집과 소설책으로 무료한 시간을 달랠 수 있으며 뒷좌석에 마련된 껌과 사탕도 먹을 수 있다. 또 허 씨는 자신의 택시를 탔던 승객을 다시 만나게 될 경우, '행운의 동전'을 선물한다고 한다. 이것은 그가 직접 한국은행에서 바꾸어온 2003년에 제작된 100원짜리 동전이다. 하지만 이외에 승객들이 가장 좋아하는 것은 택시의 내부 장식이라고 한다.

지난해 가을, 운행 도중 길거리에 날리고 있는 낙엽을 보게 된 허 씨는 "대부분의 손님들은 낙엽 밟을 시간이 없을 것"이라고 생각하여 택시 바닥에 은행잎을 깔아놓았다. 그는 "어떤 아주머니들은 서로에게 은행잎을 던지며 즐거워했다"면서 "한 손님이 겨울에는 눈을 깔아놓을 거냐고 하길래 나중에는 바닥을 솜으로 덮었다"고 말했다. 현재는 솜을 깔고 그 위에 은행잎, 꽃, 조개 등을 올려놓은 상태라고 한다.

허 씨는 그 무엇보다도 자신이 시행하고 있는 '서비스 실명제'를 강조했다. 이것은 택시 기사와 승객에게 자신이 누구인지를 알리는 서비스이다. "승객들에게 내 소개와 함께 명함을 나눠주고 있다"고 말한 그는 "나와 손님이 서로가 누군지를 알게 되면 분실물을 찾아줄 수도 있고, 내 자신이 불친절한 행동을 할 수도 없게 된다"고 그 의도를 밝혔다.

또 허 씨는 명부를 만들어 승객들의 이름과 전화번호, 승차 일지 등을 기록해놓고 있다. 이렇게 하면 손님이 명함을 잃어버렸을 경우 자신이 먼저 연락을 해서 분실물을 찾아줄 수 있기 때문이다. 그리고 온라인상에 카페를 개설하여 가입된 회원들과 지속적인 만남의 기회를 가진다고 한다. 현재 카페에 가입된 회원은 1,053명. 그는 "춘천이 아닌 다른 지역과 외국에 사는 사람들도 많다"고 했다.

하지만 허 씨가 이렇듯 손님을 위한 서비스에만 관심을 가지는 것은 아니다. 그는 택시의 앞자리에 돼지 저금통을 놓고 어려운 이웃을 위해 성금을 모으기도 한다. 허 씨는 "손님이 잔돈을 받지 않고 가는 경우에 생기는 수입이나 콜택시로 운행할 경우 받는 콜비 1천 원을 모두 저금통에 넣고 있다"면서 "지금은 자발적으로 동전을 넣어주는 손님들도 많아졌다"고 말했다.

지금까지 이렇게 쓰인 돼지 저금통은 모두 44개. 그는 그렇게 모인 성금을 강원도 인제의 '사랑의 집' 양로원과 주위에 있는 몇몇 어려운 학생들을 돕는 데 썼다고 한다. 허 씨는 현재 춘천 서면에서 살고 있는 세 명의 고아 자매를 돕고 있다. 그는 "카페 회원들과 모임을 가질 때마다 다 같이 그 아이들에게 찾아가 저금통을 전달해주고 온다"고 말했다.

지난 1983년 현대건설에 입사했던 그는 이후에 고려산업개발의 외주 업체로 사업을 시작했다. 그러나 IMF 시절 회사의 부도로 모든 재산을 잃게 된 허 씨는 지난 2001년 6월, 고향인 춘천으로 돌아와 택시 기사를 시작했다고 한다. 그는 "당시 어릴 적 친구들이 고향의 발전에 이바지하는 것을 보면서 내 자신의 처지에 대해 많은 갈등을 겪었다"고 말했다. 그러나 허 씨는 "내가 처한 위치에서나마 고향 분들에게 보답하고 싶었다"며 "비록 택시를 운전하지만 최선을 다해서 친절하게 손님을 모시려고 다짐했다"고 말했다.

드디어 마무리다. 깔끔한 결론은 음식 코스 요리의 디저트에 해당한다. 마지막 인상을 좌지우지할 디저트 말이다.

6) 결론: 삶의 철학에 대한 정리 또는 앞으로의 계획 및 희망

"택시 기사와 손님이 서로가 누군지 모르는 데에서부터 부당 요금 징수와 불친절 서비스가 시작됩니다."

강원도의 대표적인 관광도시 중 하나인 춘천은 주된 교통수단으로 택시가 이용되는 곳이다. 그 택시들 가운데 유독 많은 사람들이 탑승하기를 희망하는 차가 한 대 있다. 바로 허남ㅇ(46) 기사가 운행하는 택시이다.

흔히 달리는 음악 감상실로 불리는 이 택시는 승객들이 원하는 음악을 틀어준다고 한다. 허 씨는 "대부분의 택시 기사가 자신이 좋아하는 음악이나 뉴스를 듣는데, 이것은 손님은 안중에도 없는 처사"라고 말했다. 그의 택시에서 승객들이 즐길 수 있는 서비스는 비단 음악만이 아니다. 장거리를 가는 사람들은 택시 안에 있는 시집과 소설책으로 무료한 시간을 달랠 수 있으며 뒷좌석에 마련된 껌과 사탕도 먹을 수 있다. 또 허 씨는 자신의 택시를 탔던 승객을 다시 만나게 될 경우, '행운의 동전'을 선물한다고 한다. 이것은 그가 직접 한국은행에서 바꾸어온 2003년에 제작된 100원짜리 동전이다. 하지만 이외에 승객들이 가장 좋아하는 것은 택시의 내부 장식이라고 한다.

지난해 가을, 운행 도중 길거리에 날리고 있는 낙엽을 보게 된 허 씨는 "대부분의 손님들은 낙엽 밟을 시간이 없을 것"이라고 생각하여 택시 바닥에 은행잎을 깔아놓았다. 그는 "어떤 아주머니들은 서로에게 은행잎을 던지며 즐거워했다"면서 "한 손님이 겨울에는 눈을 깔아놓을 거냐고 하길래 나중에는 바닥을 솜으로 덮었다"고 말했다. 현재는 솜을 깔고 그 위에 은행잎, 꽃, 조개 등을 올려놓은 상태라고 한다.

허 씨는 그 무엇보다도 자신이 시행하고 있는 '서비스 실명제'를 강조했다. 이것은 택시 기사와 승객에게 자신이 누구인지를 알리는 서비스이다. "승객들에게 내 소개와 함께 명함을 나눠주고 있다"고 말한 그는 "나와 손님이 서로가 누군지를 알게 되면 분실물을 찾아줄 수도 있고, 내 자신이 불친절한 행동을 할 수도 없게 된다"고 그 의도를 밝혔다.

또 허 씨는 명부를 만들어 승객들의 이름과 전화번호, 승차 일지 등을 기록해놓고 있다. 이렇게 하면 손님이 명함을 잃어버렸을 경우 자신이 먼저 연락을 해서 분실물을 찾아줄 수 있기 때문이다. 그리고 온라인상에 카페를 개설하여 가입된 회원들과 지속적인 만남의 기회를 가진다고 한다. 현재 카페에 가입된 회원은 1,053명. 그는 "춘천이 아닌 다른 지역과 외국에 사는 사람들도 많다"고 했다.

하지만 허 씨가 이렇듯 손님을 위한 서비스에만 관심을 가지는 것은 아니다. 그는 택시의 앞자리에 돼지 저금통을 놓고 어려운 이웃을 위해 성금을 모으기도 한다. 허 씨는 "손님이 잔돈을 받지 않고 가는 경우에 생기는 수입이나 콜택시로 운행할 경우 받는 콜비 1천 원을 모두 저금통에 넣고 있다"면서 "지금은 자발적으로 동전을 넣어주는 손님들도 많아졌다"고 말했다.

지금까지 이렇게 쓰인 돼지 저금통은 모두 44개. 그는 그렇게 모인 성금을 강원도 인제의 '사랑의 집' 양로원과 주위에 있는 몇몇 어려운 학생들을 돕는 데 썼다고 한다. 허 씨는 현재 춘천 서면에서 살고 있는 세 명의 고아 자매를 돕고 있다. 그는 "카페 회원들과 모임을 가질 때마다 다 같이 그 아이들에게 찾아가 저금통을 전달해주고 온다"고 말했다.

지난 1983년 현대건설에 입사했던 그는 이후에 고려산업개발의 외주 업체로 사업을 시작했다. 그러나 IMF 시절 회사의 부도로 모든 재산을 잃게 된 허 씨는 지난 2001년 6월, 고향인 춘천으로 돌아와 택시 기사를 시작했다고 한다. 그는 "당시 어릴 적 친구들이 고향의 발전에 이바지하는 것을 보면서 내 자신의 처지에 대해 많은 갈등을 겪었다"고 말했다. 그러나 허 씨는 "내가 처한 위치에서나마 고향 분들에게 보답하고 싶었다"며 "비록 택시를 운전하지만 최선을 다해서 친절하게 손님을 모시려고 다짐했다"고 말했다.

그의 택시 안에는 '손님에 대한 세 가지 약속' 이 적힌 안내문이 있다. 첫째, 주인님(손님)을 먼저 배려하는 친절한 택시. 둘째, 아늑한 분위기 속에서 즐겁고 편안하게 손님을 모시는 택시. 마지막 셋째로, 삶의 의미를 느낄 수 있는 정이 있는 택시를 만들겠다는 것이 그의 약속이다. 허 씨는 "손님의 오감을 충족시켜줄 수 있는 토털 서비스를 이루고 싶다"고 밝히며 "다른 택시 기사들도 손님들을 위해 이러한 서비스를 할 수 있어야 한다"고 말했다. 나중에 후배들을 위해 친절 서비스에 대한 책을 내고 싶다는 그의 바람이 이루어지길 기대해본다.

:: 여기서 잠깐! ::

"마침표는 한 문장에 여러 개를 쓸 수 있다."

"아니다. 마침표는 한 문장에 무조건 하나만 써야 한다."

몇 해 전 ≪경남도민일보≫ 편집국에서 마침표 논쟁이 불거진 적이 있다. 인용문을 안고 있는 문장에서 인용문에 종결어미가 있다면 마침표를 붙여야 하는가를 놓고, 교열 기자들 간에 이견(異見)이 발생한 것이다. 결국 블로그상으로까지 번진 마침표 논쟁에서 ≪경남도민일보≫가 내린 결론은 '한 문장에서는 마침표를 하나만 찍어야 한다'이다. 다시 말해 다음의 ①번처럼 쓰기보다 ②번처럼 한 문장에 마침표 하나만 찍기로 결정한 것이다.

① 식사를 마치면 꼭 "잘 먹었습니다."라고 말하는 것이 예절이다.

② 식사를 마치면 꼭 "잘 먹었습니다"라고 말하는 것이 예절이다.

필자도 저서『한국인의 글쓰기』(2007)와『A+ 글쓰기』(2008)에서 문장부호에 대해 두 차례에 걸쳐 일성을 토한 적이 있다. 이번에는 마침표 사용법으로 미처 못 다 한 이야기를 계속해보려고 한다.

한글맞춤법의 '문장부호' 편을 보면 '온점의 경우, 서술, 명령, 청유 등을 나타내는 문장 끝에 붙인다'라는 설명이 있다. 여기에서 말하는 '온점'이란 우리가 마침표로 알고 있는 부호의 정식 명칭이다. 그러고 보면 마침표의 기능을 하고 있는 또 다른 부호로는 느낌표와 물음표를 들 수 있다. 그런 의미에서 윗글의 서두에 등장하는 마침표는 엄밀한 의미에서 '온점'이라고 써야 옳다.

한글맞춤법이 예시하고 있는 '문장 끝에 붙인다'는 규정은 어떤 종류의 문장 끝을 의미하는지 분명하지 않아 혼란을 가중시킨다. 언론사마다 제각기 편의에 따라

한 문장 내에서도 '온점'을 하나 또는 둘 이상 사용하는 이유가 여기에 있다.

결론적으로 이야기하자면, 필자의 경우에는 ≪경남도민일보≫의 예와 마찬가지로 '온점'을 한 문장에 하나만 붙일 것을 권한다. 이와 함께 '온점'의 위치와 관련된 요령을 덧붙이자면, 인용문을 포함한 문장을 마칠 때는 "안녕하세요."에서와 같이 큰따옴표 안에 넣어야 한다. 다시 말해 "안녕하세요".처럼 큰따옴표 바깥에 '온점'을 찍는 행위는 매우 부자연스러워 보인다. 하지만 이에 대한 정확한 규정 역시 아직까지는 없다.•

• 이 글은 필자가 쓴 책에서 인용한 것이다(심훈, 2010: 107~108).

:: 연습 문제 ::

다음은 인물 인터뷰의 문답 노트이다. 여러분이 취재를 통해 얻어낸 자료라고 가정하고 문답 노트를 토대로 인물 인터뷰 기사를 써보자.

인터뷰 날짜: 8월 2일

장소: 춘천 한림대 안 커피숍 '그라치에'

이름과 나이는?

최영○(崔榮○·46)이다.

직업은?

프로 골퍼이다.

소속사가 있나?

아니다. 현재 춘천 ○○동에서 실내 골프 연습장을 운영하고 있다.

듣자 하니 오른팔이 의수라던데.

맞다. 그래서 왼팔 하나만으로 골프를 한다.

프로 골퍼가 되기 전에는 무엇을 했나?

자동차가 좋아 카레이서가 되는 것이 꿈이었다. 그래서 자동차를 다룰 수 있는 정비 공장에 취직하려고 했다. 그러나 정비 공장에 취직하기가 쉽지 않아 플라스틱 용기를 만드는 공장에 취직했었다.

오른손과 관련한 사고는 언제 일어났나?

플라스틱 공장에서 용기 사출 작업을 하던 중 프레스에 오른팔이 딸려 들어가 결국 오른팔을 잃었다. 세상이 끝장난 줄 알았다.

당시 나이는?

스무 살이었다.

골프를 시작하게 된 동기는?

일자리를 주는 곳이 없어 하루하루를 실의에 빠져 자포자기의 심정으로 살았다. 그러자 보다 못한 큰형이 여기저기 수소문해 부천에 있는 어느 골프장의 잡부 일을 할 수 있게 되었다. 그때부터 골프에 관심을 갖게 됐다.

연습하는 것이 쉽지 않았을 텐데 가장 힘든 점을 꼽아보자면?

낮에는 일을 해야 하니 남들이 자는 밤 시간대에 연습할 수밖에 없었다. 하지만 진짜 힘들었던 것은 한 손으로 칠 수 밖에 없어 공을 칠 때의 충격이 한 손에만 전달되니 손에 쉽게 피멍이 들고 갈비뼈가 몇 대씩 부러져 나갔다는 것이다.

정식 레슨을 받은 적은?

없다. 혼자 수십 권의 책과 비디오를 보며 연습했다. 장애인을 위한 교본이 없어 스스로 터득해나갔다.

현재 춘천에서 골프 연습생들에게 인기가 높다던데.

골프의 세계에서는 오로지 근면, 성실이 최상의 약이다. 가급적 최선을 다해 학생들을 지도한 게 좋은 평가를 받은 이유인 것 같다.

활동 중인 제자는?

배경○(여·18), 김○(신○ 소속·여·23) 등이 있다. 배경○는 열다섯 살에 국내 프로에 입문해, 협회가 '나이 제한 규정'을 만들었을 정도다. 김○는 현재 미국에서 활동하고 있다.

최근 매스컴에서도 심심찮게 보도되고 있는데.

얼마 전 내 사연을 주제로 한 토크쇼에 출연했다. 또 정기적으로 골프 클리닉 프로그램에도 얼굴을 내밀고 있다.

프로 골퍼가 되기까지 가장 어려운 일이 있었다면?

자격증 시험을 치르기 위해 응시했으나, 장애인이란 이유로 1차 심사에서 탈락됐을 때가 가장 속상했다. 결국 논란 끝에 심사 위원들의 회의를 거쳐, 응시 자격을 부여받아 프로 골퍼 시험을 치를 수 있었다. 이혼했다는 사실도 프로 골퍼 자격 취득 후 취업하는 데 큰 장애가 됐다. 그러나 결국 모든 역경을 물리치고 오늘 이 자리에 서 있다.

앞으로의 꿈이 있다면?

현재 여건이 되지 않아 프로 대회에 자주 출전할 순 없지만 언젠가는 꼭 프로 대회에서 우승을 하고 싶다. 그래서 팔 없는 장애인들에게도 '할 수 있다'는 꿈을 심어주고 싶다.

정답 ☞

반드시 정답이라기보다 앞선 취재 노트를 어떻게 기사로 만들 수 있는지의 예로 읽어주기 바란다. 이번에는 앞서 연습했던 바와 달리, 글의 전개 양식을 다소 바꿔 본론에서는 현재 스케치나 현장 스케치 대신, 주인공의 과거사를 훑어 올라가는 것으로 카메라의 시점을 이동해보았다.

"오른팔을 잃었을 때는 정말 세상이 끝난 줄 알았습니다."

강원도 춘천시의 최영○(46) 프로 골퍼는 남다른 이력으로 지역 사회에서 꽤 유명한 인사다. 다름 아닌 외팔이 프로 골퍼인 까닭이다. 현재 춘천 ○○동에서 실내 골프 연습장을 운영하고 있는 그를 지난 2일 한림대의 한 카페에서 만나 범상치 않은 그의 인생에 대해 이야기를 나눠봤다.

"플라스틱 공장에서 용기 사출 작업을 하던 중 프레스에 오른팔이 딸려 들어갔다"라며 자신의 장애 사연을 설명하기 시작한 그는 "결국 당시의 사고로 오른팔을 잃었다"고 말문을 열었다. 원래는 "자동차가 좋아 카레이서가 되는 것이 꿈이었다"는 그는 "자동차를 다룰 수 있는 정비 공장에 취직하고 싶었다"고 한다. 하지만 당시 자동차 정비 공장에 취직하기가 쉽지 않아 결국 플라스틱 용기를 만드는 공장에 취직했다가 그만 생각지도 못한 봉변을 당하고 말았다. "외팔이 장애인에게 일자리를 주는 곳이 없어 하루하루를 실의에 빠져 살았다"며 사고 이후를 회상한 그는 "결국 보다 못한 큰형의 도움으로 부천에 있는 어느 골프장에서 잡부 일을 시작할 수 있게 되었다"고 한다.

그렇게 골프와 첫 인연을 맺기 시작한 그에게 골프란 결코 녹록한 운동이 아니었다. 낮에는 골프장에서 일을 해야 했기에 남들이 자는 밤중에 골프채를 잡은 그는 "한 손으로 칠 수밖에 없어 충격이 고스란히 한 손으로만 전달되다 보니 손에 쉬이 피멍이 들고 갈비뼈가 몇 대씩 부러져 나갔다"고 담담하게 말한다. 하지만 정식 레슨을 받을 형편이 못돼 "혼자 수십 권의 책과 비디오를 보며 연습했다"는 그이다. "장애인을 위한 교본이 없어 스스로 터득해나갔다"는 최 씨는 드디어, 골프 실력이 어느 정도의 수준에 오르자 프로 골퍼가 되기 위한 문을 두드렸다. 하지만 또 다른 시련이 그를 기다리고 있었다고 한다. 자격증 시험을 치르기 위해 응시했으나, 장애인이란 이유로 1차 심사에서 탈락됐기 때문이다. 결국 논란 끝에 심사위원들의 회의를 거쳐, 응시 자격을 부여받아 프로 골퍼 시험을 치를 수 있었다.

현재 춘천의 골프 연습생들 사이에서 높은 인기를 누리고 있는 최영○ 프로 골퍼는 "골프의 세계에서 오로지 근면, 성실이 최상의 약"이라고 강조하며 "가급적 최선을 다해 학생들을 지도한 게 좋은 평가를 받은 이유인 것 같다"고 계면쩍게 나름대로의 이유를 알려준다. 현재 활동 중인 제자로는 "배경○(여·18), 김○(신○ 소속·여·23) 등이 있다"고 귀띔해준 그는 또 "배경○의 경우는 열다섯 살에 국내 프로에 입문해 협회가 '나이 제한 규정'을 만들었을 정도"라고 자랑스럽게 밝힌다.

이런 그의 사연이 매스컴에서도 심심찮게 보도되면서 최영○ 프로 골퍼는 얼마 전 자신의 인생을 주제로 한 토크쇼에도 출연했다. 또 정기적으로 골프 클리닉 프로그램에도 얼굴을 내밀고 있다.

마지막으로 앞으로의 꿈에 대해 묻는 기자에게 그는 "언젠가는 꼭 국내 프로 대회에서 우승을 하고 싶다"며 "손이나 발이 불편한 장애인들에게도 '할 수 있다'는 꿈을 심어주고 싶다"는 말로 인터뷰를 마쳤다.

08

자기 인터뷰 글쓰기

1. 서류 전형의 또 다른 경쟁력, 자기 인터뷰 기사

지금까지 미담, 시사, 인물 인터뷰와 관련된 기사 작성 요령을 알아봤다. 이제 인터뷰 기사 작성과 관련된 글의 흐름은 어느 정도 익숙해졌을 터이다. 그렇다면 앞에서 배운 기사 작성 노하우를 토대로 자기 인터뷰 기사를 써보자.

취업난이 가중되는 불경기에 대기업을 위시한 중견 기업의 1차 서류 전형을 통과하기도 갈수록 어려워지고 있다. 이에 따라 학점과 토익은 물론, 텝스(TEPS),* 한국어 능력 시험, 해외 어학연수 등에 이르기까지 스펙 구비의 조건도 다양해지고 있을 뿐만 아니라 기준도 점차 높아지고

---

* 서울대학교 언어교육원이 주관하는 영어능력 검정시험으로, 'Test of English Proficiency developed by Seoul National University'의 약자이다.

있다. 이런 가운데 굳이 스펙까지 가지 않더라도 잘 다듬은 자기소개서 하나만으로 상대의 이목을 충분히 사로잡을 수 있다. 따라서 입사 지원서에 포함된 자기소개서를 허투루 쓰지 않는 세심함이 필요하다. 그런 의미에서 이력서 내의 자기소개서는 수많은 경쟁자 속에서 자신의 존재를 부각시킬 수 있는 대단히 소중한 기회이다. 자기소개서를 대필해주는 사설 기관까지 등장한 작금의 현실은 자기소개서가 얼마나 중요한지 잘 보여준다.

이왕 자기소개서를 쓸 바에는 기사 작성 요령에서 배운 글쓰기 노하우를 바탕으로 자신에 대한 소개 글을 인터뷰 기사 형식으로 쓰는 것도 남들과 차별화하는 방법일 것이다. 무엇보다 자기 자신에 대해 본인만큼 잘 아는 이가 없기에 전달하려는 사실을 가장 효과적으로 기사화할 수 있는 이도 결국 자신이다.

필자는 인터뷰 수업 시간에 첫 번째 과제로 수강생들에게 자기소개서를 형식의 구애 없이 써오도록 하고 있다. 조건은 자신이 입사하고 싶은 회사를 상대로 – 만약에 들어가고 싶은 곳이 있다면 – 해당 회사의 총무부에 자기소개서를 제출하도록 상정하는 것이다. 그러면 학생들은 자신만의 고유 번호로 – 이름 대신 1234 같은 번호를 사용해 – 자신에 대한 소개서를 써온다. 물론 필자는 그러한 자기소개서만으로 해당 학생이 입사와 관련해 얼마나 준비가 잘돼 있는지 판단한다. 그리고 심사자의 입장에서 1차 서류 면접 '합격', '불합격', '유보' 세 종류의 도장 가운데 하나를 찍어서 돌려준다. 이렇게 1차 서류 면접에 합격한 학생과는 상담 일자를 잡아서 해당 학생이 앞으로 준비해야 할 사항이 무엇인지 좀 더 구체적으로 조언을 해준다. 물론 1차 서류 면접에서 떨어진 학생들에게는 그런 기회조차 없다.

필자의 '인터뷰 방법' 수업에서 학생들이 제출해야 하는 기사는 크게 4개인데 미담 인터뷰 기사, 시사 인터뷰 기사, 인물 인터뷰 기사, 그리고 자기 인터뷰 기사이다. 이른바 또 다른 버전의 자기소개서라고나 할까? 실제로 자기소개 인터뷰 기사는 학생들의 기업 입사 면접 시 상당한 효과를 발휘하고 있다. 대학 졸업 이후 성공적으로 취업한 학생들이 전하길, 많은 경우 면접관이 "자기소개 인터뷰 기사를 흥미롭게 보았다"며 자기소개 기사를 직접 쓰고 편집까지 마친 자체가 이미 언론과 관련된 취재, 사진 촬영, 기사 작성 및 편집 등의 숙련도를 총체적으로 알려주는 훌륭한 척도 기능을 수행했다고 전했다. 따라서 학기가 진행되면 학생들은 자기소개 인터뷰 기사를 작성하기 위해 학기 초에 필자에게 제출해 코멘트를 받았던 자기소개서를 기본적인 취재 노트로 활용해 다시 자기소개 인터뷰 기사를 쓰게 된다.

2. '구체적으로' 보여주기

필자의 '인터뷰 방법' 수업은 매 학기 평균 15명 안팎의 학생이 수강한다. 그중 자기소개서를 통해 입사 희망 기업의 1차 서류 전형을 통과하는 사례는 보통 3~4명에 불과하다. 그렇다면 자기소개 기사 작성을 떠나 자기소개서 작성 시에 염두에 두어야 할 사항은 무엇일까? 먼저 다음의 세 가지 자기소개서를 보자.

①

저는 사람들은 누구나 주인공이 되길 바란다고 생각합니다. 혹자는 대중의 관심과 사랑을 받는 연예인이 최고의 직업이라고 말합니다. 그들은 자신의 삶의 주인공이자, 미디어가 지배하는 오늘날 주인공의 삶을 살고 있습니다. 저 또한 제 삶의 주인공이 되기 위해 진로를 고민해왔습니다. 그 결과 저는 대한민국 최고 언론사인 ≪조선일보≫에 지원한 것입니다.

넓게는 전 세계, 좁게는 대한민국의 다양한 정보를 이 세상 누구보다 먼저 알고 또 그것을 대중에게 알리는 직업, 기자. 이 때문에 제 삶의 주인공이 되기 위해 기자가 되려고 합니다.

저는 한림대에서 언론을 전공했으며, 기자 생활을 하신 교수님들로부터 기사를 작성하는 실습을 받았습니다. 기본적인 스트레이트 기사부터 건강 관련 기사에 이르기까지 다양한 기사를 작성해봤습니다. 3학년 때 작성한 자전거에 관한 기사는 ≪강원희망신문≫에도 실렸습니다. 대학 시절 언론을 전공했기에 타과 전공자보다는 일을 배움에 있어 좀 더 빠르게 적응할 수 있다고 확신합니다.

제 신조가 '세상의 모든 것을 경험해보자'입니다. 그 때문에 대한민국 전국은 물론 해외 10여 개 국가도 다녀왔습니다. 저는 다양한 문화를 접해봤고 새로운 것을 접하는 것을 두려워하지 않습니다. 저의 이러한 모습이 발로 뛰는 기자에겐 큰 무기가 될 것이라고 생각합니다.

영어 점수도 보통이며 특별한 수상 경력 또한 없습니다. 내세울 것은 학부 시절 배운 전공 지식과 기사 작성 실습을 통한 실무형 공부를 했다는 것입니다. 매우 부족하지만 저의 기사를 보시고 가능성을 확인해주시기 바랍니다.

②

한겨레신문사 취재 수습기자에 지원합니다. 저는 한림대 언론 전공 학사를 취득했습니다. 대학 시절 신문 기사 작성, 방송 뉴스를 제작하는 등의 실무 위주 전공을 많이 수강해 좋은 성적을 거뒀습니다. 또 귀사가 1차 전형에서 요구하는 KBS 한국어능력시험 자격증도 준비하고 있습니다.

저는 대학 생활을 하면서 매일 신문을 읽었습니다. 따라서 시사 상식과 교양이 자연스럽게 쌓였고, 그 결과 귀사에 지원할 수 있는 밑거름이 되었습니다. 대학교를 다닐 때 학교 신문사인 학보사에서 일한 경험이 있습니다. 한 학기는 편집부에서 일했지만 이후 취재부로 전향해 기사를 썼습니다. 학내 여러 출입처를 돌아다니며 취재원들을 어떻게 대해야 하는지 배우게 됐고, 매주 신문을 만들면서 동료 기자들과 유대감도 쌓았습니다. 특히 신문이 발행되는 전 과정에 참여함으로써 취재와 편집 두 분야에 다양한 지식을 쌓을 수 있었습니다. 기사를 어떻게 배치해야 독자들이 더 보기 좋을지 고민하고, 직접 발로 뛰어다니며 취재를 했을 때 '기자는 어느 부서에 있든지 간에 참 매력 있는 직업이구나'라고 생각했습니다.

학보사 수습기자로 있었을 때는 '학보사 수습이 이 정도로 힘든데, 정말 내가 언론사에 수습기자로 취직하게 되면 얼마나 힘들까?'라고 생각했었습니다. 하지만 돌이켜보니 수습기자 시절은 제가 학생기자로 한 뼘 더 성장하게 해준 때였습니다. 그때의 경험이 밑거름이 돼 정기자가 됐을 때 기사를 한결 수월하게 쓸 수 있었습니다. 또 처음 취재원을 대할 때는 소심하고 적극적이지 못했는데, 교수님들과 학우들을 많이 취재하다 보니 점점 친밀하고 적극적으로 대할 수 있었습니다. 저의 이러한 학보사 경험은 귀사에서 기자로 일하는 것에 큰 밑바탕이 될 것입니다.

대학 전공 '신문취재보도 기초' 수업 시간에 르포 기사를 쓸 때 교수님께서 갑자기 "지금 당장 학생회관 식당으로 가서 학생들과 영양사들에게 우리 대학 식당의 만족도에 대해 취재해 오라"고 하셨습니다. 강의실에 있던 학생들 모두가 당황했지만, 저는 학생회관으로 가서 식사를 하는 학생들에게 음식의 질과 양, 위생, 영양에 대해 취재했습니다. 또 식당 영양사에게 식사의 질, 양, 위생, 영양 등이 적당한 수준인지, 학생들이 불만족스러워 하는 사항들을 알고 있는지에 대해 자세히 취재해 르포 기사를 성공적으로 작성했습니다. 함께 수업을 듣던 몇몇 학생들은 식당에서 어떻게 취재를 해야 할지 몰라 우왕좌왕하는 모습이었지만, 저는 학보사 기자로 활동하고 있어 학생들에게 다가가 취재하는 것이 자연스러웠습니다. 그때, 학보사에 들어간 게 참 잘한 일이라고 생각했습니다.

저는 매사에 적극적입니다. 대학에서 조별 과제를 할 때도, 제가 맡은 일을 다했을 때 제 일이 아니더라도 "내가 뭐 할 일 없어?" 하면서 조원들이 하지 않는 숨은 일들을 찾아내 도왔습니다. 학보사에서 기자로 있을 때도 기사 배분이 많은 기자들을 대신해 "그 기사 내가 쓸게"라든지, 마감에 쫓겨 다들 바쁠 때 "내가 도와줄게"라고 해 어떻게든 제 일거리를 찾아냈습니다. '맡은 바 열심히 하는 자세'가 중요한 것이 아닙니다. 맡은 일은 물론, 제게 할당된 일이 아닐지라도 열심히 하는 것이 진정 적극적인 자세라고 생각합니다.

귀사에는 다양한 형태의 업무가 혼재돼 있다고 들었습니다. 하는 일이 조금씩 다를 뿐, 어느 것 하나 중요하지 않은 일은 없다고 생각합니다. 이러한 제 자세는 귀사에 입사해 기자로 활동할 때도 빛을 발할 것입니다. 따라서 저는 한겨레신문사에 수습기자로 입사 지원합니다.

③

저를 소개하기 위해 우선 노래 한 곡에 대해 언급하겠습니다. 사람들은 저마다 깊이 공감하는 노래가 하나씩 있게 마련입니다. 제겐 아바(ABBA)가 부른 「Thank you for the music」이 그렇습니다. 가사 때문입니다. 뮤지컬 〈맘마미아〉에서도 사용돼 유명한 이 노래의 첫 구절엔 "I'm nothing special, in fact, I'm a bit of a bore …… But I have a talent, a wonderful thing cause everyone listens when I start to sing"이라는 가사가 나옵니다. "난 특별할 것 없는 사람이었는데, 노래가 나를 특별하게 만들어줘서 나는 음악에 감사한다"는 식으로 진행되는 이 노래는 저에게 참 와 닿았습니다. 패션 잡지 ≪보그(Vogue)≫의 에디터에 지원하면서 이 노래에 대해 떠올린 것은 제가 글을 쓴다는 것에 감사하면서 글을 쓸 수 있는 피처 에디터가 될 것임을 말씀드리기 위해서입니다.

제가 처음으로 글에 대한 감사함을 느끼게 된 것은 대학교 1학년 때입니다. 2011년 4월 대학 생활에 좀처럼 적응하지 못하고 있던 저는 우연히 교내 언론사이자 교내 웹진인 ≪웹진 세이(Webzine@say)≫에 취재기자로 들어갔습니다. 기자로 활동한다는 막연한 기대감과 부푼 마음도 잠시, 백일장과 일기가 글쓰기의 전부였던 저에겐 칼럼, 인터뷰 기사, 스트레이트 기사, 피처 기사를 써내는 일이 쉽지 않았습니다. 마감 때마다 사무실에서 밤을 새웠고, 맨 얼굴에 떡 진 머리로 다음 날 수업에 들어가기 일쑤였던 그 시절, 친구나 가족은 "웹진 활동이 중요하냐"며 저를 나무랐지만 전 이상하게도 기분이 좋았습니다. 밤새 머리카락을 쥐어뜯으며 치열하게 완성한 원고를 혼자 읽어보는 시간의 차분함, 누군가 "글 잘 봤다"며 인사를 건넬 때의 설렘. 그런 감정들은 저만 알 수 있는 것이었으니까요. 제 나이 스무 살에 이런 감정을 알게 됐다는 것에 감사했습니다. 몸은 천근만근, 졸음은 쏟아져도 저는 행복했습니다. 그 때 저는 처음으로 글을 쓰는 직업, 에디터가 되기로 결심했습니다.

이후 웹진에서 3년 동안 활동하면서 여러모로 많은 것을 배웠습니다. 첫째로 인터뷰 기사를 준비하는 동안, 저는 더 나은 사람이 됐습니다. 글은 부족했지만 평소에 만날 수 없는 선배들과의 대담, 다양한 직업을 가진 사람들과의 만남은 제가 폭넓은 소견과 다양한 의견을 이해할 수 있는 사람이 되는 계기가 되었습니다. 그뿐만 아니라 대화를 이어나가거나 제가 말을 하는 데 있어서 요점을 놓치지 않는 사람이 됐습니다.

둘째로 기자가 마냥 글만 쓰고 글의 레이아웃을 디자이너에게 일임한다는 것이 잘못된 것임을 알게 되었습니다. 그래서 저는 제 글에 어울리는 리드와 사진을 편집하기 위해 방학 중에 '컴퓨터 그래픽스 운용 기능사' 자격증을 취득했고 자격증 하나만을 준비하면 나태해질까 토익 공부를 병행해 고득점을 얻게 되었습니다. 마지막으로 웹진 부편집장으로 활동하면서 제가 미처 몰랐던 제 안의 리더십과 책임감에 대해서도 배웠습니다.

웹진 활동 3년차에 이르러 저는 자격증 취득이나 공인 영어 성적으로 저를 발전시켜 나간다고 해도 결국 '고인 물은 썩게 된다'는 생각을 했습니다. 더 넓은 곳에서 고생하고, 부딪히기 위해 2012년 12월 저는 남성 패션 잡지 ≪듀드(Dude)≫의 피처 에디터로 활동을 시작했습니다. 저는 오랫동안 웹진에서 일했으니 '식은 죽 먹기'라고 생각했지만 에디터로 지면 전체를 구성한다는 것은 쉬운 일이 아니었습니다. 일을 새로 배우다시피 했고, ㅇㅇ대, ㅇㅇ대, ㅇㅇ대 등 학력으로 잘난 체하는 다른 에디터들 속에서 치를 떨며 '더 잘해야겠다'는 욕심으로 치열하게 취재를 했습니다. 제가 생각했던 레이아웃과 달라 디자이너와 언성을 높이며 투쟁해보는 과정도 겪었습니다. 그 과정 속에서 저는 우물 안에서 자만해선 안 된다는 것을 깨달았습니다. 또 이런 투쟁과 노력 속에 결국 ≪듀드≫ 편집장으로부터 "피처 기사는 너에게 믿고 맡길 만하다"는 말을 들었을 때 글쓰기와 관련해 대학교 1학년에 느꼈던 행복을 다시 맛보았습니다. 그것은 분명한 내면의 희열이었고 학교 안에서만 머물러 나태해졌던 저에게 기쁨을 준 글에게 감사할 수 있는 또 다른 계기가 됐습니다. 에디터가 되고 싶다는 결심 역시 굳어졌습니다.

저는 이렇게 감사하며 글을 쓰다 보니 힘든 줄을 모르고 일했습니다. 그러나 감사하는 마음 한편으로, 제게는 늘 마음에 걸리는 무엇인가가 있었습니다. '나를 위해서만 글을 써왔다는 것' 때문입니다. 일반 대학생이 쓰는 글로는 누군가에게 도움을 줄 수도 없었고, 글을 써서 하는 봉사 활동을 찾기 어려워 항상 안타까웠습니다. 그러던 중 2013년 초반 '한국 여성의 전화'라는 여성 인권 NGO 단체에서 기자단을 모집한다는 소식을 접했습니다. 한 부모 가정에서 자란 저와 저를 키우신 어머니의 고충을 누구보다 잘 이해하며 여성 인권에 관심이 있었던 저에게 알맞은 일이라 생각해 지원했고, 현재까지 이혼 여성 또는 이주민 여성을 위한 글을 쓰고, 여성 인권 보전과 여성이 사회의 리더로 성장하기 위한 강의를 들으며 저 자신이 다시 한 번 발전해나가는 중입니다.

이렇듯 저는 글 쓰는 일에 감사하며 오랜 기간 다양한 분야에서 제가 할 수 있는 것을 하려고 노력해왔고, 그 결과 저는 아무것도 할 수 없던 대학교 1학년에서 여성 인권을 지키기 위해 글을 쓰고, 20대를 위한 잡지에서 글을 쓰고, 한림대 웹 매거진 ≪웹진 세이≫의 부편집장으로 활동하는 '알파걸'로 변모했습니다. 제가 해왔던 일을 보지 마시고, 인간으로 발전해나가는 저를 봐주십시오. ≪보그≫에서 피처 에디터로 더욱 크게 성장해나가고 싶습니다.

다음은 세 가지 자기소개서에 대한 필자의 코멘트다.

①

자기소개서를 읽으니 궁금해지는 것이 더 많습니다. 일단 기사는 몇 개 정도 썼으며 무엇에 대해 썼는지요? 언론 수업으로는 무엇을 들었고 뭘 했으며 뭘 할 줄 아는지도 궁금합니다. 그리고 ≪강원희망신문≫은 무엇을 하는 곳이며 10여 개국은 어디 어디를 말하는 것인지 오히려 관련 사항에 대한 물음표만 늘어납니다. 마지막으로 인턴 경험이나 학보사 경험은 있는지 궁금합니다. 아시다시피 저희 언론사에서는 당장 내일이라도 글을 쓰고 사진을 찍을 수 있는 실력자들이 필요합니다. 좀 더 준비해서 내년에 다시 도전하기 바랍니다. 1차 서류 전형은 '불합격'입니다.

②

학보사에서 얼마나 일했는지요? 더불어 수업에서는 뭘 배웠는지도 알 수 없습니다. 무엇보다 내일 당장 저희 한겨레신문에서 무슨 작업을 할 수 있는지 짐작할 길이 없네요. 혹시 인턴 경험은 있거나 언론사에 기사를 투고한 경험은 없나요? 1차 서류 전형은 '불합격'입니다.

③

나름대로 준비가 된 지원자네요. 구체적으로 저희 ≪보그≫에서 뭘 할 수 있는지, 여러 잡지들 가운데 왜 꼭 ≪보그≫에서 일하고 싶은지 알고 싶습니다. 그리고 학교에서 전공을 통해 배운 것은 구체적으로 뭐가 있는지 궁금합니다. 마지막으로 본인이 만든 포트폴리오를 보고 싶습니다. 그럼 다음 주 수요일까지 시간을 확정해서 2차 면접을 보러 오기 바랍니다. 1차 서류 전형은 '합격'입니다.

세 학우 모두 자기소개서를 통해 특정 회사에 입사하려는 희망을 피력하고 있다. 하지만 앞의 두 경우와 같이 필자가 받아보는 과제 제출용 자기소개서의 80~90%는 불합격 통보를 받는다. 그렇다면 세 번째 자기소개서가 합격 통보를 받게 된 데에는 어떤 이유가 있을까? 무엇보다도 상당히 구체적으로 ① 자신의 꿈이 무엇이고 그 꿈을 위해 ② 대학에서 어떤 노력을 기울여 왔는지, ③ 자신의 꿈과 연결된 인턴 경험은 있는지, 마지막으로 현재 자신이 입사와 관련해 ④ 당장 할 수 있는 일이 무엇인지의 4박자를 성공적으로 제시하고 있다. 비록 네 번째와 관련해서는 특정 잡지사에서 기사 아이템 발굴, 취재 및 기사 작성과 사진 촬영은 물론 편집까지 가능하다는 구체적인 자기 PR이 빠져 있기는 하지만 — 사실 자기소개서의 구성 요소 가운데 네 번째가 가장 중요하다 — 직접 면접에서 다시 한 번 능력을 보여줄 수 있는 가능성을 열어놓고 있다. 또 자신이 해당 분야에 관심을 갖게 된 사연과 그동안의 노력을 솔직하면서도 담백하게, 그리고 일관성 있게 기술하여 서류 심사자에게 언론에 대한 자신의 열정을 성공적으로 호소하고 있다. 참고로 말하면, 자기소개서를 제출한 세 번째 학생은 2013년 봄 학기에 필자의 '인터뷰 방법' 수업을 수강했으며 학기가 끝나갈 즈음 ≪오마이뉴스≫에 미담 인터뷰 및 시사 인터뷰 등 2개의 기사를 성공적으로 게재했다고 알려왔다. 어쨌거나 위의 여러 가지 요소들이 어우러져 세 개의 글 가운데 마지막 글만이 자기소개서를 통해 당락을 결정짓는 1차 서류 전형을 통과했다.

이제부터는 세 번째 자기소개서를 토대로 자기 인터뷰 기사를 작성한다고 가정해보자. 먼저 자기소개서에 들어가야 하는 네 가지 구성 요소는 다음과 같다.

① 자신의 꿈

② 그 꿈을 이루기 위해 대학에서 전공 수업 등을 통해 해온 구체적인 작업들

③ 학보사 등 교내 유관 활동과 인턴 등 교외 유관 활동의 다양한 조화

④ 지원 회사에서 입사 당일부터 수행할 수 있는 일

그렇다면 자기소개서를 바탕으로 자기 인터뷰 기사를 작성할 경우 'A1 단독 인용 리드'로 나와야 할 콘텐츠는 무엇일까? 물론 1~4번 모두 가능하겠지만 서류 면접 채점자의 입장에서 가장 궁금한 것은 바로 4번이다. 아니, 4번에 해당하는 이전의 작업 내용일 것이다. 말하자면 무엇을 할 수 있는지 또는 무엇을 했거나 해왔는지가 'A1 단독 인용 리드'에 제시돼야 한다. 이는 군소 언론사에서 대형 언론사에 이르기까지 채용자가 입사 희망자로부터 듣고 싶어 하는 공통 사항이다. 따라서 'A1 단독 인용 리드'를 만들어보면 다음과 같은 문장을 뽑을 수 있다.

"취재부터 기사 작성은 물론, 사진 촬영과 기사 편집까지 가능합니다."

"잡지 ≪보그≫의 기사 하나를 취재에서부터 편집까지 완료해 게재할 수 있습니다."

"학교 웹진 기자 3년, 남성 패션 잡지 ≪듀드≫의 피처 에디터, 여성 NGO의 인권 기자단으로 활약한 ○○○ 예비 기자입니다."

앞에서 보는 바와 같이 자기 인터뷰 기사의 첫머리는 지금까지의 성과나 앞으로 할 수 있는 기능을 구체적으로 설명하는 것이 중요하다. 여기에서 유념해야 할 사실은 리드에서 토익 점수나 학점, 해외 연수 등 다른 대학생과 차별화하기 힘든 콘텐츠를 내세워서는 면접관이나 서류 심사자의 눈길을 끌 수 없다는 것이다. 이러한 성과들은 기사 중간이나 말미에 넣는 것이 좋다. 물론 이런 경험들이 없어도 서론에서는 남들과 차별화된 자신만의 장점을 내세워야 한다. 그리고 기업의 입장에서 볼 때 자신만의 장점은 바로 입사 지원과 관련된 경험이다. 다음으로는 인터뷰 대상자 소개에 해당하는 서론 II이다.

> 경기 침체 속에 취업이 갈수록 어려워지는 가운데 누구보다 현장에 즉시 투입이 가능한 대학 졸업생을 표방하며 오늘도 기업들이 원하는 인재상에 도전하는 젊은이가 있다. 한림대 언론 전공 4학년에 재학 중인 ㅇㅇㅇ(24)가 그 주인공이다. 기사 작성에서부터 사진 촬영, 편집 등에 이르기까지 언론에 관해서라면 자칭 1인 3~4역이 가능하다는 그를 여름방학이 끝나가던 지난 8월 23일, 강원도 춘천의 한림대에서 만나 자신만의 취업 강점에 대해 들어봤다.

자기소개서나 자기 인터뷰 기사는 한 번쯤 써보는 것이 좋다. 그래야 지금까지 대학 생활을 하면서 자신이 취업하고 싶은 기업을 대상으로 얼만큼 준비했는가를 전반적으로 가늠해볼 수 있다. 그렇게 작성된 자기소개서를 냉정히 들여다보고 자신의 강점과 약점을 파악해서 남은 대학 생활 동안 자신의 약점은 보완하고 강점은 계속 강화시켜 나가야 한다. 그럼 다음 문장인 'A2 안긴 인용'과 함께 현재 자신이 수행하는 일에 대한 설명으로 넘어가자.

"글쓰기 관련 전공과목은 사건 기사인 스트레이트에서부터 인터뷰 박스 기사는 물론, 탐사, 피처 보도에 이르기까지 모두 A+를 받았다"는 ○○○ 씨는 "30년 이상 언론사에 재직하셨던 전직 언론인 교수님들로부터 받은 학점이라 더욱 의미가 깊다"며 인터뷰를 시작했다. 이 씨는 이어 "기사 작성만으로는 반쪽짜리 기자밖에 될 수 없다는 교수님과 선배들의 조언을 받아들여 사진 관련 수업도 모두 챙겨 들었다"고 한다. 그는 디지털 카메라가 대세인 현대사회에서 필름 카메라의 원리를 포함해 필름 인화와 현상은 물론, 조명에 이르기까지 기초적인 지식을 탄탄히 다졌다. 또 수업 과제인 사건 사진, 인물 사진 찍기 등 다양한 종류의 사진 촬영을 경험했다. 하지만 뭐니 뭐니 해도 그가 백미로 꼽는 것은 기사 편집 능력이다.

"상품 제작에 있어서의 최종 단계가 상품 포장이듯 기사에 있어서 가장 중요한 것은 편집입니다"라며 설명을 이어나가는 그는 "이를 위해 인쇄 매체 편집 수업을 들으며 '쿼크익스프레스(QuarkXPress)'와 '인디자인(InDesign)'이라 불리는 기사 편집 프로그램에 대해 속속들이 익혔다"고 설명했다. 이 때문에 이제는 기사 기획에서부터 사진 촬영과 취재는 물론, 편집까지 기사와 관련된 일련화 과정 모두가 가능하다는 그에게서 현장에 투입되면 당장 내일부터라도 기사가 쏟아져 나올 듯한 느낌이 전해진다.

다시 한 번 강조하지만 자기소개서와 자기소개 인터뷰 기사는 현재 입사 지망 기업을 위해 무엇을 할 수 있는지와 함께 자신의 대학 수강, 인턴 경력, 공모전 응모 및 수상 등과 관련된 사실들을 구체적으로 명기하는 것이 중요하다. 그리고 이에 대한 설명이 충분히 제공된 다음에 어학이나 학점, 여행, 자격증 등에 대한 이야기를 펼치는 것이 부드럽다. 어학이나 학점 관련 사항은 주요리가 아닌 후식에 속하기 때문이다. 다음을 보자.

> 그렇다고 ○○○ 씨가 현장 실무에만 무게 중심을 두며 대학 생활을 한 것은 아니다. 자칫 전공에만 몰두할 경우 시야가 좁아질 것을 우려해 대학교 3학년 때 우리나라의 서울대에 해당하는 필리핀 국립대학(UP)으로 1년 동안 교환학생을 다녀왔다. 필리핀 국립대학에서는 모든 커리큘럼이 영어로 진행돼 비록 1년간의 수학이었지만 영어 회화에 자신감을 갖는 계기가 됐다. 이외에도 2학년 여름방학 때는 국토 대장정을 다녀왔으며 4학년 여름방학 동안에는 춘천 주재 연합뉴스에서 인턴으로 활동하는 귀한 기회를 얻었다. 물론 기사 작성과 관련된 실무에서 교수님들로부터 인정을 받았기에 교수님들의 추천을 받아 성사된 성과였다.

여기에서 중요한 사실은 앞서 미담 인터뷰 기사 작성을 통해 언급했던 것처럼 필요 이상으로 화려하게 자신을 포장할 경우, 오히려 심사자의 심기를 거스를 우려가 있다는 것이다. 따라서 기자가 타인에 대해 글을 쓰듯 객관적인 동시에 담담하게 자신에 대한 기사를 작성해나가는 요령이 중요하다. 만일 인턴으로 활동하던 당시에 쓴 기사들이 실제로 언론에 나갔거나 인턴을 하면서 쓴 기사 분량이 상당히 많다면 이를 'A1 단독 인용'으로 내세워 기사를 풀어나갈 수도 있다. 해당 기업에 지원하는 것과 관련해 자신을 가장 잘 알릴 수 있는 내용을 맨 앞에 내세워야 한다. 이제 마지막 대단원이다.

입사했을 경우의 일 처리에 대해 묻자 그는 "물론 처음부터 잘할 순 없겠죠"라며 "그래도 다른 이들보다 배우는 속도도 빠르고 더욱 많은 성과를 낼 수 있다"고 자부한다. 마지막으로 "궁극적으로는 환경 문제를 전문적으로 다루는 전문 기자로 성장하는 것이 나의 꿈"이라고 밝힌 ㅇ 씨는 이어 "≪오마이뉴스≫에 게재하기 위해 한 달 전부터 준비한 낙동강 녹조 현상에 대한 기사와 사진을 챙겨야 한다"며 인터뷰를 마무리 지으려고 기자의 양해를 구했다. 자신의 꿈을 이루기 위해 오늘 하루도 열심히 살고 있는 그를 바라보며 자신의 바람이 언젠가 꼭 이뤄질 것이라는 마음속 힘찬 응원을 끝으로 그와의 인터뷰를 마쳤다.

가장 좋은 기사 작성 요령 가운데 하나는 잘된 인터뷰 기사를 필사(筆寫)하는 것이다. 따라서 평소 인터뷰 박스 기사를 읽은 뒤 잘된 작품들을 스크랩하거나 스크랩까지는 아니어도 언론사별로 인터뷰 기사를 찾아가며 잘된 작품들을 검색해보는 것도 좋은 방법이다. 그렇게 스크랩과 검색으로 글의 흐름이 좋은 기사를 찾았다면, 역시 리드에서 마무리까지 베껴 써가며 자신의 기사에 응용하는 것이 좋은 요령이다. 글쓰기의 대가들은 항상 고전과 당대의 뛰어난 작품들을 베껴 쓰는 것으로 자신의 글쓰기를 단련했다는 사실을 잊지 말자.

09

인터뷰 기사의 제목

1. 제목의 기능

제목은 독자와 시청자에게 본문의 내용을 빠르고 정확하게 전달하는 간판 기능을 한다. TV 뉴스에서도 아나운서가 기사 소개를 하는 동안 옆에 등장하는 작은 화면 또는 전체 화면의 아래에 자막으로 제목이 나온다. 한국편집기자협회가 내놓은 『신문편집』(2001)에서는 이러한 제목을 "기사의 앞에 내용을 가리키거나 요약하기 위해 굵은 활자로 붙인 낱말이나 낱말군"이라고 정의한다.

제목은 방송보다 신문에서 훨씬 중요한 기능을 한다. 방송 뉴스가 기사의 중요성을 방영 순서 및 분량으로 나타내는 반면, 신문은 제목의 크기로 뉴스의 중요도를 드러내기 때문이다. 그런 의미에서 신문의 제목에는 기사 내용을 간추려서 전달하는 목적 이외에 뉴스의 중요도와 가치를 평가하는 기능도 있다.

그렇다면 제목은 기사의 내용을 어느 정도 전달해야 제 기능을 수행한다고 볼 수 있을까? 정답은 없지만 필자는 학생들에게 본문에서 담고 있는 내용의 60~70% 정도를 짐작할 수 있도록 편집할 – 제목을 뽑아줄 – 것을 주문한다. 이와 함께 운율을 고려해서 제목의 글자 수도 가급적 적게 줄여 독자들의 주목을 끌도록 권고한다. 굳이 말하자면 단단익선(短短益善)이라고 할까? 그런 의미에서 제목은 ① 내용을 핵심적으로 전달하고, ② 운율을 고려하며, ③ 짧으면서도 함축적으로 짓는 것이 좋다.

2. 제목의 종류

언론사 편집부에서는 제목의 종류를 '형태'와 '내용'에 따라 분류한다. 이 가운데 제목의 형태와 관련한 종류로는 10여 가지가 있지만 이 책에서는 인터뷰 기사 편집과 직간접적으로 연관이 있는 다섯 가지 형태의 제목을 알아보자.

1) 형태

먼저 형태에 따라 제목을 분류하는 경우다.

(1) 통단 제목

제목 가운데 가장 큰 형태로 '통단 제목' 또는 '플래카드형 제목'으로도 불린다. 통단이란 한자어 그대로 단에 통째로 걸친다는 의미로, 통단 제

중앙일보

안내:02-751-5114 고객센터:1588-3600

단기 4344년 (음력 6월 7일

joongang.co.kr

제14450호 43판 2011년 7월 7일 목요일

"2018, 평창"

≪중앙일보≫에서 2011년 7월 7일에 내보낸 1면 통단 제목. 평창 올림픽이 확정됐음을 알리는 기사로 제목을 왼쪽 끝에서 오른쪽 끝까지 꽉 채우던 과거의 양식과는 사뭇 다른 스타일의 통단 제목이다.

목은 제목이 왼쪽 끝에서 오른쪽 끝까지 걸친다는 뜻이다. 과거 신문 기사가 원고의 분량에 따라 1단 기사, 2단 기사, 3단 기사 등으로 불렸던 데에서 연유한다. ≪한겨레신문≫이 등장한 1988년 이전만 하더라도 우리나라 신문은 일본의 영향을 받아 모두 세로쓰기 형식으로 기사를 작성했다. 당시 세로 길이가 3.4cm에 해당하는 1단 기사는 단신(短身)성 뉴스로 기사 가치가 가장 낮았다. 반면 2단 기사는 세로 길이기 6.8cm에 걸쳐 늘어진 기사로 1단 기사보다는 중요한 뉴스를 의미했다. 결국 통단이라 함은 신문의 맨 위부터 하단의 광고면 5단(3.4cm × 5 = 17cm) 바로 위까지의 10단(34cm)에 걸쳐 인쇄된 제목으로, 제목 가운데에서는 형태가 가장 크다. 오늘날의 가로쓰기를 기준으로 본다면 신문의 왼쪽 끝부터 오른쪽 끝까지 뻗어 있는 제목을 의미한다. 통단 제목은 대부분 1면에 등장하며 천재지변이나 충격적인 사고같이 경천동지할 만한 사건에 주로 사용되는 까닭에 1년에 몇 차례 쓰지 않는다.

다음은 이 책에서 사용해본 통단 제목의 예이다.

노인 자원봉사자가 넘쳐나는 일본

(2) 1행 제목

두 번째 형태는 바로 '외줄 제목'이라고도 불리는 '1행 제목'이다. 말 그대로 1행에 끝나는 제목이며 주로 짧은 뉴스를 위한 소제목이다. 이는 앞서 언급한 통단 제목도 1행 제목일 수 있기 때문이다. 편집부에서 '1행 제목'짜리 기사라고 하면 중요도가 그다지 높지 않은 기사를 말한다. '1행 제목'은 TV 프로그램 안내면에서 오늘의 프로그램 방영 내용을 짤막하게 소개하는 기사나 경제면의 기업 소식과 같은 단신, 그리고 사진 설명 앞에 붙는 사진 제목 등과 같은 간단한 뉴스 위에 달린다.

(3) 다행 제목

말 그대로 행이 여러 개 나열돼 있는 제목으로 인터뷰 기사 편집 시 많이 사용된다. 다행(多行) 제목은 두 줄 제목, 세 줄 제목 등 여러 종류가 있다. 다행 제목은 대체로 '주 제목'과 '부제목'으로 구성되며 '주 제목'은 굵고 크게, '부제목'은 '주 제목' 밑에 좀 더 작고 가늘게 배치한다.

만일 다행 제목을 모두 같은 크기로 나열할 때에는 내용에 따라 '각행

(各行) 독립형', '인과형', '연결형' 등의 제목으로 나눈다. 먼저 '각행 독립형'은 두 줄 제목이 됐든, 세 줄 제목이 됐든 행의 내용을 독립적으로 나열한다. 예를 들면 다음과 같이 서로 상관없는 이야기를 행별로 각각 알려주는 것이다.

손연재 1위

류현진 20승

이대호 4할

따라서 미담 인터뷰 기사의 제목을 편집할 때에는 주로 기사의 중간에 다음과 같이 내용을 간단하게 요약해서 나타낼 수 있다.

초등학교부터 봉사 활동

중고생 때는 성금도 모금

대학 재학 중엔 해외 선교

이와 함께 '인과형 제목'은 원인과 결과를 나타내는 것으로 다음과 같이 윗줄에서는 원인을 설명하고 두 번째 줄 등에서 그 원인에 대한 결과를 나열한다.

시즌 중 어깨 부상 재발

올 시즌 물 건너간 듯

이에 따라 윗줄 제목 뒤에 '~했기 때문에'라는 말을 붙여도 자연스러운 경우는 '인과형 제목'으로 볼 수 있다.

마지막으로 '연결형 제목'을 들 수 있는데, '연결형 제목'은 제목이 한 줄을 넘어가면서 도중에 행을 바꾼 경우이다. 예를 들면 다음과 같이 연결되는 것을 들 수 있다.

나처럼 돈 없어 대학 못 간 학생들이

다시는 나오지 않았으면 하는 바람에

이러한 '연결형 제목'은 인터뷰 박스 기사의 주 제목으로 종종 사용된다.

(4) 어깨 제목

주 제목의 왼편이나 오른편 위에 조그맣게 달려 있는 제목을 '어깨 제목'이라고 한다. 마치 상체의 어깨에 해당하는 오른쪽 또는 왼쪽에 있다고 해서 붙은 이름이다. 인터뷰 기사에서는 주로 주 제목의 왼쪽 위에서 인터뷰 대상자의 '신원'을 밝혀주는 중요한 기능을 한다. 대중에게 알려지지 않은 인터뷰 대상자는 직업과 이름을, 대중에게 알려진 인터뷰 대상자는 인터뷰를 하는 목적을 간단하게 기술하곤 한다. 예를 들어 지역대학에 거액을 기부한 김밥 할머니의 인터뷰 기사에서는 주 제목 왼편 위의 어깨 제목에 "○○ 대학에 ○○○○만 원 기부한 김밥 할머니, 김순○"라고 써주고, 연예인의 경우는 인터뷰하는 목적에 맞게 "10년 만에 5집 앨범 낸 가수, 이○○"와 같이 알려준다. 다음은 인터뷰 기사의 통단 제목 위에 얹어놓은 어깨 제목의 예이다.

신년 특집, 이웃나라에서 배운다

노인 자원봉사자가 넘쳐나는 일본

여기에 하나의 조언을 덧붙이자면, 편집상의 변화를 꾀하기 위해 편집기자들은 어깨 제목과 주 제목에 각각 다른 글자체를 사용한다. 위의 보기는 어깨 제목에 맑은 고딕체를, 통단 제목인 주 제목에는 HY견명조를 사용했다.

(5) 기사 사이 제목

'기사 사이 제목'은 기사의 중간에 들어가는 제목으로 주 제목과 부제목, 어깨 제목에서 전달하지 못한 세부 사항을 알려준다. 이를테면 지역 대학에 거액을 기부한 김밥 할머니 기사의 주 제목을 "자식 같은 학생들의 등록금 걱정을 없애고 싶어요"라고 달았다고 하자. 그러면 어깨 제목으로는 주인공의 인적 사항을 알려주는 가운데 사람들이 궁금해할 수 있는 나머지 내용들을 본문 가운데에 기사 사이 제목 형식으로 싣는 것이다. 얼마 동안 일을 해서 돈을 모았는지, 앞으로의 꿈은 무엇인지, 기억나는 에피소드는 무엇인지 등의 정보가 좋은 예이다. 해당 정보 가운데 독자들의 호기심을 자극하거나 기사 가치가 높은 내용들 – 이 경우에는 그동안 어떻게 해서 돈을 모았는지 – 을 기사 사이 제목의 형태로 인터뷰 기사의 중간에 배치하는 것이다. 물론 이 경우 1행 제목으로도 할 수 있으나 대부분은 2~3줄 정도의 다행 제목으로 위아래 길이와 각 행의 운율에 맞춰 제목을 단다. 이에 맞추면 기사 사이 제목은 다음과 같이 전개될 수 있다.

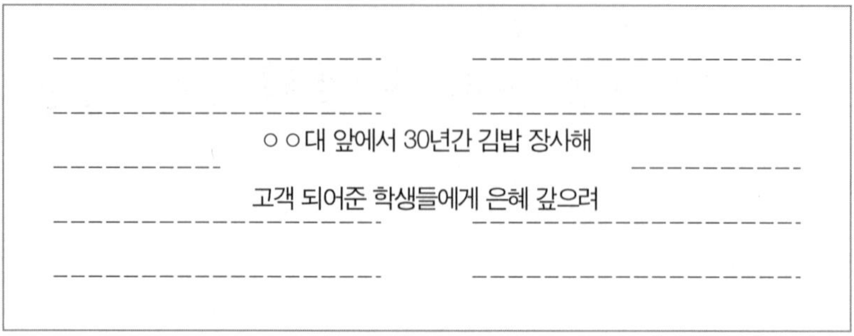

2) 표현

앞서 설명한 바와 같이 제목은 '형태' 외에 '표현'으로도 구분할 수 있다. 표현을 기준으로 볼 때 제목에는 '객관 제목'과 '주관 제목'이 있는데, 객관 제목은 다시 '단순 요약형'과 '인용형'으로 나눌 수 있다. '단순 요약형'은 기사의 본문에서 가장 중요한 부분을 요약해 전달하는 것으로, 역삼각형 기사의 첫머리에 해당하는 리드와 일치한다고 볼 수 있다. 반면 '인용형'은 인터뷰 대상자가 말한 내용 가운데 독자의 호기심을 자극하거나 뉴스 가치가 높은 인용문을 그대로 제목에 반영하는 것으로, 주로 연설문, 판결문, 인터뷰 기사에서 많이 사용된다. 개인적인 견해로는 인터뷰 기사 열 중 아홉은 객관 제목인 '인용형 제목'을 사용하고 있다. 큰따옴표와 함께 "대학생 모두가 내 자식"이라거나 "비싼 등록금에 학교 그만두는 학생이 가장 가슴 아파" 등의 제목이 그러한 전형에 속한다. 다음은 인터뷰 박스 기사에서 '어깨 제목'과 함께 '인용형 제목'을 사용한 예이다(참고로 '인용형 제목'에는 명조체를, '어깨 제목'에는 고딕체를 사용하는 것이 일반적이다).

'고전이 살길이다' 주장하는 논어 박사 김○○(65) 씨

"직장 스트레스, 논어로 치유하세요"

'객관 제목'이 '단순 요약형'과 '인용형'으로 간단하게 나뉘는 데 반해 '주관 제목'은 그 종류가 대단히 많다. 이에 대해 좀 더 자세히 알고 싶다면 한국편집기자협회에서 발간한 『신문편집』(2001)이라는 책을 참조하기 바란다. 간단히 소개하면 은유, 직유, 대조, 대구 등을 사용하는 '톤형 제목'과 사업, 정책 등에 대한 참여를 유도하는 '캠페인형', 물음표를 사용하는 '질문형', 그리고 편집기자나 취재기자 등이 새로운 용어로 재탄생시킨 '조어(助語)형 제목' 등이 있다. 참고로 '조어형 제목'은 국어사전에는 나오지 않지만 언론과 대중매체에서는 심심찮게 쓰이는 용어로 '식물국회', '용광로 증시', '나홀로 차량', '국민 요정' 등이 있다. 이 밖에도 사물을 사람인 양 가정하는 '의인화'와 '캠페인형'보다 강한 어조의 '명령형 제목'도 있다.

3. 제목 작성과 관련된 기호

인터뷰 기사에 제목을 달 때 알아두어야 할 요령 가운데 하나가 제목의 마지막에 흔히 마침표로 알려진 온점을 찍어서는 안 된다는 것이다. 이는 인쇄 매체 편집에서의 불문율로 비록 문장이 종결형 어미인 '다'로 끝난다고 해도 신문 제작 시 관행적으로 온점은 찍지 않는다. 다음 제목은 온점 없이 가운뎃점 세 개만을 이용한 말줄임표 사용의 실례이다.

"이웃 일본에선 노인 자원봉사자가 넘쳐난다는데…"

인터뷰 박스 기사를 편집할 때 종종 사용되는 기호로 '말줄임표', '작은따옴표' 등을 들 수 있다. '말줄임표'는 국문법상으로 6개의 가운뎃점을 찍고 온점으로 마무리하지만 신문을 비롯한 인쇄 매체 편집에서는 온점 없이 세 개의 가운뎃점만으로 처리한다. '작은따옴표'는 ① 특정 단어를 강조하거나, ② 영화, 책 등의 고유명사를 표현할 때 사용한다.

4. 제목 작성 연습

이제는 인터뷰 기사에서 제목 뽑는 연습을 해보자. 실제로 언론사 편집부에서 하는 가장 중요한 일 가운데 하나가 제목을 뽑는 일이다. 하지만 제목 뽑기는 말처럼 쉽지 않다. 좋은 제목을 지으려면 기사의 내용을 충분히 이해함과 동시에 독자들의 이목을 집중시킬 수 있는 사회적인 흐름 역시 잘 파악하고 있어야 한다. 부의 재분배에 대해 여론이 어떻게 형성되어 있는지, TV에서 자주 등장하는 유행어는 무엇인지, 파란을 일으키고 있는 대중 현상에는 어떤 것이 있는지 등을 잘 파악하고 있어야 촌철살인의 제목을 시기적절하게 뽑아낼 수 있다. 이러한 까닭에 기자협회에서 제정한 여러 종류의 상 가운데에는 편집기자상이 있다.

인터뷰 기사에서 좋은 제목이란 무엇을 의미할까? 먼저 본문의 내용이 어떤 방향의 기사인지를 대략적으로 제시하면서 독자들의 호기심을 유도하는 가운데 길이는 짧은 제목이 좋다. 그러면 다음 제목을 통해 좋은 제목에 대한 연습을 해보자. 다음 제목에서 잘못된 점이 있다면 무엇일까? 참고로 이 제목은 필자의 수업 시간에 어느 학생이 자신의 시사 인터뷰 기사 과제를 직접 편집해 제목으로 뽑은 것이다.

"실내 디자인에 담긴 이야기 들어보실래요?"

일단 가장 먼저 눈에 띄는 문제점은 누구에 대한 인터뷰 기사인지 이 제목만 가지고서는 파악하기 힘들다는 것이다. 앞서 설명한 대로 인터뷰 기사에서는 주 제목의 윈편 위에 인터뷰 대상자의 정보를 제공하는 어깨 제목을 병행해야 하는데, 위의 경우에는 이러한 어깨 제목이 없기에 과연 누구를 인터뷰하는 것인지 전혀 알 길이 없다. 따라서 '어디의 누구'라는 인구학적 정보를 어깨 제목으로 독자들에게 알려주어야 한다.

두 번째 문제는 주 제목만 봐서는 해당 인터뷰 기사가 어떤 내용의 인터뷰를 전달하고 있는지 짐작조차 할 수가 없다는 것이다. 물음표를 사용한 의문문은 호기심을 자극하는 제목이긴 하지만 제목 짓기에서 가장 중요한 첫 번째 요건 — 본문의 내용을 짐작할 수 있는 제목 — 을 만족시키지 못한다.

그럼 다음 인터뷰 기사 제목은 무엇이 문제일까?

춘천 구세군 냄비를 따뜻하게 데우고 있는 이○○ 사관

"여러분의 작은 정성이 불우이웃에게는 큰 도움이 됩니다"

이 제목은 어깨 제목을 통해 누구를 왜 인터뷰하고 있는지 분명하게 밝히고 있다. 또 주 제목에서 인터뷰 기사의 내용을 어느 정도 짐작할 수 있는 단서를 던져준다. 하지만 문제는 주 제목 자체가 너무 평이해서 일반 독자들의 시선을 끌기에 충분치 않다는 것이다. 신문 기사의 제목은 번화가에 있는 상점들의 간판과 같다. 하루 발행 페이지가 30~40쪽을 훌쩍 넘기는 신문에서 페이지당 적어도 4~5개의 기사가 들어 있다고 가정할 때, 독자들의 손에 배달되는 기사의 양은 적게 잡아도 하루에 100여 개, 많게는 200여 개에 이른다. 더군다나 독자와 시청자가 접하는 신문과 잡지, TV 프로그램이 하루에 한두 개로 그치지 않기 때문에 이목을 끌기 위해서는 평범한 기사 제목은 무조건 피해야 한다. 이 때문에 편집기자의 제목 뽑는 작업은 마치 광고 기획사의 카피라이터가 광고 문구를 뽑아내는 작업과 매우 흡사하다. 만약 편집부의 인터뷰 기사 편집을 담당하고 있는 기자가 앞의 예제 기사에 제목을 단다면 "단돈 500원도 커다란 도움이 됩니다"나 "커피 한 잔 아끼면 노숙자들의 하루 식사가 해결됩니다"와 같이 독자들의 감성에 호소하는 제목을 뽑아낼 것이다.

그렇다면 다음 제목의 문제는 무엇일까?

외교통상부 제3세계 국가 ODA 담당 정은○(24) 씨

"문델라, 아프리카에서 절 부르는 이름이죠"

이 제목은 외교통상부의 제3세계 국가 공적 개발 원조(ODA: Official Development Assistance)를 담당하는 어느 공무원에 대한 학생의 인터뷰 기사이다. 하지만 안타깝게도 이 제목에서는 어깨 제목의 'ODA'를 비롯해 주 제목의 '문델라'에 이르기까지 생경한 개념이 연달아 나온다. 이렇듯

독자들이 이해하기 힘든 단어는 별도로 설명을 추가하거나 아예 빼버리는 배려가 필요하다. 이를 참고하면 다음과 같이 가다듬을 수 있다.

외교통상부 제3세계 국가 담당 정은○(24)

"아프리카에서는 한국인도 백인을 의미하는 '문델라'로 불린답니다"

먼저 어깨 제목은 글자 수가 늘어나면서 주 제목보다 더 길어질 수 있기 때문에 ODA라는 단어를 아예 제거했다. 또 주 제목에서는 고유명사에 해당하는 '문델라'에 작은따옴표를 얹고 '문델라'의 뜻을 풀어주었다. 물론 '인용형 제목'에 속하는 주 제목의 길이가 늘어났기에 두 줄에 걸친 '연결형 제목'으로 형태를 바꿨다. 그럼 인터뷰 기사 편집과 관련된 제목의 대략적인 소개를 마쳤으니 연습 문제를 통해 좀 더 확실하게 제목 뽑는 법을 알아보자.

:: 연습 문제 ::

다음의 어깨 제목과 주 제목을 읽어보고 무엇이 문제인지 찾아보자.

1.
춘천의 '달리는 음악 감상실', 허남○ 택시 기사
택시 기사와 손님이 서로 모르는 데에서부터 부당 요금 징수와 불친절 서비스가 시작된다고 생각합니다

2.
영어 학원 강사가 말하는 실력 향상의 길
"포기하지 말고 꾸준하게 해야 영어 학습에 효과"

3.
아산 인주면의 천사 아줌마 황영○ 씨 인터뷰
"매주 수요일 할머니들이 집 앞에서 절 기다려요"

4.
춘천시 복숭아 협회 회장 민만○ 씨
"여름철 피서, 복숭아로 대신해요"

5.
춘천의 외팔이 프로 골퍼 최영○
"골프 세계에선 근면, 성실이 최고의 약……."

6.
문화 비평가 김지○ 씨가 바라보는 요즘 신세대
"한국 젊은이들의 필수 아이템은 요즘 '빳충'이랍니다"

7. 다음은 어느 학생이 '인터뷰 방법' 수업의 최종 과제로 편집까지 마쳐 제출한 인물 인터뷰 기사이다. 비록 어설프기는 하지만 한 학기 동안 충실히 수업을 들은 이 학생은, 학기가 끝나갈 무렵 ≪오마이뉴스≫에 자신의 다른 기사들을 투고하는 데 성공했다. 인터뷰 기사의 제목과 내용을 읽어보고 제목은 잘 뽑았는지, 대안으로는 어떤 제목을 뽑을 수 있는지 생각해보자.

경제 채널 〈머니투데이〉의 조연출 추예○

"방송되는 모든 정보가 곧 시청자들의 자산이죠"

"해가 가장 먼저 뜨는 주식 방송은 1분 1초가 전쟁이에요."

전문가들도 쉽사리 예측할 수 없는 '돈의 세계', 주식시장은 매일매일 전쟁터를 방불케 한다. 여기 시장의 문이 열리기도 전에 발 빠르고 치열하게 매일의 주식 동향을 시청자들에게 전하는 이가 있다. 케이블 TV, MTN의 <머니투데이> 조연출 추예○(25) 씨가 바로 그 주인공이다. 지난 14일, 신촌에 위치한 음식점에서 그녀를 만나 주식 전문 뉴스 조연출의 생활에 대한 이야기를 나눴다.

"주식을 전문으로 다루는 채널이라는 특성상, 시장이 열리기 전에 들어오는 최대한 많은 정보를 최대한 빨리 시청자들에게 알리는 것이 뉴스의 관건이에요"라고 말문을 연 추 씨는 "촉각을 다투는 사이 PD가 미처 신경 쓰지 못하는 부분까지 체크해 방송의 완성도를 높이는 것이 조연출의 역할"이라고 자신의 직업에 대해 소개했다.

추 씨는 "생방송 중의 사소한 실수가 시청자들의 자산에 영향을 미칠 수 있기 때문에 언제나 신경을 곤두세우고 집중 상태로 있어야 해요"라며 "전 스태프가 숨 돌릴 틈 없이 긴장된 분위기에서 방송을 준비한다"고 방송 현장에 대해 묘사했다. 그녀는 "뉴스를 위해 20여 명의 스태프가 모두 새벽 5시에 출근해 방송 준비를 한다"며 "조연출은 가장 먼저 출근해 방송 전에 대본 수정 사항을 확인해 방송 진행자와 작가에게 알리는 한편, 방송 중엔 직접 자막을 넣고 그래픽 팀에게 필요한 수정 사항을 요청해요"라고 설명했다. 주식 방송에서 조연출로 일하기 위해선 '따로 공부' 역시 필요하다. 추 씨는 "입사 초기엔 주식에 대해 문외한이어서 실수가 잦았다"며 입사 초기의 힘들었던 에피소드를 밝혔다.

그녀는 "오타가 난 주식 용어를 보고도 모르는 용어이기 때문에 그대로 방송에 내보내는 실수를 저질렀을 때 가장 속상했다"고 말했다. 추 씨는 "이후 주식 용어를 공부하고 경제 관련 도서를 읽기도 하며 일에 대한 이해도를 높여나갔다"며 "주식 전문 분야에서 일하기 위해선 다소 생소한 주식 용어와 경제 상황까지 파악해야 일에 대한 이해도가 높아진다"고 전문 분야 방송에서 일하는 노하우에 대해 밝혔다.

추예○ 씨는 "방송이 주는 긴장감 속에서 피로를 느낄 때도 있지만 하나의 방송을 위해 많은 스태프가 함께 고생하는 것을 보며 힘을 얻는다"며 방송 이후에 얻는 뿌듯함에 대해 말했다. 그녀는 "가끔 방송을 보고 경제적 손해를 막을 수 있었던 시청자들이 방송국으로 전화를 걸어와 '고맙다'는 말을 할 때가 있다"며 "새벽 방송임에도 방송을 봐주는 시청자들이 목소리를 직접 들려주며 반응을 할 때 보람을 느낀다"고 말했다.

밤낮 없이 촬영장을 동분서주하는 경제 채널 조연출을 꿈꾸게 된 그녀의 사연이 궁금했다. 추 씨는 "고등학교 시절 방송부 활동을 하며 꾸준히 방송에 대한 재미를 붙여왔어요"라며 "대학에 진학하면서도 자연스럽게 방송통신을 전공했고 이후 PD라는 꿈을 갖게 됐다"고 당시를 회상했다. 이어 "PD라는 꿈을 이루기 위해 방송국에 입사해 차근차근 일을 배워나가는 중이에요"라며 "경험과 경력을 많이 쌓은 후 진정한 PD가 될 것"이라고 포부를 밝혔다. 그녀는 "뉴스 앵커부터 촬영감독, PD, 작가에 이르기까지 방송을 이루는 모든 이의 얼굴을 마주 보며 일할 수 있는 건 조연출뿐이죠"라고 웃어 보인다. 그녀는 "조연출은 방송을 만드는 모든 분야의 일을 융화시킬 수 있어야 한다"며 "순발력과 센스를 요하는 직업인 만큼 방송을 이루는 모든 분야에 대해 조금씩 알아둬야 한다"고 말했다.

추 조연출은 방송국에서 일하기 위해 꿈을 키우는 이들에게 "방송을 업으로 하기 위해선 처음에 힘들더라도 이를 악물고 버티는 근성이 필요하다"고 당부하며 인터뷰를 마쳤다.

정답 ☞

1. 주 제목은 주인공의 인용을 따왔기에 마땅히 큰따옴표를 둘러주어야 한다.

춘천의 '달리는 음악 감상실', 허남○ 택시 기사

"택시 기사와 손님이 서로 모르는 데에서부터 부당 요금 징수와 불친절 서비스가 시작된다고 생각합니다"

2. 먼저 어깨 제목에는 영어 학원 강사의 이름을 비롯한 인구학적 정보가 나와 있지 않다. 물론 특정 어학원 강사를 인터뷰 대상으로 섭외한 데에 따른 소개도 없다. 이와 함께 주 제목은 너무 당연한 내용을 전달하고 있어 독자들의 호기심을 자극하지 못한다. 마지막으로 어깨 제목에 나와 있는 '실력 향상의 길'이라는 내용과 주 제목에 나와 있는 '영어 학습에 효과'라는 구절은 어느 정도 중복된 내용이다. 따라서 이 제목은 다음과 같이 바꾸는 것이 훨씬 좋아 보인다.

서울 강남 ○○ 영어 학원의 인기 강사 김태○ 씨~~가 말하는 실력 향상의 길~~

"하루 10분이라도 1년 내내 공부하는 것이 영어의 왕도"

3. 지역을 소개할 때는 가능한 한 도명(道名)을 달아주는 것이 좋다. 이와 함께 어깨 제목에 인터뷰 대상자가 하는 일이 구체적으로 나타나 있지 않다. 또 인터뷰

박스 기사이기에 '인터뷰'라는 단어는 제거해도 상관이 없다. 주 제목에서는 할머니들이 매주 수요일 자신의 집 앞에서 왜 기다리고 있는지를 제대로 설명하지 못하고 있다. 무엇보다 어깨 제목과 주 제목만 가지고서는 이후에 전개될 내용의 절반도 짐작하지 못한다. 따라서 이와 같은 제목은 다음과 같이 바꾸면 이후 전개될 기사 내용의 상당 부분을 짐작할 수 있을 것이다.

충남 아산 인주면의 독거노인 도우미 황영○ 씨 ~~인터뷰~~

"이번 주 무료 반찬은 감자조림과 오이냉국이랍니다"

4. 어깨 제목에는 어디에서 무엇을 하는지에 대한 인터뷰 대상자의 인적 사항이 잘 나타나 있다. 하지만 주 제목은 다소 애매모호하게 전개되고 있어 과연 이 기사가 독자들에게 복숭아를 먹으면서 피서를 하라는 것인지, 아니면 자신은 복숭아를 먹으면서 피서를 하고 있다는 것인지 알 길이 없다. 무엇보다 복숭아를 먹으면서 피서를 할 수 있다는 주장 자체가 설득력이 떨어지기에 본문의 내용을 대략적으로 전달할 수 있는 제목으로 바꾸어야 한다.

춘천시 복숭아 협회 회장 민만○ 씨

"여름철 피서 과일로는 복숭아가 최고랍니다"

5. 본문에서 설명한 대로 제목을 뽑을 때는 마침표인 온점을 사용하지 않는다. 이와 함께 국문법상으로 여섯 개의 점을 사용해야 하는 가운뎃점 역시 세 개만 사용한다. 따라서 이 제목은 다음과 같이 고쳐야 한다.

춘천의 외팔이 프로 골퍼 최영○

"골프 세계에선 근면, 성실이 최고의 약…"

6. 이번 제목에서는 '빳충'이라는 단어가 걸린다. 신문 구독자들이 10대와 20대가 아닌, 전 국민에 걸쳐 있는 까닭에 대부분의 독자들에게 생소한 용어는 알기 쉽게 풀이해줘야 한다. 언론사에 따라 '빳충'이란 단어를 설명하는 방식이 천차만별이겠지만 가장 무난한 방법 가운데 하나는 해당 용어 위에 조그맣게 설명을 얹어주는 것이다.

문화 비평가 김지○ 씨가 바라보는 신세대 (빳데리 충전기)

"한국 젊은이들의 필수 아이템은 요즘 '빳충'이랍니다"

7. 이 제목은 제목과 관련된 세 가지 원칙 가운데 짧은 길이를 둘러싼 세 번째 요건을 잘 충족시키고 있다. 더불어 어깨 제목에서도 인터뷰 대상자의 인적 정보를 잘 알려준다. 하지만 내용의 대략적인 전달과 함께 독자들의 이목을 끄는 호기심 차원에선 소구력이 조금 약하다. 따라서 필자는 기사 내용을 바탕으로 다음과 같은 '연결형 인용 제목'을 대안으로 상정해본다.

경제 채널 <머니투데이>의 조연출 추예○

"매일 새벽 5시에 출근해도 제 덕분에 손해 피했단 전화 받으면 보람 느끼죠"

10

인터뷰 사진 및 사진 설명

1. 사진

사진은 인터뷰 기사에서 빼놓을 수 없는 주요 구성물이다. 실제로 신문과 잡지를 포함한 오프라인 인쇄 매체는 물론, 온라인 미디어에서도 인터뷰 기사와 관련해 독자들이 가장 먼저 눈길을 돌리는 대상이 사진이다. 이를 잘 아는 기자들은 자신의 인터뷰 기사를 작성할 때 사진을 병행해 게재하여 독자들의 흥미를 끌고 자신의 기사가 사진이 없을 때보다 더 넓고 크게 편집되는 것을 선호한다. 마찬가지로 언론사에 자신이 취재하고 작성한 인터뷰 기사를 게재하려는 학생이나 프리랜서도 인터뷰 대상자의 사진은 반드시 챙겨야 한다. 학생 기자와 프리랜서에게 우호적인 잡지사나 온라인 신문사도 인터뷰 기사를 게재하기로 결정하면 가장 먼저 묻는 것 가운데 하나가 '인터뷰 대상자'의 사진 유무이기 때문이다.

일간지 편집국의 사진부에 사진기자들이 득실대던 1990년대 중반까지만 해도 — 당시 필자 회사의 사진부에는 부원이 약 15명 안팎이었다 — 취재기자와 사진기자의 역할이 엄정하게 분리돼 있었다. 기자가 취재 대상자와 인터뷰를 하고 있으면 사진기자들이 사진을 찍은 후, 회사 사진부 안에 마련된 암실에서 인화와 현상 작업을 거쳐 취재기자에게 직접 사진을 넘겨주는 것이 인터뷰 기사 작성과 관련된 제작 과정이었다. 취재기자가 자신의 인터뷰 기사와 함께 사진부에서 넘겨받은 사진을 해당 부서의 데스크(부장)에게 넘기면 데스크는 인터뷰 기사 및 사진에 대한 수정과 검토를 거친 다음, 편집부에 건네주었다. 하지만 1997년의 IMF와 2008년의 미국발 부동산 경기 침체 이후, 국내 언론사들은 운영 경비가 많이 드는 사진부의 규모를 대폭 축소했다. 그리고 계약을 통해서 프리랜서들을 사진기자로 활용하기 시작했고, 사진부의 위상은 크게 위축되었다.

현재 대형 언론사를 비롯해 중소 언론사들도 '같은 값이면 다홍치마'라고, 기사 작성과 함께 사진 촬영이 가능한 이들을 모든 면에서 우대하고 있다. 그런 의미에서 언론사 기고와 관련해 제대로 된 인터뷰 사진을 챙기는 것은 대단히 중요하다. 독자들의 입장에서도 잘된 사진은 잘된 기사를 읽을 수 있도록 유도하는 기능을 하기 때문이다. 그렇다면 인터뷰 사진과 관련해 여러분이 알아두어야 할 사항에는 무엇이 있을까?

1) 글과의 분위기 일치

무엇보다 글의 내용과 인터뷰 대상자의 촬영 내용이 비슷한 분위기를 '공동으로' 연출해야 한다. 기사 내용은 인터뷰 대상자의 봉사에 관한 것인데 정작 인터뷰 대상자는 무심한 얼굴로 사진에 등장한다면 기사 내용과 사진이 어울리지 않는다. 이 경우 편집자 스스로 해당 사진을 검열하여 사진 없는 인터뷰 기사가 나가거나 최악의 경우 기사 자체가 아예 인쇄되지 않을 수도 있다. 그렇다고 미담 인터뷰 대상자의 웃는 모습을 억지로 연출하라는 의미는 아니다. 사진 촬영을 본인이 직접 하지 않고 친구가 대신 해주는 경우에는 자신이 쓰고 있는 글의 분위기를 미리 알려주고, 인터뷰 대상자의 얼굴이 온화할 때 또는 웃고 있을 때 많이 찍어달라는 주문을 할 수 있다. 반면 사정이 여의치 않아 자신이 직접 인터뷰 사진을 찍어야 할 때도 있다. 이때는 인터뷰 대상자의 좋은 표정을 얻을 수 있도록 말을 걸어가며 글의 분위기와 잘 맞는 사진을 찍어야 한다. 마치 사진관이나 결혼식장에서 사진사가 재치 있는 말 한두 마디로 가족과 하객들의 얼굴을 부드럽게 풀어주는 것처럼 말이다.

언론사에서도 사진기자와 취재기자의 의사소통이 제대로 이뤄지지 않아 기사 내용과 사진의 분위기가 맞지 않는 경우가 종종 발생한다. 전국경제인연합회 초청 해외 석학과의 조찬 간담회에서 초청자가 식사 내내 덕담을 나누다가 간담회 말미에 경기 침체 등을 주제로 심각한 이야기를 했을 경우, 취재기자는 경기 침체에 관한 해외 석학의 부정적인 인터뷰를 기사화할 수 있다. 문제는 사진기자가 모임 초기에 현장의 화기애애한 분위기는 찍었지만, 다른 행사 사진을 찍기 위해 중간에 간담회장을 떠났다면 취재기자가 기대하는 사진을 찍지 못했을 수 있다. 이런 경우 심각한 인터뷰 내용에 반해 사진은 환한 미소를 띠는 어색한 조합이 탄생하게 된다. 물론 편집국 회의에서 이러한 사실은 내부 심사를 받게 되며 해당 기자들은 경을 칠 것이다.

다른 예로 세계적인 석학과 전화로 경기 침체에 대한 부정적인 내용의 인터뷰를 진행했지만, 인터뷰 대상자가 보내준 사진이 증명사진 또는 환하게 웃고 있는 사진일 경우에도 신문사는 울며 겨자 먹기로 게재할 수밖에 없다. 물론 반대도 있다. 밝은 내용의 기사에 인터뷰 대상자의 사진은 엄숙하게 나온 경우이다. 언론사에서도 이런 일이 피치 못하게 발생한다는 것을 감안하면, 인터뷰 기사를 작성하는 학생들과 프리랜서들은 좀 더 철저하게 사진 촬영에 임해야 한다.

가장 좋은 인터뷰 사진은 사진 촬영자가 인터뷰를 처음부터 끝까지 지켜보며 자신이 사진 촬영자에게 여러 종류의 사진을 담을 것을 주문할 때 얻을 수 있다. 또 자신이 사진을 찍어야 한다면 기사 내용과 맞는 사진을 얻기 위해 당사자의 협조를 구해야 한다. 인터뷰 대상자가 강단 있고 결단력 있는 메시지를 전할 경우 인터뷰를 다 마친 다음, 다시 한 번 특정한 곳을 향해 아까의 이야기를 짧게 반복해달라는 부탁을 해서 기사의 분위기를 최대한 살릴 수 있는 사진을 취하는 것도 하나의 방법이다.

2) 시선은 글을 향하도록

한국편집기자협회에서 펴낸 『신문편집』(2001)에 따르면 사진에 나타나는 인터뷰 대상자의 시선은 기사의 본문이 있는 방향으로 향해야 한다. 인터뷰 박스 기사의 사진 속 등장인물이 오른쪽을 보고 있으면 기사를 오른쪽에 배치하고, 시선이 왼쪽을 향하면 기사를 왼쪽에 배치하라는 것이다. 그렇다고 아예 인터뷰 대상자의 측면을 찍으라는 얘기는 아니고 인터뷰 대상자의 시선이 정면에서 오른쪽 또는 왼쪽으로 살짝 비끼도록 유도해 촬영하라는 말이다.

편집부의 일반적인 작업 성향으로 볼 때 인터뷰 박스 기사의 사진은 주로 오른쪽에 배치되기에 인터뷰 대상자의 시선은 가급적 왼쪽을 향하게 찍는 것이 좋다. 물론 이는 기사를 읽는 독자와 사진을 찍는 이의 시선을 기준으로 한 것이다. 기술적으로는 시선이 오른쪽이든 왼쪽이든 어느 한 방향으로 사진을 찍은 후, 인화된 사진을 뒤집어서 반대편을 향하도록 조절하면 아무 문제될 것이 없다. 하지만 윤리적인 측면에서 사진의 대비와 명암 등의 조절도 엄격히 제한하거나 최소한으로 규정하는 서구 언론의 엄격한 잣대를 고려하면, 컴퓨터 프로그램을 이용해 오른쪽과 왼쪽을 뒤바꾸는 것은 분명 '왜곡'에 해당한다. 사람을 찍을 때 오른쪽에서 찍었지만 왼쪽에서 찍은 것처럼 내보내는 행위는 진실만을 추구하며 사실 보도를 제1의 원칙으로 삼는 현대 언론의 기본 철학에 어긋나기 때문이다.

영화는 촬영상의 어려움 때문에 필름을 뒤집어서 상영하는 경우도 있다. 미국의 전설적 홈런왕인 왼손잡이 타자 베이브 루스(Babe Ruth)에 관한 일대기를 찍은 미국 영화에서는 주연을 맡은 영화배우를 오른쪽 타석에서 스윙하게 한 뒤, 1루 대신 3루로 뛰게 했다. 그리고 필름을 뒤집어서 마치 주인공이 왼쪽 타석에 들어서서 1루로 달려간 것처럼 연출했다. 이 경우는 영화의 완성도를 높이기 위한 고육책으로 왜곡과는 다르며, 무엇보다 이러한 과정이 영화 촬영의 에피소드로 언론에 공개되었다. 그렇지만 인터뷰 기사에서 다루는 근본적인 대상은 사실에 기반을 둔 뉴스이기에 오른쪽으로 향한 사진을 왼쪽에서 향한 것처럼 내보내는 행위는 윤리적인 측면에서 바람직하지 못하다. 따라서 인터뷰 대상자의 사진을 고루 찍지 못할 시에는 가급적 인터뷰 대상자의 시선이 촬영자를 기준으로 봤을 때 왼쪽을 향하게 찍는 것이 좋다.

3) 하는 일을 연관시켜라

미담 기사에서 이른바 헌혈왕을 인터뷰하게 됐을 때 — 그러나 '미담 인터뷰 기사 작성' 편에서 기부와 관련된 주제는 그다지 추천하지 않는다고 말한 바 있다 — 인터뷰 대상자가 헌혈을 하는 사진을 찍을 수는 없겠지만, 인터뷰 대상자 앞에 헌혈증을 펼쳐놓도록 주문한 후 그의 환한 미소를 유도할 수는 있다. 마찬가지로 독거노인 도시락 배달 자원봉사자를 취재할 때는 도시락을 배달하는 장면을 찍을 수도 있다. 물론 이러한 장면을 챙기기 위해서는 현장에 나가 주인공을 중심으로 한 여러 사진을 찍어야 한다. 그래도 고생 끝에 얻은 사진 한 장이 웬만큼 잘 작성된 기사 이상으로 독자의 이목을 끌며 기사 내용의 60~70%를 단숨에 전달해줄 수 있다. 해녀를 인터뷰할 때에도 평상복 차림의 해녀를 식당에서 만나 인터뷰하기보다 작업하는 시간대를 파악해 방해가 안 되는 선에서 사진을 챙기는(식사 시간 또는 퇴근, 작업 정리 시간 등) 것이 좋다.

4) 가급적 3MB 이상이 안전

언론사마다 차이는 있지만 경험상 3,000 × 4,000픽셀 크기에 3MB가 넘는 용량이라면 손바닥 절반 크기의 인터뷰 사진으로는 손색이 없다. 물론 증명사진 크기의 조그마한 사진이라면 300KB 정도로도 충분하지만, 가급적 1MB가 넘는 고화질 사진을 확보해야 나중에 편집할 때 크게 늘려도 사진의 질을 적정 수준으로 유지할 수 있다. 그래서 사진 용량은 대대익선(大大益善), 즉 클수록 좋다.

5) 취해야 할 사진, 피해야 할 사진

기사 작성자가 사진을 촬영하지 못하는 불가피한 상황이 있을 수 있다. 이때는 주인공에게 사진을 직접 받아야 하는데 알아두어야 할 원칙이 있다. 예를 들어, 해외에 있는 유명 인사 또는 석학과 전화나 이메일 등으로 인터뷰를 할 때 사진을 확보하는 것은 매우 중요하다. 앞서 언급한 대로 증명사진은 최대한 피하고 인터뷰 분위기나 인터뷰 대상자의 직업을 연상시킬 수 있는 사진을 요구해야 한다. 이를 위해서는 인터뷰 대상자에게 촬영 시선부터 뒷배경, 사진 크기까지 구체적으로 설명해서 인터뷰 대상자 스스로 가장 적합한 사진을 보낼 수 있도록 이해시키는 것이 중요하다. 1장에서 소개한 바와 같이 필자의 경우 지난 2012년 6월 ≪중앙일보≫와 전화 인터뷰를 진행하면서 기자의 요청에 따라 이메일로 필자의 사진을 보내준 적이 있다. 당시에 필자가 보낸 사진의 용량은 4.5MB에 가로×세로의 크기는 3,900×2,600픽셀이었다.

2. 사진 설명

사진만 덩그러니 놓고 인터뷰 기사를 편집할 수는 없다. 그러므로 사진 속 상황을 설명하는 글을 덧붙여야 한다. 언론사에서는 사진부 기자가 취재 사진을 건네주면 사진에 설명을 첨부해서 데스크를 거쳐 편집부에 넘긴다. 이때 기사의 내용과 중복된 정보는 사진 설명에 가급적 게재하지 말아야 한다. 지면은 한정되어 있는데 본문과 사진 설명 및 제목에 똑같은 내용을 반복하는 것은 공간 낭비이다. 한정된 지면에는 여러 종류의 정보를 고루 실어주는 것이 최선이다.

사진 설명을 적는 데에도 요령이 있다. 먼저 일반 사건·사고 기사와 마찬가지로 육하원칙에 의거해 사진 설명을 작성해야 한다. 그런데 사진 설명을 다는 것이 녹록한 작업은 아니다. 영어로는 캡션(caption)이라 부르는 사진 설명은 간단하면서도 핵심적인 내용을 본문과 중복되지 않는 선에서 육하원칙에 맞춰야 하기 때문에 작성하기가 상당히 어렵다. 바람직한 사진 설명은 인터뷰 대상자가 이야기를 하고 있는 장면의 경우 "어떠한 인터뷰 대상자가 며칠 어디에서 무엇에 관해 설명을 하고 있다"라는 식으로 서술하는 것이다. 만일 사진 촬영에 나타난 모습에서 이야기의 내용이 기억나지 않는다면, 총체적인 설명 또는 요약된 주제를 전달하는 것이 좋다. 이를테면 "제3회 ○○ 봉사상을 받은 김○○ 씨가 15일 춘천 한림대 ○○ 건물에서 봉사란 '나누며 행복하게 사는 것'이라는 자신의 철학을 설명하고 있다"라고 쓰는 것이다. 또 사진 설명은 대개 한두 문장으로 구성되며 두세 줄을 넘기기 않는 것이 보통이다.

마지막으로 사진 설명에 굵은 글씨체의 제목을 첨가하는 것도 속 깊은 친절을 보일 수 있는 절호의 기회이다. 무엇보다 상대방으로 하여금 '언론사에서 요구하는 것을 제대로 알고 있네'라는 긍정적인 생각을 이끌어 낼 수 있다. 실제로 언론사의 인터뷰 사진에는 사진 설명에 대한 1행 제목이 굵은 글자체로 들어가는 경우가 종종 있다. 따라서 제목을 첨가한 사진 설명을 보낸다면 — 앞의 경우에는 '나누며 행복하게 사는 것이 봉사' — 기사와 사진 및 사진 설명 등을 받는 언론사에서는 레토르트 식품처럼 완전히 조리되어 덥히기만 하면(언론사의 입장에서는 편집해서 인쇄만 하면) 되는 완제품을 맞이하게 되는 까닭에 원고를 게재할 가능성이 높다.

:: 여기서 잠깐! ::

사진 촬영 체크 리스트

1. 주인공의 표정이 글의 분위기와 어긋나지는 않는가?

예 ☐　　아니오 ☐

2. 사진의 시선이 글 쪽을 향해 있는가?

예 ☐　　아니오 ☐

3. 주인공이 하는 일이 사진에 잘 나타나 있는가?

예 ☐　　아니오 ☐

4. 사진 용량은 3MB 이상인가?

예 ☐　　아니오 ☐

5. 증명사진이 아닌 자연스러운 사진인가?

예 ☐　　아니오 ☐

6. 주인공의 얼굴이 충분히 밝게 비치는가?

예 ☐　　아니오 ☐

:: 연습 문제 ::

1. 다음은 '인터뷰 방법' 수업 시간에 유기견을 돌보는 미담 인터뷰의 주인공(가운데)에 관한 사진으로 학생이 제출한 과제이다. 사진에서 잘된 점과 아쉬운 점이 무엇인지 찾아보자.

2. 방학을 맞이해 마감 1위의 인기를 달성하고 있는 서울 강남의 어느 어학원 영어 강사를 인터뷰한 시사 기사의 사진이다. 잘된 점과 부족한 점을 찾아보자.

3. 헌혈과 함께 헌혈증 기부 봉사를 실시하고 있는 대학생의 미담 인터뷰 기사이다. 잘된 점과 아쉬운 점이 무엇인지 찾아보자.

4. 전통 극단을 운영하는 어느 주인공에 관한 인물 인터뷰이다. 잘된 점과 고쳐야 될 점을 찾아보자.

5. 둘 다 미담 봉사에 관한 사진이다. 어느 사진이 잘되었는지, 그 이유는 무엇인지 살펴보자.

6. 다음은 6월 호국의 달을 맞이해 월남참전자회 춘천시 지회장과 민족문제연구소 교육홍보실장을 만나 각각 시사 인터뷰 기사를 쓰고 사진을 찍은 학생들의 작품이다. 두 작품을 비교해보면서 문제점을 파악해보자.

정답 ☞

반드시 정답이라기보다 좀 더 나은 사진을 찍기 위한 예제로 활용하면 좋겠다.

1. 잘된 점: 강아지를 들고 있는 모습을 통해 유기견 자원봉사와 연계시켰다.
   이쉬운 점: 좌우의 두 등장인물은 불필요할 뿐 아니라 주인공에 대한 시선을 분산시킨다. 또 주인공의 상의가 검은색인데 안고 있는 개 역시 검은색이어서 잘 구분이 가지 않는다. 무엇보다 정면을 바라보고 있는 느낌이 인터뷰 기사의 취지와는 잘 맞지 않는다.

2. 잘된 점: 자연스럽게 웃는 얼굴과 취재기자를 바라보는 방향(왼쪽)이 매우 좋다.
   아쉬운 점: 사진으로는 주인공의 직업을 유추하기 힘들다. 토익 참고서 등을 쉽게 알아볼 수 있도록 여러 권 쌓아놓거나 책을 품에 안고 있는 상반신을 찍어도 좋았을 것이란 아쉬움이 든다. 또 다리를 꼬고 있는 자세도 독자들에게 불편하게 보일 수 있다.

3. 잘된 점: 자연스러운 미소와 헌혈증을 들게 한 연출력은 대단히 돋보인다.
아쉬운 점: 주인공의 얼굴이 조금 어둡게 나온 데다 주인공 뒤에 있는 2층 침대가 시선을 분산시키며 다소 어지러운 배경을 제공한다.

4. 잘된 점: 주인공이 하는 일을 알리기 위한 분위기를 최대한 살렸다.
아쉬운 점: 조명 부족으로 주인공의 얼굴이 어두운 데다 인터뷰 사진으로 보기엔 서 있는 모습이 다소 딱딱하고 정적이다. '기사 내용과 연결되도록 주인공의 손동작이 있는 상반신 사진을 찍었더라면' 하는 아쉬움이 남는다.

5. 정면을 응시하고 있는 왼편의 작품보다는 현재 자신의 일에 열중하며 무슨 일을 하고 있는지 자연스럽게 보여주는 오른편의 사진이 더욱 좋아 보인다.

6. 둘 다 정면을 응시한 사진이어도 똑바른 자세에서 주변의 많은 배경을 함께 보여주는 왼편보다, 주인공의 상반신을 화면에 꽉 차게 담는 동시에 인터뷰 대상자가 하는 일을 뒷배경에서 간접적으로 보여주는 오른편이 더 돋보인다.

11

인터뷰 기사 편집

일간 신문사는 회사에 따라 명칭의 차이는 있지만 대개 편집국, 광고국, 총무국 3개 부서가 조직의 중추를 형성한다. 이 가운데 직접적으로 신문 제작을 맡고 있는 곳이 편집국인데, 편집국에는 정치부, 사회부, 경제부는 물론, 국제부, 스포츠부, 문화부, 사진부, 교열부 등이 있다. 신문기자나 방송기자라 하면 이들 부서에 소속돼 기사를 취재, 작성, 편집하는 이들을 일컫는다. 기자들은 근무지에 따라 회사 바깥에서 기사를 취재해 회사로 뉴스를 송고하는 취재기자(외근 기자)와 회사 내에서 송고된 기사의 지면 배치, 제목 결정과 함께 사진의 유무 및 크기를 조절하는 편집기자(내근 기자)로 크게 나뉜다. 상품 제작에 비유하면 외근 기자는 공장에서 근무하는 현장 근무자요, 편집기자는 상점에서 제품을 포장, 진열하는 판매원에 속한다. 그렇다고 내근 기자가 모두 편집기자는 아니다. 국제부, 교열부와 같이 편집국 내에 근무하지만 편집 대신에 국제 뉴스와 기사의 최종 교열을 담당하는 이들도 있기 때문이다.

편집부 내에서는 일반적으로 편집부원 한 명이 최소한 한 개 면을 통째로 담당한다. 32면을 발행하는 일간 신문사의 경우, 편집부원의 숫자는 32명을 넘기지 않는 것이 보통이다. 신문사의 규모와 시장의 현실성 등을 감안할 때 발행 지면 수보다 편집부 기자의 수가 더 많은 언론사는 전 세계적으로 거의 전무하다. 특히 IMF와 2008년의 미국 부동산 경기 침체 이후, 국내 언론 산업의 불황이 가속화되면서 언론사들의 살림살이도 많이 빡빡해졌다. 이에 따라 편집국에서 가장 많은 인원이 있는 편집부도 지속적으로 인원 감축이 이루어져 편집기자들의 업무는 해마다 가중되고 있다. 필자가 홈페이지를 통해 조사한 바에 따르면, 2013년 현재 50~60면 정도의 지면을 매일 발행하는 ≪조선일보≫는 편집기자가 23명에 그친다. 산술적으로 계산해도 편집기자 한 명이 3쪽에 이르는 지면 분량을 담당하고 있다.

앞서 간단히 설명했지만, 기사 편집은 쉽게 말해 '종합선물세트' 상자의 구획을 나누는 작업이라 할 수 있다. '종합선물세트'가 어색한 이들에게는 화장품의 파운데이션 디자인을 예로 들 수 있다. 어떤 색깔, 어떤 크기로 구획을 나누는가에 따라 시각적인 이미지가 180도 바뀔 수 있기 때문에 신문을 포함한 인쇄 매체에서 편집부의 '레이아웃(지면 배치)'은 대단히 중요하다. 아이러니한 사실이지만 아무리 좋은 재료를 가지고 기사를 잘 써도 최종적으로 레이아웃이 두드러지지 않으면 독자들의 눈길을 끌 수 없다. 인터넷을 비롯한 수많은 언론들이 선정적인 사진, 동영상과 함께 도발적인 제목으로 독자와 시청자의 시선을 잡으려고 고군분투하는 이유가 여기에 있다.

지금까지 배운 인터뷰 기사 작성 요령을 토대로 새로운 인터뷰 기사를 만들었다면 마지막 화룡점정이 필요하다. 일간지의 한 면에 들어가는 인터뷰 기사 편집이 그것이다. 인터뷰 기사를 박스라는 테두리 안에서 편집해야 하는 편집기자는 취재기자로부터는 기사를, 사진기자로부터는 사진을 받는다. 그리고 하나의 완성된 편집 작품을 자신이 담당하고 있는 면의 한 쪽에 보기 좋게 배치해야 한다. 박스 기사는 기사의 테두리에 사각형 박스를 두른 것을 의미하는데, 박스 기사는 사각형으로 모듈화된 깔끔한 이미지 덕분에 주변 기사와 차별되어 독자들의 시선을 훨씬 쉽게 끌 수 있다. 이 때문에 인터뷰 기사를 작성한 취재기자는 자신의 인터뷰 기사가 박스화되기를 바라며 편집부 해당 기자에게 인터뷰 기사의 박스 처리를 신신당부하곤 한다. 그렇다면 이번 장에서는 자기소개 인터뷰 기사를 박스로 편집하는 요령을 간략하게 알아보자.

1. 레이아웃(Layout) 짜기

일간 신문사의 하루는 출입처가 있는 외근 부서의 기자들이 9시를 전후해 취재 현장에 도착하는 것으로 시작된다. 편집기자는 대개 10시 이후에 출근한다. 편집부 기자가 일찍 출근하지 않는 것은 기사가 손에 들어와야만 편집이 시작되기 때문이다. 따라서 기사 마감 시간인 오후 5시가 임박하는 늦은 오후부터 자신이 맡은 면의 기사들이 쏟아져 들어오기 시작하면 편집기자들의 손은 바빠진다.

10시 이후에 출근해서 자신의 책상 앞에 앉은 편집기자들은 커다란 신문의 한 면 전체에 대한 그날의 편집 계획을 세운다. 오전 10시 30분에 이뤄지는 부장 회의(편집 부장, 정치 부장, 경제 부장, 사회 부장, 국제 부장 등 편집부의 모든 부장들이 참여해 자신들의 부서에서 다룰 당일 기사에 대한 브리핑 회의)에서 결정된 사항을 유인물로 전달받은 편집기자는 본격적인 레이아웃을 시작한다. 예를 들어, 14면을 맡은 김 모 편집기자는 편집 부장이 회의 뒤에 전해주는 14면에 대한 예상 뉴스 리스트를 전달받는다. 김 기자는 이에 따라 오후 5시 마감 시간까지 넘어오는 예상 기사들에 맞춰 전반적인 레이아웃 작업에 들어간다. 부장 회의에서 내일 아침 신문의 14면에 기사 6개, 사진 1개가 들어가기로 결정됐다면 김 기자는 기사의 경중에 따라 6개 기사 각각의 위치와 크기 등을 결정한 후, 제목 글자의 수와 길이, 크기까지 정해놓는다. 그래야만 5시 이후에 쏟아져 들어오는 기사들을 읽어보며 본문에서 뽑아낸 여러 제목들을 주어진 자리에 재빨리 배치할 수 있기 때문이다.

이런 작업은 보통 당일 아침에 발행된 자사의 신문 14면을 펼쳐놓고, 빨간 색연필로 커다랗게 구획을 그려가며 대략적인 레이아웃을 짜는 것으로 이뤄진다. 이때 사진 배치는 사각형 내에 대각선을 그린 후, 대각선이 마주치는 접점에 'photo(사진)'를 의미하는 이니셜, P를 크게 써넣는다. 제목의 경우 11행 제목이라는 글을 제목 박스 안이나 근처에 적어서 제목의 크기는 11행에 해당할 정도로 두껍게 뽑을 것을 스스로에게 주문한다. 인터뷰 기사 역시 할당 지면의 오른쪽 위에 배치하기로 결정한 다음, 인터뷰 기사 박스 안에 주 제목과 부제목, 기사 사이 제목과 사진을 배치하는 작업을 반복적으로 한다.

독자 여러분은 편집기자가 아니므로 한 면 전체를 편집할 수도, 편집할 필요도 없지만 적어도 자신이 기획하고 작성하는 인터뷰 기사의 편집

정도는 직접 하는 것이 여러 가지 면에서 유용하다. 편집을 알아야만 사진의 중요성과 함께 제목을 위한 리드 또는 핵심 문구 등을 기사 작성 초기 단계에서 좀 더 세심하게 챙길 수 있다. 만일 편집의 중요성을 모른다면 자신의 기사가 더욱 눈에 띄고 화려하게 포장될 수 있는 가능성을 스스로 포기하고 편집기자의 판단에 전적으로 맡겨버리는 꼴이 된다. 이것은 마치 연인에게 줄 좋은 선물을 구입했지만, 포장에는 신경 쓰지 않고 선물을 구입한 가게의 점원에게 포장지 선정부터 테이핑, 선물 봉투에 이르는 전반적인 사항을 모두 맡기는 것과 마찬가지다.

이와 함께 갈수록 살림살이가 빡빡해지고 있는 언론사들이 기왕이면 다홍치마라고 기사만 쓸 수 있는 기자보다 사진도 찍으며 편집까지 아는 지원자에게 더 많은 점수를 주는 현실도 고려해야 한다. 기사를 취재하고 작성하는 것은 물론이고, 편집도 어느 정도 이해해야 자신의 경쟁력을 높일 수 있다. 그렇다면 이제부터는 인터뷰 박스 기사의 편집을 알아보자.

2. 인터뷰 박스 기사 레이아웃

현재 인쇄 매체 언론사에서 가장 많이 사용하는 편집 소프트웨어는 '인디자인(InDesign)'으로 '포토샵(Photoshop)' 프로그램이 유명한 어도비(Adobe) 사의 제품이다. 예전에는 '쿼크익스프레스(QuarkXpress)'라는 소프트웨어도 많이 사용했는데, 이는 매킨토시 컴퓨터에서 주로 구동된다. 따라서 PC가 대부분인 한국의 언론 환경에서는 PC용 버전을 재빨리 내놓은 '인디자인' 쪽으로 무게 추가 급격히 기울고 있다. 하지만 이들 두 소프트웨어는 기능 면에서 거의 비슷할 뿐만 아니라 '핫키(hot key)'라고 불리는 단축키도 비슷하다. 따라서 두 소프트웨어 가운데 한 가지만 제대로 알면 다른 소프트웨어를 구동하는 데는 별 문제가 없다. 이 책에서는 '인디자인' 프로그램을 중심으로 인터뷰 박스 기사 편집에 대해 간단히 알아보려고 한다.

만일 A4 용지를 기준으로 편집을 한다면 먼저 '인디자인'을 활성화시킨 후에 A4 용지를 선택한다. 이때 편집 화면을 몇 단 칼럼으로 할지 정해야 하는데 가장 무난한 화면 분할은 3단이다. 다음으로는 인터뷰 주 제목의 위치와 크기를 결정한다. 앞 장에서 소개한 바와 같이 인터뷰 기사의 편집에서는 '인용형 제목'을 쓰는 것이 일반적이다. 이와 함께 누구에 대한 인터뷰인지를 밝히기 위해 '인용형 제목'의 좌측 상단에 '어깨 제목'을 얹어주는 것도 빼먹지 말아야 할 요령이다. 만일 '인용형 제목'이 두 줄 이상일 경우에는 '연결형 제목'으로 두 줄에 걸쳐 편집하는 것이 보기 좋다.

다음으로는 사진의 크기와 위치를 정하고, 필요하다 싶으면 사진 밑에 '캡션'이라 불리는 사진 설명용 박스를 만들어놓는다. 이와 함께 기사 사이 제목을 기사 중간에 배치하여 주 제목만으로는 전달하지 못하는 정보들을 부가적으로 제공한다. 마지막으로 나머지 빈 공간에 자신이 작성한 기사 내용을 넣는다.

미국 어도비 사의 편집 소프트웨어인 '인디자인'의 로고이다.

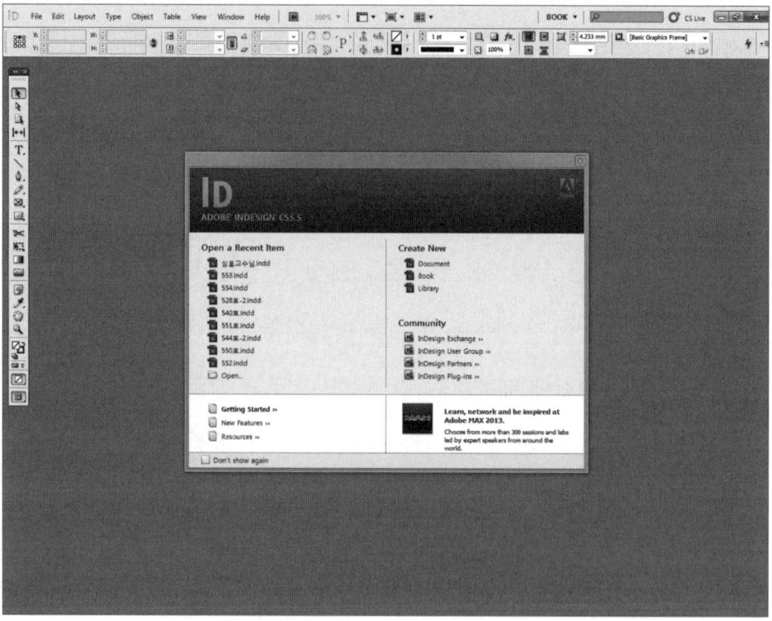

'인디자인'은 '쿼크익스프레스'가 좌지우지하던 국내 출판 인쇄 프로그램 시장에 혜성같이 등장해 최근 무서운 속도로 시장을 장악해나가고 있다. 위의 사진은 '인디자인'을 활성화시킨 초기 화면이다.

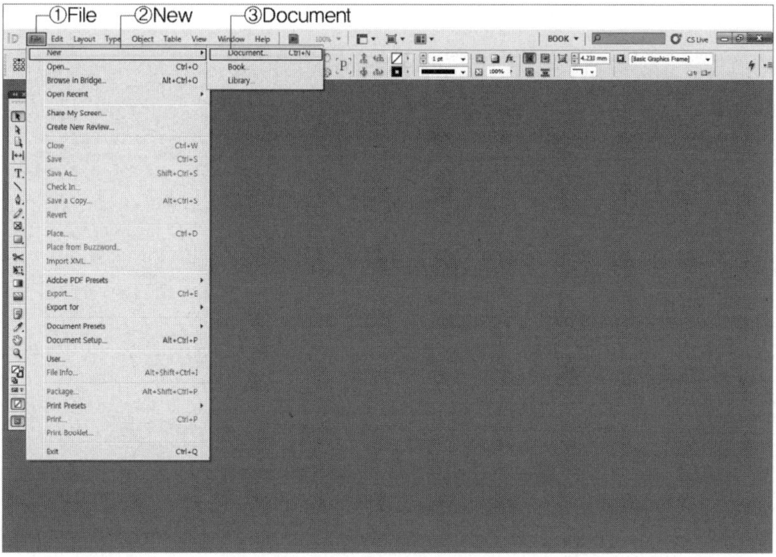

A4 용지 위에서 인터뷰 기사를 편집하기 위해서는 먼저 '툴바(Toolbar)'의 왼쪽 상단에 있는 '파일(File)'을 클릭한 다음 '새로운(New)', '도큐먼트(Document)'를 열어야 한다.

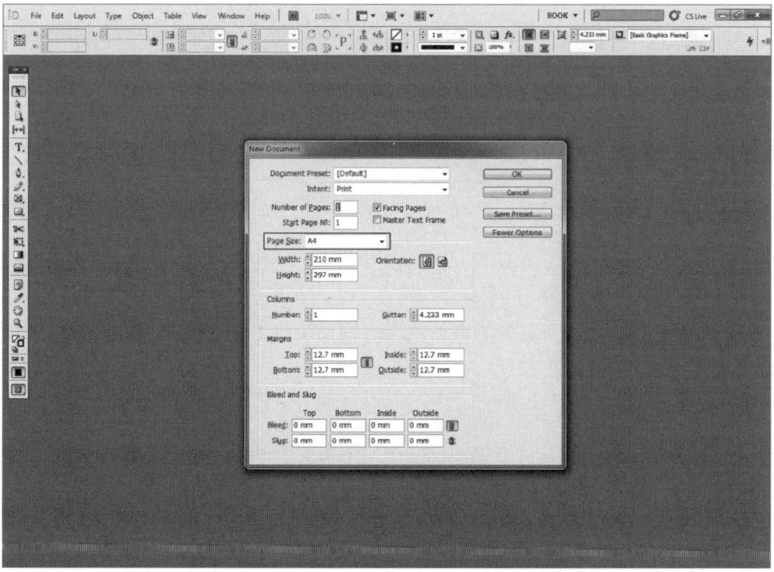

가운데에 팝업(pop-up) 창이 뜨면 '종이 크기(Page Size)'를 A4로 맞춘다.

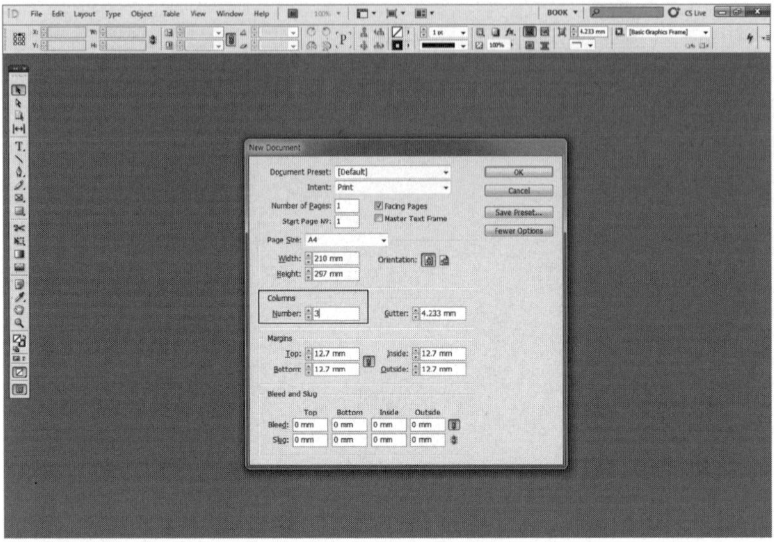

역시 같은 팝업 창의 하단에 있는 '칼럼(Columns)'의 수를 3으로 조절한 후 'OK' 버튼을 누른다.

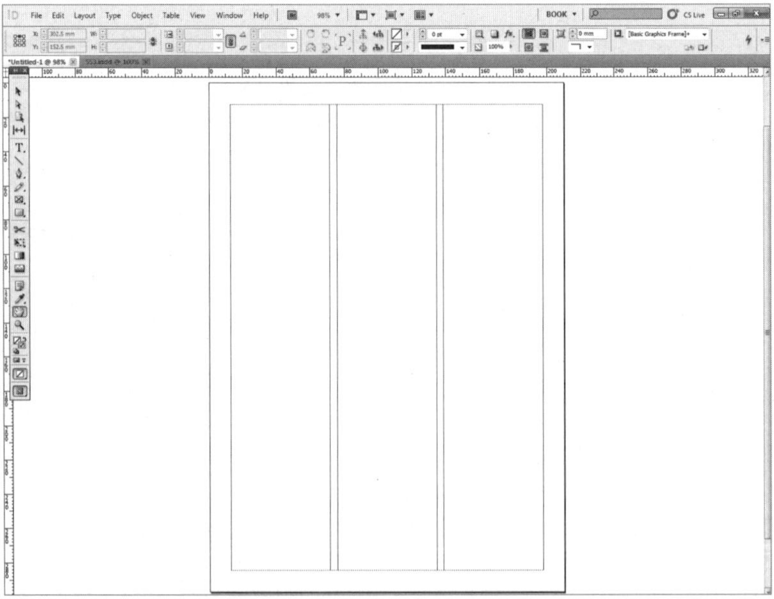

A4 용지 위에 3단 칼럼으로 분할된 화면이 나타난다.

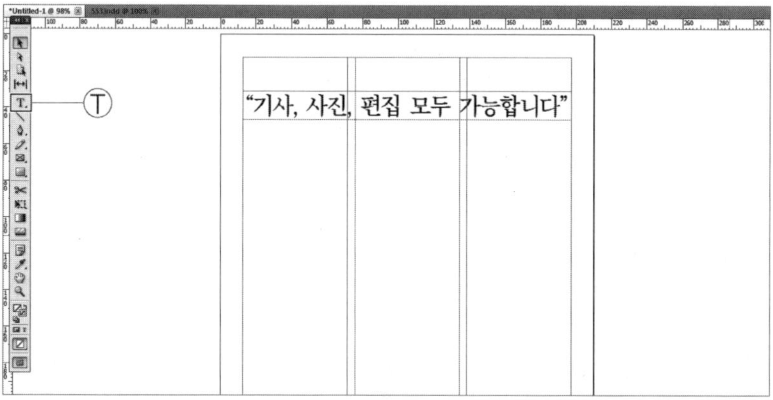

제목 크기를 정하기 위해서는 화면 왼쪽에 세로로 길게 있는 '툴박스(Toolbox)'에서 'T'라는 텍스트 입력 기능 버튼을 클릭한 후, A4 용지의 상단에 생기는 커서를 이용해 '통단'으로 주 제목 박스를 설정한다. 이때 주 제목 상자는 1.5cm 안팎으로 크게 잡아야 편집이 시원하게 잘 나온다. 주 제목은 A4 용지의 맨 위에 있는 회색 선에서 주 제목으로 설정할 박스의 두께만큼 내려간 곳에 잡는다. 이는 주 제목의 위쪽에 어깨 제목을 하나 더 배치할 공간을 남겨두기 위해서다. 다음으로는 주 제목으로 설정한 텍스트 박스 안에 자신이 원하는 제목을 넣으면 된다. 글자체는 인용형 제목의 경우 명조체를 사용하는 것이 보기 좋다.

주 제목 위에 텍스트 박스를 만든 후, 박스 안에 어깨 제목을 입력한다. 어깨 제목의 활자 크기는 주 제목보다 절반 이상 작게 해야 두 제목의 대비 효과가 확실하다.

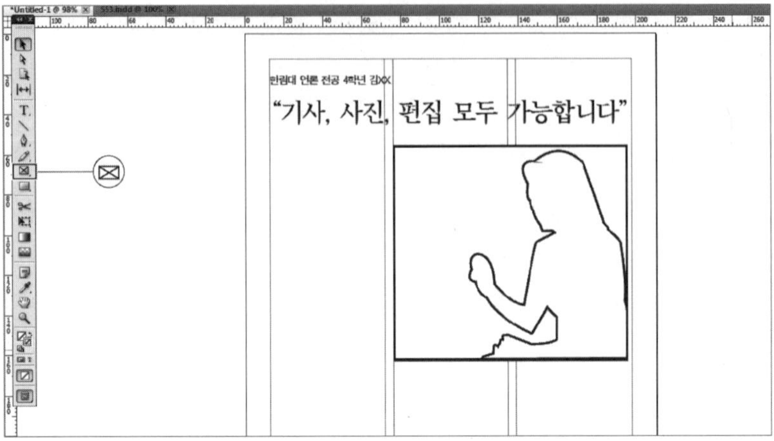

이제 2단에 걸쳐 주 제목의 아래에 사진 박스를 설정한다. '툴박스'의 여러 버튼 가운데 직사각형 안에 X 자가 그려진 버튼을 클릭하면 원하는 곳에 사진 박스를 설정할 수 있다. 그러면 이 사진 박스 안에 필요한 사진을 불러오면 된다. 사진 박스는 가급적 크게 그려야 편집이 전반적으로 보기 좋게 된다.

만일 주 제목만으로 기사의 내용을 충분히 전달하지 못했다고 생각되면 사진 아래의 중간 칼럼에 조그마한 기사 사이 제목용 텍스트 박스를 만든 다음, 부차적인 제목들을 써넣으면 된다.

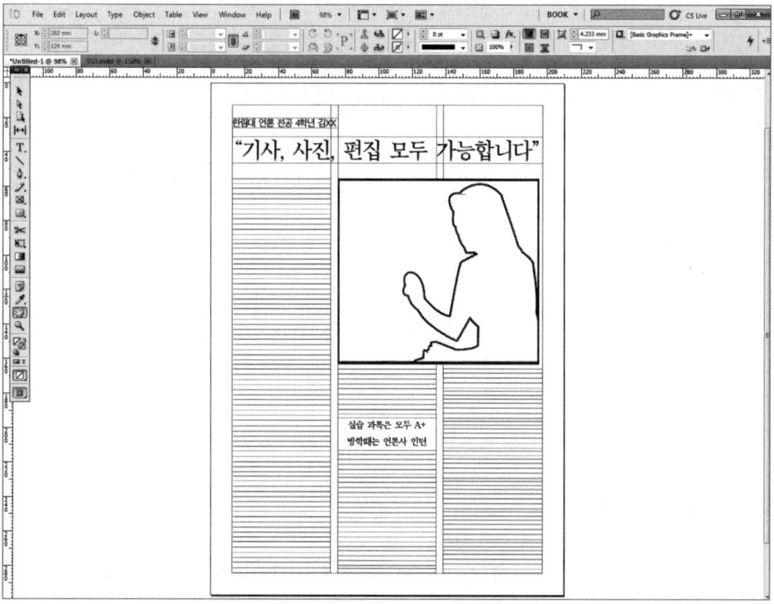

이후 나머지 공간은 모두 기사로 채워 넣는다. 여기에서 명심할 것은 주 제목과 사진, 기사와 기사 사이 제목이 적당히 떨어져 있어야 편집이 너무 답답하게 보이지 않는다.

12

명예훼손과 기사 작성 윤리

명예훼손과 관련된 죄에는 크게 '명예훼손죄'와 '모욕죄' 두 가지가 있다. 모욕죄는 공연하게 사람을 모욕해서 성립하는 범죄인 데 반해 명예훼손죄는 사실 또는 허위의 사실을 '적시(摘示)'• 한 행위이기에 언론과 관련된 것은 명예훼손죄라고 볼 수 있다.

명예훼손죄에 따르면 허위의 사실을 적시한 이외에 진실한 사실을 적시했을 경우에도 2년 이하의 징역이나 금고 또는 500만 원 이하의 벌금에 처할 수 있다. 따라서 사실을 적시한 경우에 그 사실이 진실한 사실로서 오로지 공공의 이익에 관한 때에만 처벌 대상에서 제외된다. 한편 허위의 사실을 적시한 경우에는 5년 이하의 징역이나 10년 이하의 자격정지 또는 1,000만 원 이하의 벌금에 처한다고 형법 제307조에 명시돼 있다.

인터넷 매체가 등장한 뒤 온라인과 오프라인 매체의 경쟁이 갈수록 치

• '지적하여 보이다'라는 뜻.

1995년에 개정된 형법 제307조에서는 사실 또는 허위 사실을 이야기한 가운데 여러 사람이 알게 된 경우, 또 그 이야기가 당사자의 사회적 평가를 낮추게 되면 명예훼손죄에 해당한다고 명시한다.

열해지고 있다. 한국에서도 명예훼손을 둘러싼 정부와 언론, 기업과 언론은 물론이고 개인과 언론, 언론과 언론 간의 분쟁이 끊이지 않는다. 잘못된 언론 보도에 따른 피해자의 명예를 회복시키기 위해 언론사와 보도 대상자 간의 중재를 꾀하는 언론중재위원회에 따르면, 지난 1981년만 하더라도 44건에 불과했던 조정 청구 건수가 10년 뒤인 1991년에는 5배가 늘어난 220건에 달했다. 그리고 2001년엔 659건으로 1991년의 3배, 또 지난 2012년엔 2,401건으로 2001년에 비해 3배 이상 늘어나는 등 폭발적인 증가 추세를 보이고 있다. 더불어 조정에 실패해 법정에 서게 될 경우, 명예훼손죄와 관련해 언론사가 마주해야 하는 현실 역시 갈수록 어두워지고 있다.

언론중재위원회가 조사한 자료에 따르면 1995년부터 1999년까지 5년간 명예훼손 판결 64건 가운데 언론사가 승소한 건수는 21건으로 32.8%

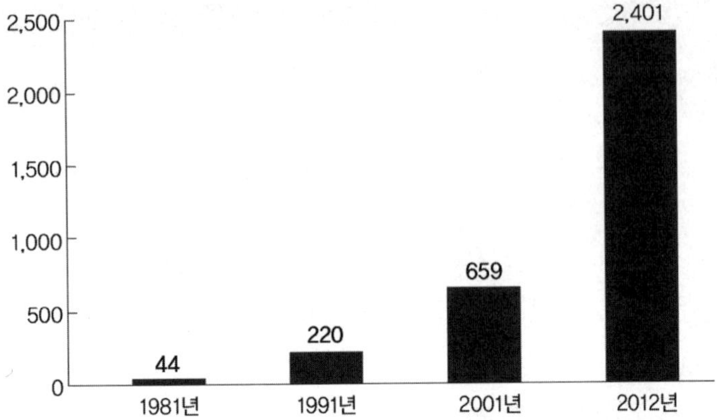

언론중재위원회에 따르면 1981년만 하더라도 44건에 불과하던 조정 청구 건수가 30여 년 만인 2012년에는 2,401건으로 무려 50배 이상 증가했다.
자료: 언론중재위원회, 「2012년 조정·중재신청 처리현황」(2013).

의 승소율을 보인다. 그러나 2심에서는 24.1%, 대법원에서는 18.8%로 떨어져 상급심으로 올라갈수록 승소율은 오히려 낮아지고 있다. 언론인 단체인 관훈클럽에서 발간하는 계간지 ≪관훈저널≫의 2001년 여름호에 「언론 상대의 명예훼손 소송 추세와 대책」이라는 칼럼을 쓴 최영훈 동아일보 국제부 차장에 따르면, 명예훼손과 관련한 언론사의 승소율이 저조한 것은 법조 비리 사건을 보도하는 과정에서 법관의 명예가 심각하게 훼손당하고 있다는 인식 때문이라고 한다. 그런 생각이 사법부 전반에 깔리면서 언론의 무책임한 보도를 견제할 수 있는 유일한 기관이 법원이라는 공감대가 형성되고 있다는 것이다. 법원의 이 같은 공감대는 자연스레 언론사의 패소율 증가로 이어지고 있으며, 이와 관련한 손해배상금 역시 과거에 비해 계속 증가한다는 것이 그의 분석이었다. 배경이야 어찌됐든 언론사와 기자의 입장에서는 더욱 신중하고 정확하게 기사를 작성해야 할 책임이 커지고 있다.

인터뷰 기사 작성을 둘러싸고 인터뷰 당사자와 불필요한 분쟁에 휘말리지 않기 위해서는, 첫째로 철저히 사실 위주의 보도를 해야 한다. 앞서 언급했듯이 허위 사실을 보도할 경우 명예훼손에 의한 처벌은 대단히 무겁다. 하지만 말이 쉬워 사실 보도지 실제 기사 작성에서 사실 보도를 구현하기는 만만치 않다. 어떤 유형의 정보 전달이 명예훼손이나 오보 등과 관련한 불상사를 일으키는지 숙지하지 못한 경우가 많기 때문이다. 이와 관련해 기사 작성자가 가장 자주 하는 실수 가운데 하나가 숫자를 둘러싼 잘못된 정보를 전달하는 것이다. 취재원의 나이나 매출액, 수익, 연예계 데뷔 연도를 제대로 전달하지 못하면 취재 대상자의 거센 반발을 불러일으킬 수 있다. 따라서 숫자와 관련된 내용은 인터뷰 대상자에게 여러 차례 확인해야 한다.

둘째, 인터뷰 대상자의 발언을 인용할 때 당사자가 건넨 이야기의 주된 맥락을 호도(糊塗)•하지 않으면서 기사를 작성해야 한다. 또 인터뷰 주인공 자신과 관련된 발언이 아닌 타인에 대한 발언은 간접 인터뷰를 통해 이중, 삼중으로 확인하는 자세 역시 대단히 중요하다.

마지막으로, 의견과 사실을 명확히 구분해야 한다. 자원봉사자들 사이에서 '악마'라는 별명으로 불리는 인터뷰 대상자에 대한 기사를 다음과 같이 작성했다고 가정해보자.

> 올해로 18년째 봉사 활동을 주도하고 있는 김○○ 씨는 구호 대상자들에게는

• 풀 '호', 진흙 '도'. 풀을 바른다는 뜻으로 명확하게 결말을 내지 않고, 임시적으로 감추거나 흐지부지 덮어버림을 비유적으로 이르는 말.

'천사'로 불리지만, 자원봉사자들 사이에서는 '악마' 같은 존재다.

취재기자는 십중팔구 김○○ 씨에게 명예훼손으로 고발당할 수 있다. 기사 내용만 놓고 봤을 때 "'악마' 같은 존재다"라는 표현은 개인의 의견에 가깝기 때문이다. 명예훼손에 의한 고소를 피하기 위해 의견을 사실로 바꾸려면 다음과 같이 수정해야 한다.

올해로 18년째 봉사 활동을 주도하고 있는 김○○ 씨는 구호 대상자들에게는 '천사'로 불리지만, 자원봉사자들 사이에서는 '악마'로 불리고 있다.

하지만 이 역시 문제가 되기는 마찬가지다. '악마'라는 별명을 전달해 준 이가 실제로 있다 하더라도 인터뷰 대상자가 취재기자를 명예훼손죄로 고소하고, 취재기자는 발언 당사자로부터 진실을 구하는 과정에서 제대로 된 협조를 얻지 못할 가능성이 높다. 무엇보다 취재원 보호는 기자로서 끝까지 지켜야 할 직업윤리에 속하기에 취재원을 드러내는 행위 자체가 이미 비도덕적이라고 볼 수 있다. 자신이 살기 위해 정보를 건네준 사람을 폭로하는 행위이기 때문이다. 그런 이유로 위의 문장처럼 논란의 여지가 있는 단어는 다른 단어로 대체해서 자칫 송사에 휘말리는 불상사를 피해야 한다. 다음을 보자.

올해로 18년째 봉사 활동을 주도하고 있는 김○○ 씨는 구호 대상자들에게는 '천사'로 불리지만, 몇몇 자원봉사자들 사이에서는 엄격하기가 이를 데 없는 '교관' 같은 존재다.

이처럼 악마라는 극단적인 표현 대신 교관이라는 단어를 쓰면 글은 훨씬 부드러워지며 명예훼손으로 비화될 가능성을 사전에 봉쇄할 수 있다. 또 "자원봉사자들이 교관으로 부른다"는 오보성 표현 대신 "교관 같은 존재"라고 작성해 의견 보도를 하더라도 단어 선택을 신중히 해서 명예훼손과 관련된 피소를 피할 수 있다. 그런 의미에서 단어, 문장, 인용 하나하나에 심혈을 기울여 자칫 명예훼손으로 비칠 수 있는 요소는 사전에 제거하거나 부드럽게 바꿔야 한다. 그렇다면 다음은 무엇이 문제일까?

> "환자들이 저더러 원장 쌤이래요."
>
> 경기도 화성에는 특별한 의사가 있다. 저소득층을 대상으로 무료로 스케일링 등을 해주는 '사랑의 치과병원' 원장 김재○(46) 씨가 그 주인공이다. 봄날 햇살이 유난히 따사로웠던 4월 중순의 어느 날 '사랑의 치과병원'에서 그를 만나 여러 가지 봉사 활동에 대해 들어봤다.
>
> "처음에는 환자들이 어려워해 내 스스로 고안해낸 별명이 '원장 샘'"이라며 말문을 연 그는 "현재 저소득층을 대상으로 스케일링, 이 뽑기, 틀니 제작, 교정 치료 등을 하고 있다"고 한다. 그는 또 1년에 3억 원 정도씩의 기부금을 모아 저소득층 치과 진료를 지원해주는 스마일 재단의 자원봉사 회원이기도 하다.

여기에서는 맨 마지막 문장이 문제가 된다. 이는 기사 작성자가 1년에 3억 원 정도씩 모금한다는 스마일 재단의 정보에 관한 출처를 명확히 밝히지 않았기 때문이다. 이런 경우 만일 국세청에서 기사를 읽어본 후 기자에게 문의를 해오면 기자는 직접 소명에 나서야 한다. 스마일 재단에서도 실제로 "연 3억 원의 기부금을 마련하고 있지는 못하다"라며 기자가 있지도 않은 사실을 가공해서 썼다고 반발할 우려도 있다. 취재원을 정확히 밝혀 다음과 같이 쓰는 것이 애당초 문제를 만들지 않는 요령이다.

그는 또 1년에 3억 원 정도씩의 기부금을 모아 저소득층 치과 진료를 지원해주고 있다는 스마일 재단의 자원봉사 회원이기도 하다.

물론 이 역시 김 원장에게 수차례에 걸쳐 확인한 후, 김 원장을 통해 들었다는 사실을 암시하고 마무리해야 한다. 그렇다면 명예훼손을 피할 수 있는 요령에는 구체적으로 어떤 것들이 있을까? 먼저 여러 사람과의 인터뷰를 통해 이중, 삼중으로 주인공의 발언을 교차 점검(cross-checking)하는 것을 들 수 있다.

1. 교차 점검을 통한 오보 방지

이상득 전 의원, 한겨레신문 상대 손배소송에서 승소

2013.04.10 15:19 조선일보

새누리당 이상득 전 의원이 한겨레신문사를 상대로 낸 손해배상 청구 소송에서 일부 승소했다. …… 한겨레신문은 지난해 부산저축은행 부실 사태와 관련해 학교법인 포스텍이 2010년 6월 부산저축은행에 500억 원을 투자했다가 손실을 입었는데 이 과정에서 이 전 의원이 개입했다는 취지의 보도를 포스코 관계자들의 증언 형식을 빌려 보도한 바 있다. 이에 이 전 의원 측은 "객관적 증거도 없이 익명의 관계자 증언을 토대로 투자 과정에 개입한 것처럼 단정적으로 보도해 명예를 훼손했다"며 손해배상 및 정정보도 청구 소송을 제기했다 ……. (이하 생략)

앞의 기사는 제보자로부터 관련 정보를 직접 들었지만 제보자 역시 해당 정보에 대해 "~카더라" 식의 소문을 접한 사실은 간과한 채 그대로 뉴스를 내보낸 한겨레신문사의 얘기다. 결국 한겨레신문사는 제보자가 제보 내용을 직접 들은 것이 아니고, 어떤 경위로 누구에게 들은 말인지 불분명해 신빙성이 떨어진다는 재판부의 판단에 따라 이상득 전 의원이 제기한 손해배상 청구 소송에서 패소했다. 이처럼 인터뷰 당사자의 말이 얼마나 신빙성이 있는지는 당사자뿐만이 아니라 간접 인터뷰 또는 이해관계 당사자 등에게 직접 확인해야 불상사를 미연에 방지할 수 있다. 그렇지 않고 인터뷰 당사자의 말만 믿고 민감한 사항에 대해 "~카더라" 식 기사를 쓸 경우, 언론은 무수한 피해자를 양산하며 수많은 명예훼손 소송에 휘말릴 수 있다. 인터뷰 기사 작성 시에는 인터뷰 대상자의 입에서 나온 이야기라 할지라도 자신에 관한 이야기가 아닌 타인 또는 타 기관에 대한 뉴스가 있을 수 있다. 이런 경우 명예훼손의 여지가 있다고 판단될 때에는 해당 관계자에게 직접 들어보고 한 번 더 사실 확인을 거치거나 자신이 없다고 판단되면 아예 기사에서 제외해야 한다.

2. 문제의 소지가 있는 표현의 순화 또는 전환

기사를 작성할 때 명예훼손과 관련해 두 번째로 염두에 두어야 할 사안은 표현의 순화 또는 전환이다. 비록 인터뷰 당사자의 입에서 나온 이야기라 하더라도 당사자가 오프 더 레코드(off-the-record)를 요구했거나 기자의 기사 표현 방식이 자신의 명예를 훼손했다고 생각하는 경우 기사 작성자는 명예훼손 소송에 휘말릴 수 있다. 예를 들어, 인터뷰 대상자가 욕설을 섞어가며 인터뷰한 사실을 그대로 보도하는 행위는 사실 여부를 떠나 인터뷰 대상자의 명예를 크게 떨어뜨릴 수 있다. 국민의 알 권리가 그다지 크지 않은 뉴스인데도 자극적으로 기사를 작성하면 인터뷰 대상자의 명예를 훼손할 수 있기 때문이다. 그 대표적인 예가 흔히 말하는 '욕쟁이 할머니'에 관한 인터뷰다. 다음을 보자.

> "육시랄 놈, 잔소리 말고 빨리 처먹어. 손님들 기다리는 것 안 보여?"
>
> 강원도 춘천시 명동의 먹자골목에는 아주 특별한 닭갈비 집이 있다. 지난 20년간 춘천 지역의 저소득층을 위해 무료로 식사를 제공해온 김○자 할머니가 그 주인공이다. 주변에선 이른바 '훈녀 욕쟁이 할머니'로 통한다는 그녀를 만나 김 할머니의 가슴 따뜻한 봉사 이야기에 대해 들어봤다.
>
> "싸가지 없기는. 그렇게 음식 시켜놓고 묻지만 말고 싸게 입에 쑤셔 넣고 자리 비우라니깐"이라며 걸쭉한 인터뷰를 시작한 그녀는 정말 욕을 입에서 한시도 떼놓지 않는 진짜 욕쟁이 할머니다.

이 기사는 아름다운 봉사에 관한 미담 인터뷰임에도 'A1 단독 인용 리드'부터 욕설이 튀어나와서 독자들의 입장에선 훈훈하기보다 당혹스럽고 불쾌할 수 있다. 무엇보다 미담 인터뷰와는 별 상관없는 욕을 있는 그대로 표현해서 결과적으로 인터뷰 대상자에게 치명적인 명예훼손을 야기할 수 있다. 이는 주변에만 알려진 욕쟁이 할머니의 이미지가 언론 매체를 통해 전국으로 확산될 수 있는 까닭에서다. 관련 당사자에 대한 자극적인 언론 보도가 인터넷과 트위터 등을 통해 무차별로 퍼져나가 어떠한 사생활 침해 및 명예훼손을 일으키는지 우리는 이미 숱한 사례를 봐서 알고 있다. 뉴스에 욕설을 그대로 실을 것이라는 사전 양해도 없이 인터뷰 기사에 욕설을 그대로 내보내는 것도 문제이다. 설사 인터뷰 대상자의 양해를 얻는다 해도 첫 문장부터 욕설에 그대로 노출되는 일반 독자들의 정서를 고려하면 이 같은 표현 방식은 좀 더 부드럽게 순화해야 한다. 다음은 그러한 상황을 감안해서 쓴 가상 기사이다.

> "ㅇㅇ랄 놈, 잔소리 말고 빨리 ㅇ먹어. 손님들 기다리는 것 안보여?"
>
> 강원도 춘천시 명동의 먹자골목에는 아주 특별한 닭갈비 집이 있다. 지난 20년간 춘천 지역의 저소득층을 위해 무료로 식사를 제공해온 김ㅇ자 할머니가 그 주인공이다. 주변에선 이른바 '훈녀 욕쟁이 할머니'로 통한다는 그녀를 만나 김ㅇ자 할머니의 가슴 따뜻한 봉사 이야기에 대해 들어봤다.
>
> "ㅇㅇㅇ 없기는. 그렇게 음식 시켜놓고 묻지만 말고 빨리 먹고 자리 비우라니깐" 이라며 걸쭉한 육두문자를 사이사이에 운율처럼 집어넣는 그녀는 결코 손님이 기분 나빠하지 않는 차분한 목소리로 정겹게 욕을 건네는 동네 할머니다.

비단 욕설과 같은 육두문자만 명예훼손의 대상이 될까? 예를 들어 비속어나 외국어를 많이 사용하는 인터뷰 대상자와 인터뷰를 한 뒤, 기사에 당사자가 했던 말을 그대로 인용해도 명예훼손에서 자유로울 수는 없다. 기자가 별 생각 없이 쓴 인터뷰 대상자의 어투에서 '된장남', '된장녀'

의 냄새를 느낀 독자들이 인터넷을 통해 인신공격을 할 가능성도 무척 높다. '꼰대', '초딩', '수업을 짼다', '쩐다', '대박' 등과 같은 거친 용어들을 기사에 그대로 내보내서는 곤란하다. 따라서 비속어나 외국어를 사용하는 인터뷰 대상자의 말투 자체가 특종으로 연결될 가능성이 없다면 이런 말들은 순화해야 한다. 물론 이런 용어를 순화하지 않고 기사를 작성해서 보내더라도 언론사에서 대부분 수정할 것이다. 하지만 이는 여러분 스스로 자신의 기사 작성 수준을 고스란히 드러내는 것과 같다. 따라서 인터뷰 대상자가 이러한 용어에 지나치게 의존하고 있다면, 적당한 단어로 대체하고 기사에는 "인터뷰 내내 쉴 새 없이 비속어와 은어를 쏟아낸 그(그녀)는 마침내……" 등과 같이 처리하는 것이 바람직하다.

3. 독자 및 제3자 폄하로 비칠 수 있는 표현 배제

프로 글쟁이인 언론사 기자들도 자의 반 타의 반으로 잡아내지 못하는 명예훼손적 표현들이 있다. 의도치 않게 독자 폄하로 비화될 수 있는 인터뷰 대상자의 의견을 그대로 보도하여 인터뷰 대상자가 비판에 직면하는 상황이다. 다음을 보자.

> "세상에서 가장 쉬운 일이 봉사인 것 같아요."
>
> 갈수록 각박해지는 세상에 봉사가 가장 쉬운 일이라고 외치는 이가 있다. 춘천에서 지난 10년간 독거노인들을 보살펴온 이준○(38) 씨가 그 주인공. 삼복더위가 기승을 부리던 8월의 어느 날, 이 씨를 춘천 명동의 한 커피숍에서 만나 그의 '쉬운

봉사'에 대해 이야기를 들어봤다.

"정말 별 것도 아닌데 이렇게까지 인터뷰를 해야 하나요?"라며 겸손함을 잃지 않는 이 씨는 첫인상부터 넉넉하고 푸근하기만 하다. 그런 이 씨는 또 …….

눈치 빠른 독자들은 알아차렸겠지만, 여기에서는 다른 이들에게 '자랑' 또는 '자만'으로 비칠 수 있는 발언들이 '요주의 1번'에 속한다. 인터뷰 기사를 쓰는 초보자들이 저지르기 쉬운 실수 가운데 하나가 인터뷰에 너무 몰입한 나머지 인터뷰 대상자의 입에서 나온 이야기를 종이와 모니터, 카메라에 그대로 옮겨 담는 것이다. 만일 인터뷰 대상자의 입에서 나온 이야기를 그대로 써내기만 할 것 같으면 녹음기 하나 달랑 들고 가서 인터뷰 내용을 녹음한 뒤 녹취록에 따라 기사를 내보내면 그만이다. 그렇게 되면 굳이 글쓰기 교육과 기사 작성 요령을 익힐 필요도 없을 것이다. 초등학생에게 녹음기를 들려 보내며 질문지를 건네주고 직접 인터뷰를 시킨 후, 그가 가져온 녹음 자료를 토대로 기사를 작성할 수도 있다.

하지만 기사는 받아쓰기가 아니기에 인터뷰 대상자와 인터뷰를 할 때는 자신이 기사 작성자임을 명심해야 한다. 주체적으로 질문을 던지고 이야기가 매끄럽게 진행될 수 있도록 대답을 유도하며, 때로는 추가 질문을 하거나 아예 화제를 전환하는 요령도 필요하다. 이와 함께 제3자인 독자의 입장에서 거북하게 들릴 수 있는 내용은 알맞게 다듬거나 아예 빼버리는 기지를 발휘해야 한다. 진심이 담긴 인터뷰 대상자의 발언이라도 민감한 이들에게는 자칫 거슬리는 말로 들릴 수 있다. 그런 전형이 바로 앞의 인터뷰에 등장하는 "세상에서 가장 쉬운 일이 봉사"라는 미담 주인공의 말이다.

사실 인터뷰 대상자의 입장에서는 자신이 지금까지 해온 일 가운데 봉사가 가장 적성에 맞기에 제일 쉬운 일이라고 생각할 수 있다. 그리고 그러한 사실을 인터뷰 진행자에게 솔직히 전달할 것이다. 문제는 이러한 미담 주인공의 생각을 일반 독자들은 액면 그대로 받아들이지 않는다는 데에 있다. 실제로 이러한 기사가 취재기자의 짧은 생각 때문에 언론에 고스란히 보도되면 생각했던 것 이상으로 부정적인 반응을 불러일으킬 수 있다. 아마 인터넷 댓글의 상당수는 "그렇게 쉬운 일인데 왜 세상 사람들이 다 하지 않을까요?"라며 인터뷰 대상자의 발언을 비난할 것이다.

앞의 이야기는 방향만 조금 바꿔놓고 생각하면 연말연시에 전국 수능 1등에게 주어지는 인터뷰에서 주인공이 겸손한 말씨로 "공부가 제일 쉬웠어요"라고 말하는 것과 마찬가지다. 실제로 당해 연도의 입시 수험생들 가운데 인터뷰 당사자가 공부를 제일 잘하기에 공부 자체가 쉽다는 대답이 나올 수 있다. 하지만 수능 피라미드의 최상층에 있는 인터뷰 대상자의 말은 능력과 환경이 저마다 다를 수밖에 없는 전국 60만 수험생들의 분노를 일으킬 수도 있다. 설령 인터뷰 대상자가 어떤 이유에서건 논란의 여지가 있는 발언을 했더라도, 기사 작성자는 이를 그대로 보도할 때 따를 후폭풍을 고려해서 발언 수위를 조절해야 한다.

자신의 발언과 관련된 보도 뒤의 여파를 미처 짐작하지 못했던 인터뷰 대상자가 취재기자를 상대로 "아니 어떻게 제 말을 그대로 내보낼 수가 있나요? 제가 그런 의도로 다른 이들을 폄하하려고 이야기를 한 것은 아니잖아요. 저는 제가 가장 좋아하는 일이 봉사(공부)라서 봉사(공부)가 가장 쉬웠다는 의미로 말했던 것을 잘 아시잖아요?"라는 원망과 함께 취재기자를 명예훼손으로 고발할 수도 있다. 그런 의미에서 "요즘 젊은이들은 봉사조차도 스펙으로 생각하는 것 같아요"라든지 "다른 먹거리들과 달리 제가 만든 음식은 100% 국산입니다" 같은 비교 발언 역시 대단히 위험하다.

언론에 보도되는 기사는 자신의 일기나 블로그, 트위터에 올리는 개인적인 이야기와 달리, 공적인 영역에서 공익에 반하지 않는 뉴스여야 하므로 기사 작성자에게 많은 책임감을 요구한다. 자신의 실수로 발생할 수 있는 취재 대상자의 인권 침해를 막기 위해서라도 명예훼손과 관련된 주의 사항들은 항상 염두에 두고 글을 쓰는 자세가 필요하다.

:: 여기서 잠깐! ::

광고 및 홍보성 내용 피하기

명예훼손의 대상은 아니지만 기사 작성자가 피해야 할 또 하나의 분야가 있다. 이른바 '인터뷰 대상자 광고' 또는 '인터뷰 대상자 홍보'로 비칠 수 있는 내용이다. 다음을 보자.

> "서울 강남의 영어 어학원 가운데 저희 학원 수강생들의 평균 토익 성적이 가장 높답니다."

어느 기사 작성자가 대학생들에게 가장 실질적인 도움이 될 수 있으리라는 생각에 특정 학원 수강생들의 토익 성적에 대한 기사를 내보내려고 서울 강남의 한 유명 어학원 원장과 인터뷰를 하며 위의 글을 첫머리로 내보냈다고 하자다. 이런 기사가 나간다면 주변의 다른 어학원들이 결코 가만히 있지 않을 것이다. 당연히 해당 기자에게 정정 보도를 요구하거나 특정 어학원에 대한 노골적인 광고 불가를 들어 명예훼손과 관련된 소송을 걸 수도 있다. 이 때문에 인터뷰 기사 작성 시, 인터뷰 대상자의 입에서 나온 광고 및 홍보성 이야기는 기사에서 반드시 제외해야 한다. 단, 비영리단체는 영리단체와 설립 취지부터 다르기에 신중히 점검한다면 일정 부분은 홍보가 허용될 수 있다.

다음 인터뷰 기사를 읽고 문제가 될 수 있는 부분을 찾아 삭제하거나 표현을 알맞게 바꿔보자.

"목욕 봉사 받으시고 목욕비도 절약하세요."

갈수록 각박해지는 세태 속에 오늘도 묵묵히 남을 위해 살아가는 이가 있다. 자신의 살림살이가 넉넉하지 않은데도 10년째 주말이면 어김없이 독거 여성 노인들의 목욕 봉사에 나서는 경기도 ㅇㅇ시의 이ㅇㅇ(45·여) 씨가 그 주인공이다.

"치매였던 시어머니를 목욕시켜드리다가 자주 다퉜다"는 그녀는 "시어머니께서 막상 돌아가시자 마음을 잡지 못하다가 독거노인들의 목욕 봉사 활동에 나서게 됐다"고 한다. "비누 향을 유난히 좋아하셨던 시어머니의 모습을 지금은 독거노인들의 얼굴에서 찾는다"는 그녀는 또 "목욕이 끝난 후엔 마사지도 해드리며 살아계실 때 제대로 못해드린 효도를 독거노인들께 대신 해드리고 있다"고 덧붙인다.

하지만 그런 그녀 역시 목욕 봉사를 기피하는 대상이 있다. 이른바 "고마운 줄 모르고 목욕 봉사를 당연하게 여기는 노인들"이다. 이와 함께 자원봉사 차 양로원에 들른 목욕 봉사 도우미들도 그녀에겐 그다지 반가운 손님이 아니다. "봉사 학점이라는 것이 있어서 그런지 해를 거듭할수록 도와주겠다고 양로원까지 찾아오는 젊은이들이 늘고 있다"고 설명을 이어나간 그녀는 "하지만 대부분 하루만 일해보곤 힘들다고 머리를 저으며 다시는 찾아오지 않는다"고 전한다. 그런 안타까움에 이제는 가급적 혼자 일하는 것을 선호하는 그녀다.

앞으로의 꿈에 대해 묻자 "독거노인에 대한 도시락 배달 예산은 넉넉한 반면, 목욕 봉사와 같은 부문은 지원이 거의 전무한 실정"이라며 "공동 목욕 시설이 마련돼 그곳에서 많은 분들을 좀 더 자주 목욕시키고 싶다"는 바람을 전했다.

정답 ☞

먼저 문제의 소지가 있는 부분들에 밑줄을 그어보자.

"목욕 봉사 받으시고 목욕비도 절약하세요."

갈수록 각박해지는 세태 속에 오늘도 묵묵히 남을 위해 살아가는 이가 있다. 자신의 살림살이가 넉넉하지 않은데도 10년째 주말이면 어김없이 독거 여성 노인들의 목욕 봉사에 나서는 경기도 ㅇㅇ시의 이ㅇㅇ(45·여) 씨가 그 주인공이다.

"치매였던 시어머니를 목욕시켜드리다가 자주 다퉜다"는 그녀는 "시어머니께서 막상 돌아가시자 마음을 잡지 못하다가 독거노인들의 목욕 봉사 활동에 나서게 됐다"고 한다. "비누 향을 유난히 좋아하셨던 시어머니의 모습을 지금은 독거노인들의 얼굴에서 찾는다"는 그녀는 또 "목욕이 끝난 후엔 마사지도 해드리며 살아계실 때 제대로 못해드린 효도를 독거노인들께 대신 해드리고 있다"고 덧붙인다.

하지만 그런 그녀 역시 목욕 봉사를 기피하는 대상이 있다. 이른바 "고마운 줄 모르고 목욕 봉사를 당연하게 여기는 노인들"이다. 이와 함께 자원봉사 차 양로원에 들른 목욕 봉사 도우미들도 그녀에겐 그다지 반가운 손님이 아니다. "봉사 학점이라는 것이 있어서 그런지 해를 거듭할수록 도와주겠다고 양로원까지 찾아오는 젊은이들이 늘고 있다"고 설명을 이어나간 그녀는 "하지만 대부분 하루만 일해보곤 힘들다고 머리를 저으며 다시는 찾아오지 않는다"고 전한다. 그런 안타까움에 이제는 가급적 혼자 일하는 것을 선호하는 그녀다.

앞으로의 꿈에 대해 묻자 "독거노인에 대한 도시락 배달 예산은 넉넉한 반면, 목욕 봉사와 같은 부문은 지원이 거의 전무한 실정"이라며 "공동 목욕 시설이 마련돼 그곳에서 많은 분들을 좀 더 자주 목욕시키고 싶다"는 바람을 전했다.

첫 번째로 A1 단독 인용 리드의 "목욕비도 절약하세요"는 자칫 목욕 업계의 반발을 받을 가능성이 있다. 찜질방, 사우나, 대중목욕탕 등과 같은 업소의 운영자들은 불경기 때문에 장사가 힘든 상황에서 목욕비를 절약하자는 문구는 오히려 자신들에 대한 소비를 줄이라는 언론 기사라고 받아들일 수 있다. 이런 경우 기자에게는 전국 각지에서 항의 전화가 올 가능성이 매우 높다. 더불어 미담 봉사 당사자에게도 연락을 해서 남의 사업에 재 뿌리는 식의 발언을 삼가줄 것을 요구할 수도 있다. 그럴 경우 원래의 취지와는 달리 칭찬받아 마땅한 미담 봉사자가 오히려 곤경에 처할 수 있다. 따라서 자칫 다른 업종에 피해를 끼칠 수 있는 표현은 자제하는 것이 바람직하다.

이와 함께 첫 번째 문장과 같은 종류의 서론은 독자들의 참여를 유도하는 '캠페인형 리드'에 속하기 때문에 내용만 놓고 보면 누구라도 환영하는 듯한 느낌을 받을 수 있다. 독자들은 이에 대해 여성 독거노인이 아닌 남성 독거노인이나 여타 노인들도 목욕 봉사를 받을 수 있다고 착각할 우려가 높다. 문제는 직접 인용구가 주인공 이○ ○(45 · 여)의 입에서 나온 말을 의미하기에 나중에 기사 작성자 또는 인터뷰 주인공에게 여성 독거노인만 가능하다는 이야기를 들으면 기사의 내용을 오해한 독자들에게 항의를 받을 가능성이 있다. 그런 의미에서 다음과 같은 리드가 미담 인터뷰의 취지에 더욱 잘 맞고 문제가 없어 보인다.

"할머니들이 저더러 목욕 천사래요."

미담 기사는 독자들에게 훈훈한 감정을 불러일으키는 것이 가장 중요한데 오히려 남을 비방하거나 폄하하는 글귀를 써서 읽는 이들에게 찜찜함과 안타까움을 준다면 곤란하다. 문제가 없는 대부분의 여성 독거노인들과 목욕 봉사 도우미들은 제쳐두고 문제가 있는 사람들만 언급하여 독자는 물론, 고마움을 잘 느끼고 있는 노인에게도 불편한 감정을 전할 수 있다. 따라서 이 부분은 미담 기사의 취지에 맞게 다음과 같이 긍정적인 방향으로 고치는 것이 좋아 보인다.

그런 그녀에게 목욕 봉사 대상자들은 곧 자신의 부모 같은 존재이다. "어르신들께서 수고한다고 주머니 깊숙한 곳에서 꼬깃꼬깃한 천 원짜리 지폐를 건네주실 때면 왈칵 눈물이 나기도 한다"는 그녀는 "사탕이나 껌, 초콜릿 같은 군것질거리도 바리바리 챙겨주신다"고 넌지시 자랑한다. 이와 함께 자신을 도와 목욕 봉사 도우미를 자청한 젊은이들도 이 씨에게는 그저 고마운 대상이다. "요즘 젊은이들답지 않게 궂은 일을 마다하지 않고 귀한 시간을 내주는 이들을 보면 내가 다 뿌듯하다"는 그녀는 "그런 젊은이들이 조금만 더 늘어나면 우리 사회가 지금보다 훨씬 정이 넘치는 사회가 될 것"이라고 단언한다.

마지막으로 다른 예산과의 비교를 통한 지원 확대 요청은 자칫 타 예산을 둘러싼 인력들과 갈등을 일으킬 수 있다. 따라서 비교 없이 단독으로 기술하는 요령이 필요하다. 물론 지원을 바란다는 직접적인 언급보다는 존재 유무에 대한 바람을 피력하는 정도로 부드럽게 표현함으로써 말이다.

앞으로의 꿈에 대해 묻자 "독거노인들을 위한 공동 목욕 시설이 있다면 그곳에서 좀 더 많은 분들을 목욕시킬 수 있을 것"이라는 바람을 전했다.

13

성공적인 기사 투고

지금까지 미담, 시사, 인물 인터뷰와 자기소개 인터뷰에 대한 기사 작성 요령 및 사진, 편집 등에 관한 제반 사항을 알아봤다. 그렇다면 이제 남은 과정은 어렵게 섭외한 대상자와 인터뷰를 마친 후, 제목까지 뽑아낸 인터뷰 기사를 언론에 기고하는 것이다. 이번 장에서는 본인이 작성한 인터뷰 기사를 언론사에 성공적으로 투고하는 방법에 대해 알아보자.

필자가 언론사에서 일했던 1990년대 초만 해도 대학생이나 프리랜서가 자신들의 원고를 기고할 수 있는 언론사는 그리 많지 않았다. 엄밀히 말하면 대학생이나 프리랜서가 원고를 기고할 수 있는 언론사는 매우 제한적이었다. 하지만 1980년대 말 언론 자유화 속에 1990년대부터 서서히 늘어나기 시작한 언론사들은 1990년대 말 인터넷 언론의 등장과 함께 2000년대에 들면서 폭발적으로 증가했다. 한편 언론사들은 1997년 IMF와 2008년 미국발 '서브 프라임 모기지' 사태 이후 경기 불황에 따른 대규모 긴축 재정에 들어가면서 정규직 기자는 줄이고 외부 기고는 늘리기 시작했다. 그 대표적인 예가 바로 여행 기사로 점철되는 주말 레저 특집이다. 연봉을 수천만 원씩 받는 기자가 일주일에 한두 번 여행 기사를 기고하는 것에서 프리랜서가 자비를 들여 여행한 후 사진과 함께 보내는 여행 특집 기사로 바뀌었다. 프리랜서가 보내오는 여행 특집 기사는 신문 한 페이지를 통째로 장식해주는데도 50만 원 안팎의 원고료만 소모되는, 말 그대로 저비용 고효율 상품이다. 이처럼 언론사들이 아웃소싱(outsourcing)으로 외부에서 뉴스 콘텐츠를 저렴하게 제공받는 현상은 비단 인쇄 매체에만 한정된 것은 아니다. 수많은 독립, 외주 프로덕션이 치열한 경쟁을 치르고 있는 방송 업계 역시 마찬가지다.

돌이켜보면 중앙 및 지역 일간지는 물론 주간지, 월간지, 사보 등 온갖 종류의 인쇄 매체는 언제나 양질의 기사를 필요로 한다. 이 때문에 자신이 좋아하는 장르의 인쇄 매체를 선택해 해당 매체의 특성에 맞는 인물을 선정하고 인터뷰를 진행한 뒤, 기사를 작성하는 것도 좋은 전략이 될 수 있다. 아니면 자신이 성공적으로 취재하고 작성까지 완료한 인터뷰 기사를 해당 기사의 특성에 맞는 언론사로 보내는 것도 방법이다. 2012년 가을 학기의 수강생들은 '고양이 탐정'이라는 특이한 직업을 가진 인물을 인터뷰해서 기사를 작성하고 ≪감성 매거진 C≫라는 고양이 격월간 잡지를 찾아내 자신들의 기사를 성공적으로 실었다. 다음은 이호준, 정수연, 윤미래 등 당시 수업을 들었던 해당 학생들이 ≪감성 매거진 C≫에 "고양이를 잃어버렸다고요?: 고양이 탐정, 김봉규"라는 제목으로 실었던 작품이다. 참고로 이 기사는 인물 인터뷰에 해당하는 것으로 몇 주에 걸친 지속적인 취재 끝에 취재 분량이 기하급수적으로 많아지자 글의 전개 방식을 다큐멘터리 스타일로 가다듬었다. 기사가 완성된 뒤 학생들은 몇

몇 주간지에 자신들의 기사를 송고했지만 언론사 자체 내의 기자들이 작성한 기사만 소화한다거나 이미 계약을 맺은 객원 기자의 원고만을 받는다는 방침 등으로 몇 차례 실패했다. 그러나 그 뒤에도 자신들의 원고를 실어줄 만한 언론사를 지속적으로 물색한 끝에 기사 게재에 성공했다. 다음은 그들이 언론사에 기고한 인물 인터뷰 기사이다.

"이 주황색 포대 자루 안엔 뭐가 있나요?" "네, 고양이 철창이 들어 있습니다."

첫 만남부터 어째 심상치 않다. 등에는 묵직한 배낭을 짊어진 채 길이 80cm, 높이 30cm, 폭 30cm는 됨 직한 커다란 철창을 포대 자루에 넣어가지고 다니는 이 남자. 바로 대한민국 제1호 고양이 탐정 김봉규(42) 씨다. 잃어버린 고양이를 찾아주는 탐정이라는데……. '가제트 형사'처럼 바바리코트를 입은 사람을 기대했다면 큰 오산이다. 목 늘어난 검은색 티셔츠에 펑퍼짐한 청바지를 입은 그는 남루해 보이기까지 한다. '참, 그러고 보니 강아지를 찾는 전단지는 심심찮게 봤는데, 고양이도 잃어버리나?'

오늘의 포획 장소는 인천 검암역 근처의 어느 원룸가. 의뢰인의 집 앞에 도착한 봉규 씨가 주변을 성큼성큼 걸어다니며 보폭 길이를 재기 시작한다. "반경 스무 걸음 안팎을 재는 게 가장 중요합니다. 고양이들은 자기가 살던 곳을 잘 벗어나지 않으려는 습성이 있는데 제 경험상으로는 그것이 스무 발자국 정도 되기 때문입니다." 갑자기 봉규 씨의 눈이 집 근처의 한 빌딩 앞마당으로 고정된다. 풀이 무성하게 자라 있는 15평 남짓한 공터. "바로 여기에 고양이 철창을 설치할 겁니다. 제 짐작이 맞는다면 고양이는 이곳 어딘가에 숨어 있을 겁니다." 고양이 철창 안에 주인으로부터 받아온 멸치와 간식들을 놓고 바로 인근 매복 장소로 이동하는 봉규 씨. 그렇게 빌딩 외벽에서 조심스레 고양이 철창을 감시하기 시작한다. 30여 분이 흘렀을까? 간간이 취재진과 대화를 나누던 그가 갑자기 철창을 향해 뛰어간다. 이윽고 들려오는 그의 다소 흥분된 목소리. "잡았습니다!" 귀신이 곡할 노릇이다. 철창문 닫히는 소리는 듣지도 못했는데 어느새 봉규 씨는 철창을 포대 자루 안에 챙긴 채 의뢰인의 집으로 향한다.

"자꾸 이름 부르면서 자극하지 마세요. 그냥 내버려두면 스스로 진정될 겁니다." 봉규 씨의 단호한 말에 반갑다며 부산을 떨던 의뢰인의 기가 꺾인다. 그러자 봉규 씨는 고양이가 왜 집을 나가게 됐는지 따져 물으며 어떻게 돌봤어야 하는지에 대한 잔소리를 늘어놓는다. 완전히 갑과 을이 바뀐 꼴. 장장 한 시간에 걸친 설교 끝에 의뢰인의 집을 나서는 봉규 씨. "고양이를 잃어버린 사람한테는 무조건 화를 내요. 그래야 제가 했던 말들을 억지로라도 잊지 않고 마음속에 새겨두거든요."

오늘 의뢰인에게 받은 사례비는 10만 원. 옆에서 지켜본 기자들이 볼 땐 두 시간이 채 걸리지 않은 시간. "와! 정말 쉽게 돈 버시네요!" "쉬워 보이죠? 이렇게 노하우를 쌓기까지 17년이 걸렸습니다. 매일 이러진 않아요, 오늘은 운이 좋았던 거죠. 어떤 날은 꼬박 이틀 동안 잠복한 적도 있는걸요." 문득 연 수입이 궁금해졌다. 그에게 혹시 5천만 원은 넘느냐고 물어보자 절레절레 손사래를 친다. "우리 집에 사는 고양이들 먹여 살리는 데만 매달 200만 원씩 들어요. 한 달 벌어 한 달 살기 바쁘죠." 그에게 짓궂게도 3천만 원은 되느냐고 묻자 그는 살짝 웃으며 고개를 끄덕였다.

봉규 씨의 집은 15평 남짓 돼 보였다. 고양이 탐정 사무소 아니랄까 봐 벽 한 면은 온통 고양이 전문 서적 투성이다. 잠시 집을 돌아보는 사이 '동이', '깜순이', '젖소'라는 이름을 가진 세 마리의 고양이들이 기자의 다리에 머리를 부빈다. 봉규 씨는 "이 고양이들이 바로 접대묘입니다. 낯선 사람이 와도 숨지 않고 꼬리를 흔들며 반갑게 맞이하는 특성이 있어요"라고 설명했다. "대부분 구조한 아이들입니다. 주인이 버리고 갔거나 길에서 헤매고 있었죠." 봉규 씨는 고양이들 중 한 마리를 안아 올려 뽀뽀 세례를 퍼붓는다. 그 외에도 제각기 이름이 있는 39마리의 고양이들이 어울려 있는 게 마치 명절 연휴에 온 가족이 모여 있는 것 같다.

봉규 씨가 커피 한잔 대접하겠다고 부엌으로 향하는 도중, 때마침 울리는 휴대전화 벨 소리. "따르릉! 따르릉!" 급한 발로 달려와 전화를 받은 봉규 씨가 갑자기 소리를 꽥 지른다. "뭐라고요? 고양이랑 산책을요? 미쳤어요? 당신 같은 사람은 도와줄 수 없어요!"라며 봉규 씨는 일방적으로 전화를 끊어버린다. "세상에, 고양이랑 산책을 가다니 저런 몰상식한 사람이 있나. 고양이는 자기 영역을 벗어나면 굉장히 불안해하죠. 그래서 밖으로 절대 데리고 나가선 안 됩니다." 봉규 씨는 "생명을 구조하는 일이기 때문에 '친절'은 없어요. 일단 야단부터 치고 봐요"라며 미소를 보이며 씩 웃는다. 갑자기 낸 성화에 무안해하는 우리를 달래주려는 심산이다. 다시 한 번 울리는 휴대전화 벨 소리. 그는 마음을 가다듬고 수화기를 잡는다. "그럼 일단 고양이를 잃어버린 기본적인 경위를 말씀해주세요." 조금 전과는 다르게 이번엔 상대방에게 부드럽게 설명한다. 10분 정도 지났을까? 봉규 씨가 의뢰인과의 대화를 마치고 전화를 끊는 찰나 다시금 전화가 울린다.

그가 받는 고양이 수사 의뢰는 한 달에 무려 80~100건 정도. "이 달력을 보세요. 제 지난 반년간의 스케줄입니다." 벽 한편에 걸려 있는 달력은 봉규 씨의 하루하루를 고스란히 보여준다. 봉규 씨는 "워낙 스케줄이 많아 제가 쓴 글씨에 가려 인쇄되어 있던 달력 날짜가 보이지 않네요" 하고 자랑스러워한다.

그는 아버지가 군인이라 잦은 이사를 해야 했다. 봉규 씨는 "친구를 오래 만나지 못해서인지 내성적인 성격에 친구를 사귀기 어려웠어요"라며 "주변엔 오롯이 고양이들, 그리고 재미있는 책뿐이었죠"라고 어린 시절을 회상했다. '고양이 구조 전문가'로 활약했던 것도 고양이에 관심이 있었기 때문이었다. "29일 동안 자지 않고 무언가에 몰두해본 경험이 있나요? 전 있습니다"라고 말하는 '홍대 사건'을 들어보면 그때 그는 고양이를 찾아 하루에 40~60km는 족히 걸었다. 발도 온통 부르트고 나서야 고양이 위치를 겨우 파악했다고 한다. 고양이 근처에서 그것이 나오기만을 기다리는 그의 머릿속에는 '내 이놈을 구해내고 말겠어'라는 일념만이 가득 차 있었다. 봉규 씨는 "그때 천근만근 내려감기던 눈꺼풀 들어올리기가 참 힘들었습니다. 쥐구멍에 볕 들 날 기다리는 게 참 어려웠어요"라고 회상했다. 결국 고양이는 구조 단체에서 올무를 이용해 구해냈지만, 도구를 사용하면 상처가 생길까 봐 직접 손으로 잡으려던 봉규 씨의 노력이 애묘인들 사이에 알려져 조금씩 유명세를 타다가 1995년부터 본격적인 '고양이 탐정'의 길을 걷기 시작했다.

봉규 씨는 "고양이를 구조할 때 가장 중요한 것은 바로 탐정과 의뢰인 간의 신뢰예요"라며 "의뢰인들이 단독으로 행동하면 고양이 찾기가 오히려 힘들어집니다. 다 된 죽에 코 푸는 격이죠"라고 덧붙인다. '신뢰'에 대한 중요성을 말하는 봉규 씨는 재작년 서울의 어느 주택에서 있었던 일을 잊을 수 없다. 그는 그날의 사건에 대해 말 그대로 "답이 없었다"고 말했다. 고양이가 집에서 나간 지도 일주일이나 지난 때였고, 고양이를 잃어버린 장소도 복잡한 데다 믿을 것이라곤 한 가지도 없었다. 고민하던 봉규 씨가 말했다. "일단 전단지부터 만듭시다. 이 근처 일대 전봇대에는 모두 다 붙이세요." 다음 날, 다시 의뢰인의 동네에 도착한 그는 놀랐다. 의뢰인이 만든 전단지가 하룻밤 사이 온 동네 전봇대에 붙어 있었기 때문이다. 전단지도 다 붙였으니 의뢰인의 남편까지 가세해 주택 주변을 수색! 그러나 그날도 결국 허탕이었다. 봉규 씨는 이에 "아무래도 안 되겠습니다. 옆 동네에도 전단지를 붙여야겠어요"라고 의뢰인에게 이야기했다. 그런데 이게 웬일. 의뢰인은 전날 이미 이웃 동네에까지 전단지를 붙여둔 상태였다. 그것도 전단지를 쓰레기 취급하고 버릴까 봐 코팅까지 해서 붙였단다. 그녀의 지극정성 덕에 결국 수사 3일 만에 전단지를 본 옆 동네 한 학생으로부터 신고 전화가 걸려왔다. 봉규 씨는 "그 당시 사례금도 받지 않았지만, 수사를 마치고 집으로 돌아가는 제 마음은 무언가로 가득 차 있었죠"라고 그때의 감동을 표현했다.

며칠 뒤, 다시 한 번 찾는 그의 집. 39마리의 고양이들이 우리를 또다시 반긴다. 고양이 바보, '캣 홀릭'이라는 말이 무색할 정도로 고양이를 사랑하는 봉규 씨. 그는 주인도 집도 없는 길고양이들까지도 보살펴 이들을 보면 그냥 지나치지 못하고 집으로 데려오곤 한다. 아직 고양이들에 대한 편견과 오해, 그리고 이들을 위한 미약한 환경에 안타까워하며 한숨을 푹 내쉰다. 10여 분쯤 대화를 나눴을까? 또다시 전화벨 소리가 울린다. "따르릉! 따르릉!" "뭐라고요? 당신 도대체 뭐하는 사람입니까?" 봉규 씨는 오늘도 어김없이 소리를 꽥 지른다.

1. 온라인 인쇄 매체 공략

인터뷰 기사 작성을 마친 자신의 소중한 작품을 어떻게 언론사에 기고할 수 있을까? 지난 10여 년의 경험으로 볼 때, 가장 성공 확률이 높고 학생들에게 호의적으로 지면을 허락하는 곳 중 하나가 온라인 인쇄 매체이다. 아무래도 물리적인 측면에서 지면의 제약이 없다 보니 오프라인 언론사에 비해 학생들의 원고를 실어줄 재량이 훨씬 넓은 까닭에서다.

이 가운데 ≪오마이뉴스≫는 '모든 시민이 기자다'라는 자사의 모토에 걸맞게 모든 시민 기자들의 참여를 독려하고 있는 만큼, 대학생 기자(지망생)에게도 넓은 문호를 개방하고 있다. 실제로 학생들이 수업을 통해 필자에게 제출하는 인터뷰 기사 작성 과제 가운데 4~5개의 미담, 시사 인터뷰 기사들은 매 학기 ≪오마이뉴스≫에 기고되고 있다. 특히 첫 번째 과제인 미담 인터뷰 기사를 ≪오마이뉴스≫에 성공적으로 투고한 학생들은 시사, 인물 인터뷰 기사도 자신감을 갖고 투고하여 높은 게재 성공률을 보여주고 있다. 다음은 ≪오마이뉴스≫에 자신의 인터뷰 기사를 투고해 최종적으로 게재되는 방법을 간단히 기술한 것이다.

① ≪오마이뉴스≫에 시민기자로 회원 가입을 한다.

② 홈페이지의 오른쪽 상단에 있는 '기사 쓰기' 메뉴를 클릭한다.

③ 작성 페이지에서 제목, 내용을 적고 사진(가로 550픽셀)이 있을 경우에는 첨부한다.

④ 송고된 기사는 ≪오마이뉴스≫ 편집부의 검토를 거친다.

편집부는 정식 기사로 채택할 만하다고 생각되면 보기 좋고 읽기 좋게 편집 작업을 해서 기사를 배치한다. 이 과정에서 이메일로 기자에게 기사의 수정, 보완을 요청하기도 한다. 한편 편집부는 송고된 기사를 당일 저녁 8시까지 검토하며 그 이후에 들어온 기사들은 다음 날 검토한다.

2. 이메일 작성

≪오마이뉴스≫가 아닌 여타의 일간지 또는 잡지에 투고할 때는 홈페이지의 독자 투고란이나 기사 투고란, 외부 기고란으로 나와 있는 면의 담당자에게 이메일을 보내는 방법이 있다. 이메일을 보낼 때에는 자신의 기사와 사진을 첨부하고, 기사 배경 설명을 간단히 곁들이는 것이 좋다.

다음은 앞서 격월간지 ≪감성 매거진 C≫에 고양이 탐정에 관한 기사를 투고한 학생들의 투고 희망 이메일 내용이다. 이 편지는 필자가 수업 시간에 나눠준 투고 매뉴얼을 자신의 정황에 맞춰 가다듬은 것이다.

안녕하세요. 저는 한림대 언론학과에 재학 중인 이호준이라고 합니다. 저는 그동안 중앙 일간지에서 근무하셨던 교수님의 지도 아래 인터뷰 방법, 탐사 피처 보도 등의 기사 작성 수업을 통해 신문 기사 전반에 대한 교육을 받았습니다. 이를 통해 많은 선배들의 인터뷰 기사가 ≪주간동아≫, ≪여성중앙≫, ≪프레시안≫, ≪오마이뉴스≫ 등에 게재되었습니다. 저는 그동안 격주간지인 ≪강원희망신문≫의 인턴을 경험한 바 있습니다.

이번 학기 탐사 피처 보도 수업을 들으면서 과제의 일환으로 기사를 쓰게 되었습니다. 전국을 기반으로 고양이 수사에 나서는 고양이 탐정 김봉규 씨의 이야기입니다. 이미 언론에 소개된 바 있지만 충남 지역신문에서 소개되거나, 오래전인 2000년도에 ≪조선일보≫에 간단한 인터뷰 형식으로 다뤄진 인물이기에 더욱 많은 사람들에게 들려주고픈 바람이 있습니다.

기사 분량은 4,000자 정도이며 사진과 같이 첨부합니다. 지도 교수님의 격려 아래 귀사에 기사를 보내게 됐습니다. 만약 지면을 허락해주신다면 분량에 맞게 신축적으로 기사를 수정하겠습니다. 부족한 실력으로 써내려간 졸문이지만 바쁘신 와중에도 시간을 내셔서 저희 기사에 관심을 가져주신다면 더할 수 없는 영광이 될 것입니다. 가능하시면 빠른 회답을 기다리고 있겠습니다. 그럼 이만 줄이겠습니다.

한림대 언론 전공

이호준, 정수연, 윤미래

:: 여기서 잠깐! ::

기사 게재료, 얼마나 받을까요?

안타깝지만 계약을 하고 전문적인 프리랜서로 글을 지속적으로 쓰는 경우가 아니라면 처음엔 투고를 승낙한 언론 매체로부터 제대로 된 원고료를 받을 가능성은 매우 낮다. 2000년대 중반만 해도 필자가 가르쳤던 학생들이 ≪주간동아≫, ≪주간경향≫ 등에 사진을 포함해 3~4면 정도의 인터뷰 및 탐사 피처 기사를 게재하고 30만 원 안팎의 원고료를 받은 경우도 있었다. 하지만 언론사들의 경영이 악화 일로를 걷는 요즘에는 학생들과 아마추어 프리랜서들에게 원고 게재를 허용하는 것만으로 양해를 구하는 경우가 점점 늘고 있다. ≪오마이뉴스≫는 독자들이 100원 단위로 원고료를 지급하고 있어서 독자들의 원고료 지급 클릭 수에 따라 적게는 0원에서 대략 1만 원 정도의 원고료를 받는다. 언론사에 자신의 기사를 게재하려고 할 때는 돈을 번다는 생각으로 임하기보다 포트폴리오 작성을 위한 경력의 일환으로 응모한다고 생각하는 편이 나을 것이다.

참고문헌

심훈. 2010.『글쓰기 콘서트』. 파워북.

언론중재위원회. 2013.「2012년 조정·중재신청 처리현황」. http://www.pac.or.kr/html/data/dt_status_view.asp?seqid=151&num=105&page=1&cur_pack=0&s_field=&s_string=&tbname=ptbl_pds11&j=105(검색일: 2013.9.23).

이후남. 2012.6.4. "'구독료 영수증 가져오세요' 신문 읽기 권하는 교수님." ≪중앙일보≫, 17면.

이재경. 2005.『기사 작성의 기초』. 나무와숲.

이정민·조경이. 2013.12.16. "〈무한도전〉 노홍철의 넉살, 그게 필요한 거였다니." http://star.ohmynews.com/NWS_Web/OhmyStar/at_pg.aspx?CNTN_CD=A0001885442.

최영훈. 2001.「언론 상대의 명예훼손 소송 추세와 대책」. ≪관훈저널≫, 여름호.

최일남. 2006.9.21. "오리아나 팔라치의 '전설'을 기리며." ≪프레시안≫, http://www.pressian.com/news/article.html?no=50407.

팔켄베르크, 비올라(Viola Falkenberg). 2001.『인터뷰이를 위한 인터뷰의 이론과 실제』. 이현표 옮김. 커뮤니케이션북스.

한국편집기자협회 엮음. 2001.『신문편집』. 한국편집기자협회.

후버, 잭(Jack Huber)·딘 디긴스(Dean Diggins). 1996.『인터뷰 전문가 19인이 밝히는 인터뷰 기법』. 홍수원·이왈수 옮김. 한국언론연구원.

Brady, J. 1976. *The craft of interviewing*. Cincinnati, OH: Writer's Digest Books.

| 지은이 |

심훈

연세대학교 신문방송학과를 졸업한 뒤 세계일보에서 근무했다. 언론사에서 자칭 '5천만' 한국인을 대상으로 한 글쓰기를 업으로 삼다가 공부에 뜻을 두고 미국으로 건너가 텍사스 주립대학교에서 언론 전공으로 박사 학위를 받았다. 이후 소수의 독자를 대상으로 하는 학술용 논문에 매달리면서 극과 극을 오가는 글쓰기를 경험했다. 대학에 돌아와 학생들의 글쓰기 교육을 담당하면서 언론사의 '쉬운 글'에 학자들의 '조리 있는 문장'을 접목시키기 위해 노력하고 있다. 저서로는 『글쓰기 콘서트』(2010), 『A+ 글쓰기』(2008), 『한국인의 글쓰기』(2007) 등이 있다. 현재 한림대학교 언론정보학부에 재직 중이다.

한울아카데미 1697

인터뷰 글쓰기의 정석
실전 사례로 배우는 인터뷰 기사 작성법

지은이 | 심훈
펴낸이 | 김종수
펴낸곳 | 도서출판 한울

편집책임 | 이수동
편집 | 김진경

초판 1쇄 인쇄 | 2014년 6월 25일
초판 1쇄 발행 | 2014년 6월 30일

주소 | 413-756 경기도 파주시 광인사길 153 한울시소빌딩 3층
전화 | 031-955-0655
팩스 | 031-955-0656
홈페이지 | www.hanulbooks.co.kr
등록번호 | 제406-2003-000051호

Printed in Korea.
ISBN 978-89-460-5697-8 93070 (양장)
978-89-460-4879-9 93070 (학생판)

* 책값은 겉표지에 표시되어 있습니다.
* 이 책은 강의를 위한 학생판 교재를 따로 준비했습니다.
강의 교재로 사용하실 때에는 본사로 연락해주십시오.